CW00551127

No steak

Aymeric CARON

No steak

DOCUMENT

Ce livre est dédié à tous les mangeurs de viande, des plus grands carnassiers aux carnivores occasionnels.

L'angoissante tristesse
du végétarien

Le végétarien ne fait pas rêver. Il évoque l'austérité, l'ascèse, la contrition. Le végétarien est une
espèce dissidente de la famille des *Homo sapiens*,
dont il a choisi de s'exclure en s'enfermant dans une
sinistre marginalité alimentaire. J'en croise souvent
des spécimens dans le magasin bio où je fais mes
courses. Ne se ressemblent-ils pas tous ? Le teint
pâle, le cheveu rebelle, le costume triste, ils ne res-
pirent ni la santé, ni la joie de vivre.

Le végétarien est le cauchemar de la maîtresse de
maison, qui vit son intrusion à sa table comme un
attentat à la pudeur culinaire : « Pas de viande ?
Mais qu'est-ce qu'on va bien pouvoir lui faire à manger ? » Qu'ils le veuillent ou non, les réfractaires à
l'entrecôte sont des asociaux qui s'excluent des fêtes
qui réjouissent le cœur des humains depuis des
siècles. Ils cassent l'ambiance. Ils tapent la déprime.
Ces grévistes du steak sont des pisse-froid qu'il vaut
mieux éviter.

Oui, le végétarien est chiant. Je sais de quoi je
parle, j'en suis un depuis vingt ans.

Comment en suis je arrivé là ? Comment me suis-
je converti, puisque c'est bien de cela qu'il s'agit ?
La vue d'une entrecôte eut-elle un jour le même effet

sur moi que l'écoute du *Magnificat* sur Paul Claudel ?
Puis-je écrire comme lui : « En un instant mon cœur
fut touché et je crus. Je crus, d'une telle force d'adhésion, d'un tel soulèvement de tout mon être, d'une
conviction si puissante, d'une telle certitude ne lais-
sant place à aucune espèce de doute, que, depuis,
tous les livres, tous les raisonnements, tous les
hasards d'une vie agitée, n'ont pu ébranler ma foi,
ni à vrai dire, la toucher » ? Tel Claudel foudroyé
par la foi derrière un pilier d'église, la révélation du
végétarisme tomba-t-elle un jour toute cuite dans
mon assiette ? Non. En ce qui me concerne, les
choses furent beaucoup plus progressives. Cela m'a
pris près de dix ans.

Dans la famille où j'ai grandi, comme dans
presque toutes les familles françaises à l'époque, la
viande figurait à tous les repas – sauf au petit déjeuner. Steak, jambon, poulet, voire poisson de temps
en temps : un menu équilibré devait s'organiser
autour d'une ration de protéines animales. Cela était
tout simplement naturel, inscrit dans l'ordre des
choses. Aussi, lorsqu'au milieu de mes études j'ai pris
la décision de ne plus manger le moindre bout de
viande, mes proches ont cru qu'il s'agissait d'une
lubie passagère.

Je n'ai jamais fait de cette singularité une reven-
dication. J'ai même longtemps préféré que ce choix
reste privé, connu de mon seul entourage. J'ai pourtant dû m'en expliquer en d'innombrables occasions.
Mon métier de journaliste m'a notamment amené à
partager de très nombreux repas avec mes équipes
de tournage. Et, en reportage, mon régime particulier m'a parfois fait vivre des situations cocasses.
Comme en décembre 2001 dans la campagne
afghane isolée par la guerre, lorsque pendant plusieurs jours je n'ai pu me nourrir que d'œufs et
d'oignons crus, les seuls aliments sans viande dispo-

nibles aux alentours. Cet épisode a au moins eu le mérite de faire beaucoup rire mes collègues. Tout récemment encore, mon végétarisme m'a même valu l'ironie de la journaliste Audrey Pulvar. En septembre 2012, alors qu'elle était invitée au « Grand Journal » de Canal+, Michel Denisot lui a demandé le conseil qu'elle aurait envie de me prodiguer quelques jours avant ma première apparition dans « On n'est pas couché », sur France 2, aux côtés de Laurent Ruquier. Réponse de celle qui avait occupé cette même place pendant une saison : « J'ai appris qu'il était végétarien. Alors mon conseil est le suivant : Aymeric, mange de la viande ! »

En fait, j'ai vécu tant de déjeuners et de dîners où j'ai dû me justifier de mon régime alimentaire atypique que j'ai l'impression d'avoir passé la moitié de ma vie à m'expliquer sur le sujet. Mais j'ai souvent botté en touche, refusant d'argumenter. Je ne cherchais à convaincre personne du bien-fondé de ma démarche. Pas même les femmes qui ont partagé ma vie. À mes yeux, la question de manger, ou pas, des animaux a toujours relevé d'un choix strictement personnel et difficilement compréhensible par autrui.

Les pages qui suivent n'ont donc pas pour but de stigmatiser qui que ce soit. Je ne considère pas ceux qui mangent actuellement des animaux comme des monstres ou des êtres insensibles, et je ne cherche pas à les clouer au pilori. D'abord parce que, si c'était le cas, je serais obligé de me couper de la plus grande partie de mes relations et de mes amis ! Ensuite parce que la consommation de viande fait partie de l'éducation de tout un chacun, ou presque. Je comprends donc parfaitement que la plupart d'entre nous persévèrent dans ce comportement alimentaire.

Je ne cherche pas davantage à faire l'apologie des végétariens ou des végétaliens en louant leur remarquable clairvoyance.

Je veux simplement expliquer pourquoi, dans un futur proche, plus personne sur cette planète ne mangera de viande. Oui, vous avez bien lu. Prochainement, si surprenant que cela puisse paraître aujourd'hui, les humains s'interdiront de tuer des animaux pour les manger. Prescience ? Intuition ? Prophétie ? Rien de tout cela. Juste un constat fondé sur des éléments tout à fait objectifs.

Car ce choix végétarien, qui sera celui des dix ou quinze milliards d'hommes et de femmes qui composeront alors l'humanité, ne sera pas vraiment un choix. Il sera dicté par la nécessité. Nous allons cesser de manger des animaux d'abord pour des raisons pratiques, parce que nous n'aurons pas les moyens de répondre à la demande croissante de viande, liée notamment à l'explosion démographique ; ensuite parce qu'il nous faudra renoncer à un système d'élevage hyperproductiviste qui empoisonne autant qu'il nourrit. Les crises sanitaires à répétition vont avoir un jour des répercussions que l'on s'évertue encore à nier aujourd'hui. Dans les siècles à venir, la consommation individuelle de viande va donc fortement diminuer. Parallèlement, la morale et l'éthique, qui se sont déjà emparées de ces questions, vont nous amener à étudier en profondeur nos incohérences actuelles à l'égard des animaux : nous en chérissons certains, nous en méprisons d'autres (parfois les mêmes), nous nous attachons à eux, nous les ignorons, nous les humanisons, nous les réduisons au rang d'objets, nous leur reconnaissons une intelligence, nous les faisons souffrir, nous les cajolons, nous les mangeons... ou pas.

Un jour, lorsque nous aurons tiré les conclusions de cet examen de conscience dont nous ne pourrons éternellement faire l'économie, nous nous interdirons de tuer les animaux pour nous nourrir. Cette révolution alimentaire permettra à l'homme d'entrer dans une nouvelle phase de son évolution. Alors, les millénaires au long desquels il aura consenti à manger les animaux, avant d'en organiser l'exploitation et la consommation de manière industrielle, représenteront l'une des phases barbares de son histoire.

Peu de temps avant que le XXe siècle ne se referme, Claude Lévi-Strauss avait exprimé la même certitude :

> Un jour viendra où l'idée que, pour se nourrir, les hommes du passé élevaient et massacraient des êtres vivants et exposaient complaisamment leur chair en lambeaux dans des vitrines, inspirera sans doute la même répulsion qu'aux voyageurs du XVIe ou du XVIIe siècle, les repas cannibales des sauvages américains, océaniens ou africains[1].

Bientôt nous ne mangerons plus de viande. Il y a plusieurs raisons à cela, vérifiées entre Paris et Montréal.

LE RIEN ET LE LIEN

Infos pratiques pour la route

VégétaRien ou végétaLien ? La nuance est de taille : entre les végés, ce « lien » qui n'est pas « rien » marque une différence notable.

Végétarien : ne mange aucun animal. Ceux qui mangent du poisson ne sont pas végétariens, puisque les poissons sont des animaux.

Végétalien : ne mange aucun animal ni aucun produit d'origine animale. Cela exclut donc le lait, les œufs, le miel, et bien évidemment tous les produits dérivés, comme la gélatine (les matières premières utilisées pour la production de gélatine sont essentiellement des couennes de porc, des cuirs et des os de bovins[2]).

Végan (ou *vegan* ou *végane*) : comme le végétalien, le *végan* ne mange aucun animal ni aucun produit d'origine animale. Mais il refuse également tout produit qui résulte de l'utilisation d'un animal : pas de cuir, de laine, de soie, de produits cosmétiques testés sur les animaux ou contenant des graisses animales, comme certains savons[3]. Il s'oppose aussi à tout loisir fondé sur l'exploitation d'un animal (balade à dos de poney, cirques, zoos...). En anglais, le mot *vegan* (prononcer « vigane ») désigne à la fois le *végan* et le *végétalien*. Pourtant, le terme *végétalien* recouvre une dimension essentiellement alimentaire, tandis

15

que *végan* exprime une position morale politico-philosophique qui inclut un combat pour les droits des animaux.

Flexitarien : ce néologisme récent désigne un végétarien qui mange de la viande de temps en temps. Ce terme me semble quelque peu hypocrite et dénué de bon sens. En effet, le propre du végétarien est d'observer une règle alimentaire qui est l'interdiction de la viande. À partir du moment où on l'enfreint plusieurs fois par semaine, cette règle devient caduque. On est simplement un omnivore qui mange moins de viande que la moyenne. Il me semble qu'au terme de *flexitarien* il faudrait préférer celui d'*omnivorien*, désignant un omnivore qui observe des périodes de végétarisme. Le nombre de *flexitariens* (ou d'*omnivoriens*, si l'on souhaite adopter ce néologisme) a beaucoup augmenté ces dernières années dans les pays occidentaux.

Pesco-végétarien ou *pescétarien* : cet autre néologisme désigne cette fois un omnivore ne mangeant pas d'animaux, sauf des poissons et des fruits de mer. On parle parfois aussi de *semi-végétarien*. Il s'agit là d'une catégorie bien étrange, puisque les pesco-végétariens établissent une distinction morale difficilement compréhensible entre le fait de manger un lapin et celui de manger une truite.

COMBIEN DE VÉGÉTARIENS DANS LE MONDE ?

Il est assez difficile d'avoir des données précises sur le nombre de végétariens, puisqu'aucun recensement officiel de cette population n'est établi. De plus, « végétarien » n'est pas une caractéristique identitaire invariable : on peut le devenir du jour au lendemain et cesser de l'être aussi rapidement. Les chiffres dont on dispose sont parfois anciens et ne reflètent pas l'intérêt très récent pour ce régime alimentaire constaté par les associations végétariennes[4]. Toutefois, cela ne nous empêche pas de dégager des tendances significatives.

En France, on compterait entre 1 et 2 millions de végétariens, soit entre 1,5 et 3 % de la population. Les végétariens seraient donc aussi nombreux, sinon plus, que les chasseurs (1,2 million environ). Pourtant, ils intéressent beaucoup moins les hommes politiques, car leur pouvoir de lobbying est bien moins fort.

En Europe, le pourcentage de végétariens est estimé à 5 % (13 à 14 % en Grande-Bretagne, 10 % en Allemagne, 10 % en Suisse).

Aux États-Unis, le pourcentage de végétariens serait de 4 %, mais 30 à 40 % d'Américains sont flexitariens, et 20 % des étudiants sont végétariens ou végétaliens[5].

L'Inde compte environ 40 % de végétariens, soit près de 500 millions de personnes[6].

Raison n° 1

Parce que la viande détruit la planète

Si quelqu'un veut sauver la planète, tout ce qu'il doit faire est simplement de cesser de manger de la viande. C'est la chose la plus importante à faire. C'est stupéfiant, quand on y pense bien. Le végétarisme règle tellement de choses d'un seul coup : l'écologie, la famine, la cruauté.

Paul McCartney

Deux végétariens dans les airs

Un peu plus, je ratais mon vol.

Le lundi matin à Paris, aux alentours de la porte de Versailles, la chasse au taxi est une activité au succès incertain, qui demande de la patience et de la persévérance : la proie est particulièrement difficile à débusquer. Je suis resté à l'affût, pendu au téléphone, pendant une bonne heure. J'ai essayé trois compagnies différentes, en vain, avant de finalement réussir à attraper une Mercedes grise affublée du nom de code 37.

Sur la route qui mène au spartiate terminal 3 de l'aéroport Charles-de-Gaulle, il m'a ensuite fallu affronter des hordes d'automobilistes surnuméraires qui se reniflent mollement le pare-chocs. Embouteillage.

Lorsque j'ai enfin atteint le comptoir d'Air Transat, j'ai tout juste eu le temps de déposer ma valise sur le tapis roulant : je fus le dernier passager à m'enregistrer sur le vol pour Montréal. Embarquement immédiat.

Mais ça y est, je suis à bord, coincé au dernier rang entre une jeune femme blonde au regard azur et un quinquagénaire concentré sur son lecteur DVD portable qui diffuse l'un des volets de *Harry Potter*. Ce sont mes compagnons pour les sept heures à venir, les camarades avec qui je vais devoir discrètement me battre pendant tout le vol pour grappiller un petit bout d'accoudoir, tout en me contorsionnant pour faire croire à mes jambes qu'elles ne sont pas totalement prisonnières du siège devant moi, dans lequel mes genoux sont plantés. Si j'étais arrivé un peu plus tôt, j'aurais pu négocier un hublot, mais là je n'ai pas eu le choix : j'ai récupéré le dernier siège inoccupé. J'espère au moins que ma demande de repas végétarien a été prise en compte. J'ai en mémoire un vol Shanghai-Paris pendant lequel je n'ai pu manger que du pain et des petits carrés de fromage à l'ail, et ce n'est pas mon souvenir de voyage le plus agréable. J'interpelle donc une hôtesse pour vérifier qu'un plateau-repas sans viande ni poisson a bien été prévu à mon intention. En m'entendant exposer mon cas, ma voisine de gauche tourne vers moi ses grands yeux bleus et son large sourire : « Vous êtes végétarien ? Moi aussi ! Depuis un mois ! » Mon voyage sera moins pénible que prévu.

Elle s'appelle Julie. Elle a 27 ans. Elle est née en Bretagne mais vit désormais à Ivry-sur-Seine, en région parisienne, pour les besoins de son travail de chargée de communication dans une petite société. Au bout d'une demi-heure, nous passons au tutoiement. Je lui demande plus de précisions sur son adhésion toute récente au végétarisme. « J'ai toujours été une grosse mangeuse de viande, m'explique-t-elle. J'adorais ça. Je mangeais tout : les os, la moelle… Mais dans le même temps j'ai aussi toujours aimé les animaux. Quand j'étais adolescente, je me rappelle avoir ramené à la maison un chien et deux chats que j'avais trouvés dans la rue. Et je ne tue jamais les araignées, par exemple. Et puis, tout récemment, j'ai découvert la réalité de la vie des animaux d'élevage. L'un de mes profs m'avait raconté le sort terrible des porcs d'élevage qui ont tellement peu de place que parfois ils se mangent entre eux. Mais ce qui m'a vraiment décidée à devenir végétarienne, ce sont des vidéos sur Internet qui montrent les traitements réservés aux animaux destinés à la consommation. Des vidéos vraiment choquantes. Sur l'une d'entre elles, on voit des requins à qui on coupe à vif les ailerons qui vont servir à faire de la soupe, puis qui sont rejetés vivants en mer où ils agonisent. La souffrance animale, je ne supporte pas. L'autre jour, j'étais dans une file d'attente dans une boulangerie. Je regardais un sandwich au poulet derrière une vitrine, et là j'ai vu le poulet dans son élevage en train de crever, et ça m'a fait chialer… »

La sensibilité à la cause animale est l'une des raisons le plus souvent avancées pour expliquer le refus de manger de la viande. Mais Julie me présente ensuite un argument plus original : « L'autre raison pour laquelle je suis devenue végétarienne, c'est que je crois à la réincarnation. Je considère donc qu'en mangeant un animal on mange un ancien humain, peut-être même quelqu'un de sa famille ou un de ses amis. » L'explication peut faire sourire dans nos sociétés occidentales modernes, mais elle est tout à fait valide dans la pensée religieuse venue d'Asie. Et

Pythagore, le premier végétarien grec, avançait exactement le même argument.

Le hasard est surprenant qui place à mes côtés une néovégétarienne au cours de ce voyage qui m'emmène justement à la rencontre de ceux qui ont choisi de militer pour l'abandon de la viande de l'autre côté de l'Atlantique. La coïncidence n'est pourtant pas si extraordinaire que cela : Julie me confirme que, dans son entourage, de plus en plus de personnes s'interrogent sur le bien-fondé de la consommation des animaux, et que plusieurs, comme elle, ont choisi de franchir le pas du végétarisme. Le phénomène se répand. Je le constate moi-même chaque semaine depuis deux ou trois ans : de nombreux proches parmi ma famille, mes amis ou mes relations professionnelles me confient régulièrement qu'ils mangent de moins en moins de viande. Je le sens : la révolution des estomacs est amorcée. Il y a seulement cinq ans, je n'entendais pas tant d'aveux de méfiance à l'égard de l'alimentation carnée. Le végétarisme était encore en France une forme de maladie un peu honteuse. Il est en train de devenir à la mode.

Un mois, c'est peu. Trop peu pour savoir si Julie restera vraiment végétarienne. Je considère qu'elle est en stage d'adaptation. Regardez dans votre entourage : vous connaissez certainement des gens qui ont connu leur « période végétarienne » pendant quelques semaines ou quelques mois, avant de laisser tomber et de revenir à une alimentation classique. Il faut du temps pour savoir si ce régime vous convient. Le végétarisme ne doit pas être vécu comme une contrainte, mais comme une évidence. L'envie d'aliments carnés disparaît alors complètement et n'est plus jamais vécue comme un manque. Ou alors très rarement. Dans un an ou deux seulement, Julie saura si elle est réellement devenue végétarienne.

Nous avons beaucoup discuté, et nous n'avons pas vu les heures passer. À Montréal, nous récupérons chacun notre valise. Elle part visiter le mont Royal, la montagne verdoyante qui culmine fièrement à 233 mètres au cœur de la ville. L'endroit rêvé des joggeurs et des écureuils. Pour ma part, mon enquête peut commencer.

LE QUÉBEC ET LES ANIMAUX

Le Québec est un lieu passionnant pour qui souhaite étudier la complexité de nos relations avec les animaux et les mutations qu'elles traversent. C'est une province de chasseurs. On peut considérer qu'environ un Québécois sur dix chasse[7], une proportion bien supérieure à celle que connaît la France. Il est même courant que les femmes s'adonnent à cette activité, qui se renouvelle pour attirer de nouveaux adeptes. La chasse à l'arc et la chasse à l'arbalète sont de plus en plus populaires. La seconde technique est particulièrement appréciée pour abattre les cerfs, les ours ou les orignaux. Précisons que l'orignal, que l'on connaît en France sous le nom d'*élan*, représente au Canada un important enjeu de sécurité routière : tout conducteur canadien roule dans l'angoisse d'une collision potentielle avec ce mammifère géant habitué à traverser les routes sans crier gare.

Par ailleurs, au Québec, les élevages industriels pullulent, et les conditions de vie des porcs ou des poulets y sont encore pires qu'en Europe.

Est-ce à dire que les Québécois sont totalement insensibles à la cause animale ? Non, bien au contraire. Et c'est à une autre forme de chasse que je vais m'adonner ici : la chasse aux infos. Montréal est la ville francophone où la question des droits des animaux est le plus abondamment discutée. Plus largement, ce domaine du droit et de la philosophie se développe fortement depuis une trentaine d'années en Amérique du Nord. Dans les universités américaines et désormais canadiennes, les enseignements sur le sujet se multiplient. La moitié des facultés américaines proposent des cours de droit animal. À Montréal, l'UQAM et l'université McGill en font régulièrement de même. Au sein de la faculté de droit de cette dernière, un groupe d'étudiants travaille même en collaboration avec l'Animal Legal Defense Fund, un organisme basé en Californie qui regroupe des juristes cherchant à améliorer la législation sur les animaux en menant des actions de sensibilisation aux États Unis et au Canada. Jean-Baptiste Jeangène Vilmer, un Français installé à Montréal, y a proposé il y a quelques années le premier cours d'éthique animale, avant de publier plusieurs ouvrages sur le sujet.

Au Canada, le pourcentage de végétariens stricts est estimé à 4 ou 5 %. Ce n'est pas énorme en soi, mais l'aspect notable est que le régime sans viande n'y est plus assimilé à une « déviance ». Pour preuve, la plus célèbre animatrice productrice du Québec, Julie Snyder, affiche ses convictions végétariennes sur son site Internet et a même instauré, dans la « Star Académie » locale, des journées végétariennes pour tous les candidats. Quant au hockeyeur vedette Georges Laraque, ex-attaquant de l'équipe des Canadiens de Montréal, il fait le tour des plateaux télé pour expliquer en quoi le régime végétalien, dont il est un adepte depuis 2009, convient parfaitement à un athlète de haut niveau. En France, à l'inverse, comme me l'a confié un représentant d'une association végétarienne, impossible aujourd'hui de trouver une personnalité publique qui ose s'engager pour mettre à l'honneur ce mode d'alimentation : elle aurait trop peur d'être moquée.

L'ouverture canadienne au végétarisme est immédiatement perceptible dans les restaurants : contrairement à la France, les établissements végétariens sont très faciles à trouver à Montréal. Mieux : de nombreux restaurants « classiques » proposent sur leur carte un choix végétarien. Ici, de même qu'à Londres ou à New York, le végétarisme n'est pas perçu comme une bizarrerie, mais comme un régime alimentaire presque aussi normal qu'un autre. On trouve d'ailleurs dans les supermarchés beaucoup plus de plats végétariens qu'en France : plusieurs marques proposent des gammes très variées de plats à base de végé-poulet ou de végé-bœuf.

La métropole du Québec est aussi le lieu idéal pour comprendre un mouvement qui va encore plus loin que le végétarisme : le véganisme. Les végans sont les plus radicaux des militants anti-viande. Ils sont de plus en plus nombreux dans les villes branchées nord-américaines – New York, San Francisco, Los Angeles ou Portland aux États-Unis, Vancouver ou Toronto au Canada. Mais ils sont également très présents à Montréal du fait de la forte influence de la culture anglophone sur cette ville.

Chasseurs et élevages industriels d'un côté, émergence d'une réflexion sur le droit des animaux et développement du végétarisme et du véganisme de l'autre : Montréal et ses environs vont me plonger dans le bouillonnement d'un débat qui ne fait que commencer, et qui va amener progressivement l'humanité dans son ensemble à abandonner définitivement la consommation d'animaux.

Sans même l'apport de la morale et de la philosophie, la remise en cause du régime carné se fait d'ailleurs entendre depuis quelques années pour un motif qui n'est plus contesté aujourd'hui que par quelques négationnistes mal inspirés : nos élevages abîment la planète. Ils mettent donc au final l'Homme en danger. En le gavant aujourd'hui, ils risquent de l'affamer demain. Les pages qui suivent se proposent de vous expliquer pourquoi.

LES NOUVEAUX MANGEURS DE VIANDE

La Chine s'est réveillée. Mais aussi l'Inde et le Brésil. Et ce n'est qu'un début : demain l'Afrique du Sud, le Mexique, l'Indonésie, la Turquie, après-demain le Nigeria, les Philippines, la Thaïlande, le Vietnam... et tous les autres. Face au dynamisme économique et industriel des nations émergentes, les pays traditionnellement dominants voient leur hégémonie vaciller. L'Europe et le Japon en paient déjà le prix.

Parallèlement à ce bouleversement économique, partout où le niveau de vie augmente, la consommation de viande explose. Un effet collatéral qui nous conduit droit à la catastrophe. Car cette révolution alimentaire, si elle n'est pas enrayée, aura des conséquences dramatiques, dont certaines se font déjà sentir.

Tous les experts de bonne foi s'accordent donc aujourd'hui sur un point : nous devons réduire notre consommation globale de viande. C'est d'abord le constat de l'Organisation des Nations unies pour l'alimentation et l'agriculture (FAO). Même diagnostic de la part de Rajendra Pachauri, président du Groupe d'experts intergouvernemental sur l'évolution du climat (GIEC). Et les rapports en ce sens se multiplient depuis plusieurs années. On peut citer, parmi les plus récents, le rapport « Agrimonde », publié en janvier 2011 par des chercheurs français de l'Institut national de la recherche agronomique (INRA) et du

Centre de coopération internationale en recherche agronomique pour le développement (CIRAD). Ou encore une étude parue en octobre 2011 dans la revue *Nature*, signée notamment par le chercheur canadien Navin Ramankutty, de l'université McGill.

Ces documents n'émanent pas de lobbies végétariens ou végétaliens, mais de spécialistes qui cherchent des solutions réalistes pour que l'homme puisse organiser au mieux sa survie. Car plus nous sommes nombreux sur terre, moins la viande constitue un régime alimentaire adapté. Épuisement des sols, utilisation abusive des ressources en eau, pollution des nappes phréatiques, réchauffement climatique, manque de surface agricole : comme vous allez le voir dans les pages qui suivent, la consommation de viande a déjà de lourdes répercussions sur l'état de la planète. Mais, surtout, les chiffres révèlent une vérité implacable : il est impossible d'appliquer l'actuel régime carnivore français ou américain à 10 ou 15 milliards d'humains.

Selon l'astrophysicien britannique Stephen Hawkins, nous épuisons tellement vite les ressources de la Terre qu'il devient urgent de trouver d'autres planètes dans notre galaxie pour y transférer un jour les populations humaines. Le 8 janvier 2012, dans une allocution prononcée à l'université de Cambridge à l'occasion de son soixante-dixième anniversaire, Hawkins a déclaré : « Nous devons continuer à aller dans l'espace pour l'avenir de l'humanité. Je ne pense pas que nous pourrons vivre encore mille ans sans sortir des limites de notre fragile planète. »

Le spécialiste environnemental Lester R. Brown affirme quant à lui qu'après la cinquième extinction qu'a connue la Terre il y a 65 millions d'années (et qui a notamment entraîné la disparition des dinosaures) nous assistons actuellement aux débuts de la sixième. Mais à la différence des précédentes, qui s'expliquaient par des phénomènes naturels, celle-ci trouve sa cause dans l'action humaine : « Pour la première fois, [...] une espèce a évolué jusqu'au point où elle est en capacité d'éradiquer l'essentiel des autres formes de vie. [...] Le nombre d'espèces avec lesquelles nous partageons la planète décroît au rythme de l'augmentation de la population humaine[8]. »

Ce constat a d'ailleurs conduit le prix Nobel de chimie néerlandais Paul Josef Crutzen à proposer en 2002 d'ajouter une période à l'échelle des temps géologiques, pour succéder à l'Holocène : l'Anthropocène, c'est-à-dire l'« âge de l'homme ». Ce terme désigne l'ère dans laquelle nous sommes entrés depuis la révolution industrielle et où l'*Homo sapiens* exerce des changements tellement fondamentaux sur son environnement qu'il menace sa propre survie.

La viande n'est bien sûr pas l'unique responsable. Mais elle contribue largement au désastre qui s'annonce. Pour s'en rendre compte, il suffit de se pencher un instant sur les chiffres. Dans ce livre qui parle d'humanité, de sensibilité, de spiritualité, j'aurais aimé faire l'économie d'un chapitre bourré de nombres et de pourcentages. Mais cela m'est impossible, car tout ici commence par des chiffres : ils permettent de comprendre de manière objective, dépassionnée et non partisane l'aberration alimentaire dans laquelle nous sommes actuellement engagés. Que vous soyez de droite, de gauche, écolo, royaliste, vétérinaire, agriculteur, boucher ou militant SPA, ces données vous diront la même chose. Et elles ne sauront vous laisser indifférent. Attachez vos ceintures, préparez vos calculatrices : petite plongée dans l'équation alimentaire impossible.

Jamais dans leur histoire les humains n'ont mangé autant d'animaux qu'aujourd'hui : entre 50 et 60 milliards d'entre eux finissent dans nos assiettes chaque année. Selon la FAO, la consommation de viande dans le monde a quadruplé en cinquante ans. Elle a atteint 286,2 millions de tonnes en 2010, soit une progression de 2,3 % par an au cours de chacune des dix années précédentes.

Pour tenter de donner un peu de réalité à ces données statistiques abstraites, je vous propose, cher lecteur, chère lectrice, de découvrir le nombre d'animaux qui sont abattus dans le monde pendant le temps qu'il vous faut pour lire cette page, temps que j'estime à une minute[9] :

87 226 poulets

1 268 dindes

4 206 canards

2 387 cochons

545 bovins

946 moutons

1 970 lapins

Et tous les autres... C'est qu'il en faut, des animaux, pour nourrir 7 milliards de personnes !

Sauf que les hommes et les femmes qui peuplent la Terre aujourd'hui sont très inégaux face à la consommation de viande. Certains en mangent beaucoup, d'autres peu, d'autres encore pas du tout. Et, contrairement à ce que l'on pourrait penser de prime abord, les deux dernières catégories représentent la majorité de la population mondiale.

À la fin de sa vie, un Français non végétarien aura mangé à lui seul 6 à 7 bœufs, vaches ou veaux, 33 cochons, 1 à 2 chèvres, 9 moutons, plus de

1 300 volailles et 60 lapins, ainsi que des centaines d'animaux marins, soit près de 1 500 animaux d'élevage et une tonne d'animaux marins[10]. Pour un habitant d'Afrique subsaharienne, il faut diviser cette quantité globale par dix.

Les pauvres mangent moins de viande que les riches

Un bref panorama de la consommation de viande dans le monde révèle que, en la matière, notre planète est aussi déséquilibrée qu'un régime Dukan. Elle représente en 2010 286,2 millions de tonnes et se répartit comme suit :

Continent	Pourcentage de la consommation mondiale de viande
Amérique du Nord dont :	14 %
États-Unis	12,8 %
Canada	1,2 %
Amérique centrale dont :	4 %
Mexique	2,6 %
Amérique du Sud dont :	10 %
Brésil	6 %
Argentine	1,3 %
Colombie	0,7 %
Europe dont :	20 %
UE à 27	15 %
Russie	3,2 %

Afrique dont :	5 %
Afrique du Sud	0,9 %
Asie dont :	46 %
Chine	28,4 %
Inde	2,2 %
Japon	2,1 %
Vietnam	1,4 %
Océanie dont :	1 %
Australie	0,9 %

Source : FranceAgriMer, d'après FAO.

Pour résumer, ce sont depuis toujours les plus riches qui mangent le plus d'animaux. Dans ce domaine comme dans tant d'autres, les champions du monde sont les Américains. En 2010, la consommation moyenne de viande par habitant dans le monde a été de 41,8 kilos par an. Chez les Américains, ce fut trois fois plus : 120 kilos de viande par an. Les Européens quant à eux en sont à 90 kilos[11].

Pourtant, depuis une dizaine d'années, les pays riches commencent à voir leur consommation de viande stagner, et même parfois diminuer. En France, la consommation individuelle de viande a ainsi triplé entre 1900 et 1990, mais elle a diminué de 6,7 kilos par habitant entre 1998 et 2009 pour atteindre 87,8 kilos par an[12]. Les Français mangent plus de volaille[13] et de porc, mais moins de viande rouge[14].

Dans les autres pays industrialisés, on observe un phénomène identique : on préfère désormais une chair moins gorgée de sang, d'où le succès grandissant de la viande de poulet. Ainsi, aux États-Unis, le nombre de bovins tués dans les abattoirs chaque année a baissé de 20 % entre 1975 et 2009, tandis que le nombre de poulets tués a augmenté de 200 %[15]. Il y a plusieurs raisons à cela. Deux d'entre elles n'ont aucun rapport avec le respect de l'animal : d'une part le prix, puisqu'il est moins cher aujourd'hui de produire des poulets que du bœuf, et d'autre part les préoccupations liées à la santé, dans la mesure où la viande de volaille est considérée comme moins nocive en ce qui concerne l'obésité, les maladies cardiovasculaires ou le cancer. Mais la suite est plus intéressante. Si nous mangeons plus de poulet et moins de bœuf, c'est aussi parce que nous commençons à rejeter les formes de viande qui nous rappellent trop que nous mangeons un animal mort. Moins il y a de sang, mieux c'est. Une cuisse de poulet nous épargne la vue de l'hémoglobine, et la culpabilité qui va avec. Nous éloignons aussi le plus possible de notre assiette ce qui nous ressemble : plutôt que des mammifères, mieux vaut donc des volatiles. D'autant plus que dans l'esprit de beaucoup, la vie d'un oiseau compte moins au prétexte que cet animal est peu évolué et donc peu sensible – et peu importe si la science, comme nous le verrons plus loin, nous certifie le contraire aujourd'hui. D'ailleurs le poulet est-il réellement de la viande ? Je ne compte plus le nombre de fois où un restaurateur m'a proposé, en guise de plat végétarien... de la volaille !

Que dire alors du poisson, forcément « inférieur » au poulet, puisqu'il ne marche pas sur des pattes et ne pousse pas de cris audibles par nos oreilles expertes ? Même s'il est incontestable aujourd'hui que les poissons ont une conscience et qu'ils souffrent, et même si des chercheurs ont montré qu'ils émettent des sons, il est encore fréquemment admis qu'un poisson, ce n'est pas tout à fait un animal.

Jetons maintenant un coup d'œil du côté des pays en développement. C'est là où tout se passe et où tout va se passer. La consommation de viande de l'ensemble de ces pays a triplé en quarante ans. En 2010, elle a atteint 31,5 kilos par habitant et par an, soit quatre fois moins qu'aux États-Unis, et trois fois moins qu'en Europe. Mais il existe de fortes disparités entre les pays.

La Chine se distingue pour plusieurs raisons. Elle est aujourd'hui le principal pays consommateur de viande. Grâce à l'augmentation du niveau de vie des classes moyennes, sa consommation de chair animale atteint aujourd'hui le double de celle des États Unis. Le pays héberge également plus du quart de la production mondiale. Les Chinois sont les premiers producteurs et consommateurs de porcs (environ la moitié de la production mondiale).

Tout s'est accéléré depuis le début des années 1980. Entre 1980 et 2005, la consommation de viande par personne a été multipliée par 4, celle de lait par 10 et celle d'œufs par 8[16]. Ces vingt dernières années, la consommation de poulet grillé a connu un bond de 500 %, et celle de bœuf un bond de 600 %[17].

La Chine possède pourtant encore une assez grande « marge de progression » : selon la FAO, en 2005 les Chinois ont mangé 59,5 kilos de viande par habitant, soit une quantité individuelle moyenne bien moindre que les Occidentaux. La raison en est que, pour de nombreuses personnes dans les campagnes, la viande est encore trop chère. Un tiers de la population chinoise souffre toujours de la faim. Lorsque l'urbanisation aura progressé davantage et que le pouvoir d'achat des populations paysannes aura augmenté à son tour, le nombre de porcs et de poulets élevés et abattus en Chine pourrait bien doubler...

Le Brésil suit la même logique : là-bas, on mange aujourd'hui deux fois plus de viande qu'au début des années 1980. Et le pays est le premier exportateur mondial de viande bovine et de poulet.

Notons encore que, entre 1980 et 2005, le Proche-Orient et l'Afrique du Nord ont connu une augmentation de 50 % de leur consommation de viande.

Bref, la viande, qui fut longtemps réservée aux sociétés privilégiées, est la nouvelle addiction mondiale. Et pourtant, il y a encore beaucoup de pays où l'alimentation carnée est rare. Soit par choix (l'Inde), soit tout simplement parce qu'elle est trop onéreuse. En Afrique subsaharienne, la consommation de viande a même baissé au cours des trente dernières années pour atteindre aujourd'hui le chiffre presque dérisoire d'une dizaine de kilos par an par habitant.

Mais la tendance est là, implacable : dès que le niveau de vie d'une population augmente, la viande apparaît au menu. C'est pourquoi la FAO prévoit un doublement de la consommation de viande dans le monde d'ici à 2050. Oui, vous avez bien lu : deux fois plus d'animaux consommés dans moins de quarante ans. À cause de l'augmentation des revenus des habitants, d'une part, mais aussi de l'accroissement de la population. Mais alors, que va-t-il se passer d'ici à une cinquantaine d'années, lorsque la population mondiale se sera considérablement multipliée et que les salaires auront grimpé dans des dizaines de pays ?

Nous sommes trop nombreux
pour être tous carnivores

Penchons-nous sur notre démographie et sur notre propension récente à nous reproduire plus que de raison.

Depuis la fin de l'année 2011, nous sommes 7 milliards d'humains sur terre. La population mondiale a grossi d'un milliard en douze ans, mais elle a surtout été multipliée par sept en deux siècles.

On ne va pas s'arrêter en si bon chemin : nous serons 9 milliards en 2050[18], et entre 10 et 15 milliards en 2100, à en croire un tout récent rapport du Fonds des Nations unies pour la population (UNFPA)[19]. Une grande part du boom démographique attendu aura lieu dans les pays émergents, c'est-à-dire les pays où les populations s'enrichissent progressivement et profitent de leur nouveau statut pour s'offrir de la viande.

15 milliards ! 15 milliards de personnes occupant la même planète que celle qui hébergeait il y a deux millénaires seulement 160 millions d'individus. Entre l'an 1 et l'an 1000, la population mondiale n'a pas évolué : elle a stagné à 160 millions. Il y a cinq cents ans, nous n'étions encore qu'un demi-milliard sur terre. Depuis, nous avons appris à dompter la nature, à soigner les maladies, à gagner des combats contre la mort. Nous avons appris à vivre longtemps. Mais la planète, elle, n'a pas grossi proportionnellement, et elle peine déjà à supporter notre poids actuel. L'ombre de Malthus plane sur notre avenir : il faut désormais dix-huit mois à la Terre pour régénérer les ressources naturelles utilisées en une seule année par les humains. Et encore, cela pourrait être bien pire : si toute l'humanité adoptait aujourd'hui le mode de vie d'un Français (logement, transport, nourriture…), nous aurions besoin de deux planètes.

Si nous vivions tous comme des Américains, il nous faudrait même trois planètes. Comment ferons-nous quand il y aura 2, 3 ou 8 milliards d'humains supplémentaires sur terre ?

Voilà posé le problème de l'empreinte écologique, dont aucun homme politique ne parle, car cette notion oblige à des prises de position qui remettent en cause la course effrénée à la croissance dans laquelle nous sommes engagés. L'empreinte écologique exprime la superficie de terre productive nécessaire pour répondre aux besoins en ressources naturelles d'une personne : nourriture, air, oxygène, chauffage, matériaux de construction... On le comprend facilement : plus on consomme, plus notre empreinte écologique est élevée. Pour que la planète puisse se régénérer, il faudrait que chaque habitant en moyenne ne mobilise pas plus de 1,8 hectare. C'est ce qu'on appelle la biocapacité. Problème : nous en sommes déjà à 2,6 hectares. Ce qui signifie qu'actuellement on use la planète en exigeant d'elle plus que ce qu'elle peut fournir. Un peu comme si une famille gagnant 3 000 euros par mois en dépensait 5 000. Au bout d'un moment, c'est la catastrophe.

Mais nous ne causons pas tous les mêmes torts à la planète. Cela dépend de notre mode de vie. Chaque Américain, par exemple, utilise à lui seul 9,5 hectares, et chaque Français 5,2 hectares. Il y a bien sûr des habitants dont l'empreinte écologique est plus faible : les Indiens, par exemple, sont à 0,9 hectare, les Chinois à 2 hectares. Les habitants des pays les plus pauvres ou en développement permettent pour l'instant au système de tenir tant bien que mal. Mais, outre le fait qu'il est immoral de s'appuyer sur la pauvreté de certains pour valider ses propres excès, ces équilibres douteux ne vont plus durer très longtemps. Le développement des grands pays émergents (les BRICS : Brésil, Russie, Inde, Chine, Afrique du Sud) en est la preuve. Ils devraient représenter 61 % de la croissance mondiale d'ici à 2014.

L'Inde compte aujourd'hui 1,2 milliard d'habitants (dont 40 % sont végétariens). Dans une quinzaine d'années, elle devrait être le pays le plus peuplé au monde, devant la Chine, qui occupe aujourd'hui ce rang avec près de 1,4 milliard d'habitants, soit un cinquième de la population mondiale. En Afrique, où l'on mange encore peu de viande, la population devrait tripler d'ici à 2100 et passer de 1 à 3 milliards.

Que se passerait-il si la consommation de viande dans toutes ces régions augmentait, comme c'est déjà le cas dans beaucoup de pays en développement, pour atteindre un jour le même niveau qu'en France ou aux États-Unis ?

« Une grande partie de l'humanité est encore végétarienne, commente le journaliste Fabrice Nicolino, auteur du livre *Bidoche*[20]. D'où ces interrogations, essentielles pour notre avenir alimentaire : les Chinois, qui ne consomment pratiquement pas de produits laitiers, vont-ils modifier leurs habitudes ? Les Indiens, pour la plupart végétariens du fait de la croyance hindoue en la réincarnation, vont-ils un jour devenir carnivores ? Si c'était le cas, ce serait un tremblement de terre pour l'agriculture mondiale[21]. »

Pourquoi parler de « tremblement de terre » ? Tout simplement parce que la viande a un impact considérable sur notre empreinte écologique, et donc sur notre planète. Un impact que nous serons absolument incapables de gérer dans une cinquantaine d'années.

Le match au sommet qui nous attend est donc le suivant : calories animales *vs.* calories végétales. C'est autour de cette question que tout se joue : est-il préférable pour la planète que nous nous nourrissions d'animaux ou bien de végétaux ?

Je pense que vous avez déjà deviné la réponse. Mais celle-ci nécessite quelques explications.

LA VIANDE CONTRIBUE À LA FAIM DANS LE MONDE

La consommation sans cesse croissante de viande aurait, paraît-il, un effet très positif : celui de lutter contre la faim dans le monde. Cette croyance est non seulement naïve, mais même carrément fausse. Depuis trente ans, tandis que la consommation de viande explosait, le nombre de personnes sous-alimentées a doublé. On estime qu'actuellement un milliard de personnes souffrent de malnutrition, et qu'un enfant meurt toutes les six secondes par manque de nourriture[22].

Et puis au XXIe siècle, si incroyable que cela puisse paraître, les émeutes de la faim ont fait leur réapparition. En janvier 2007, 100 000 Mexicains sont descendus dans la rue pour protester contre l'augmentation de 40 % du prix... de la tortilla. La tortilla, qui est une galette à base de maïs, est un aliment essentiel des classes populaires mexicaines. En 2008, d'autres manifestations, parfois violentes, ont éclaté au Maroc, à Haïti, en Égypte, en Indonésie, aux Philippines, au Sénégal, au Nigeria, en Côte d'Ivoire, au Mozambique, en Mauritanie, au Burkina Faso, en Somalie, au Yémen, en Ouzbékistan... Chaque fois, il s'agissait de dénoncer le coût exorbitant des produits de base. Entre février 2007 et février 2008, le prix du blé a en effet doublé. Celui du riz a atteint son niveau le plus élevé depuis dix ans. Ceux du soja, du maïs, du lait et du pain ont considérablement augmenté également.

Cela signifie-t-il qu'on ne produit toujours pas assez ? Non, le problème n'est pas là. On estime à 30 % la quantité de nourriture gâchée dans les pays riches. Pourquoi autant de perte ? Cela peut être à cause de la date de consommation conseillée, souvent confondue avec la date de péremption[23]. Mais il y a aussi les invendus. Des animaux tués pour rien. Prenons l'exemple de la pêche. En France, environ 3 % des poissons pêchés, soit plusieurs milliers de tonnes par an, partent ainsi à la poubelle directement sur les criées. Le pire, c'est que les employés chargés de s'en débarrasser sont obligés de vaporiser sur ces animaux (dont certains sont encore vivants) des produits colorants qui les rendent immangeables. Le but : éviter de créer un marché parallèle qui déstabiliserait le marché officiel. Il y aurait également beaucoup à dire du gâchis qui s'opère sur les ponts des chalutiers, où une grande partie (la moitié, selon certaines estimations) des poissons et crustacés pris dans les filets est remise à l'eau. Et seule une minorité de ces animaux libérés réussit à survivre[24].

Preuve que la nourriture ne manque pas à l'échelle mondiale : 1,5 milliard d'hommes et de femmes sont aujourd'hui trop gros. On compte 500 millions d'obèses et 1 milliard de personnes en surpoids[25]. Si l'obésité a d'abord touché les pays du Nord (les pays riches), elle atteint aujourd'hui des pays émergents comme la Chine et l'Inde – vive les fast-foods et les plats cuisinés ! Conséquence : les maladies liées à l'excès de poids sont responsables de 2,8 millions de morts chaque année[26]. C'est le cinquième facteur de risque mondial de décès[27].

Pourquoi le nombre d'humains qui crèvent de faim et le nombre d'humains qui s'engraissent à outrance augmentent-ils en même temps ? Les causes sont multiples : action ou inaction des organisations internationales comme l'Organisation mondiale du commerce (OMC), lobbying des industries agroalimentaires, dumping agricole européen pratiqué grâce à la politique agricole commune (PAC), spéculations sur les marchés, place des biocarburants, politiques agricoles...

Sous la pression du Fonds monétaire international (FMI), un système mondial pervers s'est généralisé dans les pays en développement : il préconise l'abandon des cultures vivrières destinées à l'autoconsommation et à l'économie de subsistance, au profit de productions liées à l'exportation (café, thé, cacao, tabac, coton, fruits...). Résultat : les pays en développement sont soumis à une dépendance alimentaire de plus en plus forte. Et cette dépendance concerne notamment les céréales, dont les importations ont fortement augmenté ces dernières années en Afrique.

Les cultures nécessaires aux biocarburants entrent quant à elles en concurrence avec les produits agroalimentaires. On produit du soja ou des palmiers à huile pour remplir les réservoirs des voitures, au détriment par exemple du maïs destiné à l'alimentation. Le FMI indique que les biocarburants sont responsables de 70 % de l'augmentation des prix du maïs, et de 40 % de celle des prix du soja.

Pour résumer, nous gérons notre alimentation, et l'économie de l'alimentation, en dépit du bon sens et pour le plus grand profit des industriels du secteur. Nous négligeons notamment un aspect crucial, sur lequel tous les gouvernements fautifs ferment délibérément les yeux : la consommation de viande au Nord génère un manque de céréales au Sud.

Quant à l'argument qui consiste à faire de la viande de masse un remède contre la faim dans le monde, il relève de la plus pure hypocrisie ou de la plus crasse ignorance. Le système industriel de la viande ne vise en réalité qu'un objectif : la recherche des bénéfices les plus importants possible. Le rêve altruiste de nourrir l'humanité entière n'est qu'un argument commercial avancé de temps à autre pour mieux faire passer la pilule. Personne n'est dupe. Jocelyne Porcher, chargée de recherches à l'INRA-SAD et qui ne peut être soupçonnée de parti pris provégétarien, résume la situation avec une grande franchise : « Les systèmes industriels de production animale ne visent qu'à générer du profit. Ils n'ont pas d'autre vocation. Ils n'ont pas pour objectif premier de "nourrir le monde", contrairement à ce que voudraient croire de nombreux éleveurs. Nous savons tous très bien que si les filières industrielles poussent nos enfants, via la publicité, à ingurgiter du saucisson pour leur quatre heures […], leur intérêt ne va pas jusqu'aux 800 millions de personnes sous-alimentées dans le monde. Ce qui intéresse les filières industrielles, c'est bien évidemment le monde "solvable"[28]. »

VIANDE, CALORIES ET DÉFORESTATION

Pour puiser son énergie quotidienne, l'être humain a besoin de calories. Combien, exactement ? Tout dépend. La ration quotidienne de calories nécessaire est fonction de l'individu (corpulence, activité, environnement, etc.). Un pilier du XV de France consomme forcément plus d'énergie qu'un pilier de bar du XVe arrondissement ! Attention donc aux moyennes qui ne veulent rien dire. Mais, puisqu'il faut bien se situer, disons qu'il est admis qu'un homme moyen a besoin de 2 500 calories par jour, et une femme de 2 000 calories (davantage en période de grossesse ou d'allaitement). Or, aujourd'hui, les situations sont très contrastées : un humain consomme en moyenne 4 000 calories par jour dans les pays riches de l'OCDE, et même 4 500 aux États-Unis, mais moitié moins en Afrique sub-saharienne.

Partons donc de ce chiffre moyen de 2 500 calories quotidiennes. Où les puiser ? Un choix s'offre à nous : ces calories seront soit d'origine animale, soit d'origine végétale. Quelle différence sur le plan nutri-tionnel ? Aucune qui soit problématique. En revanche, et c'est là que cela devient intéressant, une calorie d'origine animale ne peut elle-même être obtenue qu'à partir de plusieurs calories d'origine végétale (il faut bien nourrir le bétail !). Or le « ren-dement » est très mauvais, et ce d'autant plus que l'animal est gros.

Rendez-vous compte : il faut entre 3 et 4 calories végétales pour produire 1 calorie de viande de pou-let, entre 5 et 7 calories végétales pour 1 calorie de viande de cochon, entre 9 et 11 calories végétales pour 1 calorie de viande de bœuf ou de mouton. Ces chiffres représentent un ordre d'idées fidèle à la réa-lité, sachant que les estimations que j'ai consultées varient toutes légèrement les unes par rapport aux autres. Ainsi, certains parlent de 10 calories végétales pour le bœuf, d'autres de 13 calories – les conditions d'élevage peuvent faire varier cette donnée.

Cette déperdition (ce gâchis !) ne serait pas si grave si nous en avions les moyens. Or ce n'est pas le cas. Les élevages prennent déjà beaucoup trop de place. Comme le rappelle l'économiste Daniel Cohen dans *La Prospérité du vice*[29], les êtres humains, leurs troupeaux et les animaux domestiques représen-taient seulement 0,1 % du total des vertébrés lorsque l'agriculture est apparue. De nos jours, ils en consti-tuent 98 %. Conséquence : plus des trois quarts des terres agricoles de la planète sont désormais consa-crées au bétail, que ce soit pour la culture de la nourriture nécessaire aux animaux (les céréales et le soja), ou pour le pâturage. Profitons-en pour préciser qu'il existe deux manières de « stocker » les animaux d'élevage : sur des pâturages (cela concerne essentiellement les bovins) ou dans des bâtiments (c'est ce qu'on appelle l'exploitation hors-sol, utilisée pour les porcs et les volailles).

Bruno Parmentier, ingénieur des Mines et économiste, ancien directeur de l'École supérieure d'agriculture d'Angers, explique que la surface agricole mondiale n'a progressé que de 9 % en quarante ans, alors que la population a augmenté de 50 % et que la production de céréales a doublé. Sur le même hectare moyen, on pouvait nourrir 2 personnes en 1960 ; il faudra en nourrir 6 en 2050. Selon lui, « diminuer la ration carnée dans l'alimentation peut […] sembler une solution raisonnable, car la production de viande a un rendement nettement inférieur[30] ». Bruno Parmentier explique que sur un hectare de bonne terre un agriculteur peut nourrir toute l'année jusqu'à 30 personnes avec des légumes, des fruits et des céréales, alors que si cet hectare est consacré à la production d'œufs, de lait ou de viande, il ne peut plus nourrir que 10 personnes au maximum. Le rendement sera encore plus faible si l'on consacre cette surface uniquement à la viande rouge.

La viande sollicite donc beaucoup plus de terres cultivables que les aliments végétaux. Et c'est un gros problème, car notre planète n'est pas extensible. La surface du globe consacrée à l'agriculture représente un peu plus de 10 % des terres émergées. Et il ne sera pas vraiment possible d'aller au-delà. On peut encore essayer de gagner des terres, notamment en Afrique subsaharienne et en Amérique latine, ou en profitant du réchauffement climatique qui pourrait permettre d'utiliser dans le futur des territoires du Canada et de la Russie actuellement incultivables.

On sait néanmoins qu'on ne pourra pas faire de miracle. Or, selon un rapport de l'ONU de 2011, entre 5 et 10 millions d'hectares de surface agricole disparaissent chaque année à cause de l'érosion et de l'épuisement des sols. Par ailleurs, 19,5 millions d'hectares de terres agricoles sont convertis tous les ans pour le développement industriel et immobilier[31].

Créer de nouvelles terres arables sur des surfaces actuellement occupées par des forêts, comme on le fait en Indonésie, au Brésil ou en Afrique, est suicidaire : les arbres jouent un rôle essentiel dans le stockage du carbone et atténuent le changement climatique. Selon la FAO, les élevages sont actuellement responsables de 70 % de la déforestation, et Greenpeace affirme même que l'élevage bovin a provoqué directement la destruction de 80 % de la forêt amazonienne. Au Brésil, 10 millions d'hectares de forêt ont disparu en dix ans pour faire de la place à 200 millions de bêtes, le tout avec l'assentiment du gouvernement local, actionnaire et bénéficiaire de ce système d'élevage. À quoi, dans ce cas, servent les belles promesses de sauvegarde de l'environnement concédées lors de grandes réunions internationales largement médiatisées ? Les paysans écologistes qui s'élèvent contre le massacre de la forêt amazonienne au profit de la viande sont menacés, voire assassinés. Les Indiens qui vivent dans la forêt brésilienne disparaissent eux aussi au fil des décennies, tués par des éleveurs. Auriez-vous imaginé qu'un steak puisse avoir un tel prix ?

Le développement des agrocarburants contribue largement à aggraver la situation, en confisquant des terres qui pourraient être dédiées à l'alimentation.

Résultat : depuis quelques années, les terres agricoles sont devenues des biens recherchés et des produits de spéculation. Des États achètent des terrains à l'étranger, soit pour leurs besoins alimentaires (c'est le cas de la Chine, de l'Inde, de la Corée du Sud ou des pays du Golfe), soit pour les agrocarburants (c'est le cas des pays occidentaux). Des sociétés d'investissement font de même, pour la seule recherche du profit. Selon les calculs du Land Matrix Project, qui surveille ces acquisitions de terres étrangères, plus de 200 millions d'hectares sont passés sous le contrôle d'étrangers entre 2000 et 2010 (via des ventes ou des locations de longue durée). Les deux tiers de ces transactions ont concerné des pays d'Afrique. Un exemple : 40 % des terres du Sud-Soudan ont été vendues à des investisseurs étrangers. Ce processus d'acquisition, parfois qualifié par les ONG d'« agro-colonialisme », génère de la corruption, des dégâts sur l'environnement et de l'instabilité politique. Et si rien n'est fait, le phénomène va continuer et même sans doute s'intensifier.

Nous manquons donc déjà de terres. Mais essayons d'imaginer ce qui se passera lorsque l'humanité tout entière voudra manger autant de viande que les Occidentaux aujourd'hui : selon Daniel Cohen, « si la Chine devait se caler sur les habitudes de consommation américaines, elle pourrait consommer, dès 2030, les deux tiers du niveau de production mondiale de céréales telle qu'elle est disponible aujourd'hui[32] ».

Il faut donc revoir complètement l'usage et la destination des terres cultivables. Les céréales, qui représentent la première source d'énergie alimentaire, servent actuellement pour moitié aux animaux d'élevage. Pour répondre correctement aux défis alimentaires qui nous attendent, il faudrait qu'elles soient presque exclusivement réservées aux hommes.

L'eau est une denrée précieuse. Elle sera l'un des enjeux des décennies à venir. Faut-il rappeler qu'un milliard de personnes n'ont toujours pas accès à l'eau potable ? L'agriculture s'est d'abord développée autour de grands fleuves tels que le Nil, le Tigre, l'Euphrate ou le Gange. Et ce n'est pas un hasard. Mais ces fleuves montrent aujourd'hui des signes d'épuisement. Leur débit se réduit, à cause notamment des barrages. Si certains États venaient à remettre en cause la distribution de l'eau telle qu'elle est organisée aujourd'hui autour de ces cours d'eau, cela pourrait avoir des conséquences géopolitiques dramatiques. Par ailleurs, les nappes phréatiques sont surexploitées. Daniel Cohen rappelle que « déjà les villages du nord-ouest de l'Inde sont abandonnés. Des milliers de villageois du nord et de l'ouest de la Chine, et également de certaines régions du Mexique, sont poussés à l'exil par manque d'eau. [...] Un grand nombre d'agglomérations parmi les plus peuplées du monde est situé dans des bassins hydrographiques où toute l'eau disponible est prélevée. [...] Après la Chine et l'Inde, un second groupe de pays doit faire face à d'importants déficits : l'Algérie, l'Égypte, l'Iran, le Mexique et le Pakistan[33] ».

L'agriculture est aujourd'hui responsable de 70 % des prélèvements d'eau dans le monde. « Les situations de surexploitation des ressources en eau sont directement liées à l'usage agricole. L'épuisement des ressources disponibles met ainsi directement en cause l'autosuffisance alimentaire des États les plus démunis en matière hydrique[34] », écrit Pierre-Alain Roche dans un rapport pour l'Association scientifique et technique pour l'eau et l'environnement (ASTEE).

Les cultures fourragères (destinées à l'alimentation des animaux) absorbent près de 10 % de l'eau utilisée actuellement dans le monde. Ajoutons-y l'eau qui sert à nourrir les bêtes (au Botswana par exemple, la consommation d'eau par le bétail représente 23 % de la consommation totale d'eau, selon la FAO) et celle nécessaire au nettoyage des bâtiments. On comprend alors le gaspillage absolument inutile que nous organisons en faisant de la viande un élément central de notre alimentation.

Les chiffres qui suivent sont édifiants : pour faire pousser un kilo de céréales, il faut au minimum une tonne d'eau. Si l'on tient compte aussi de l'eau bue par les animaux et de celle nécessaire à leur entretien, il y a dans un kilo de volaille 4 tonnes d'eau virtuelle ; dans un kilo de porc, 6 tonnes ; dans un kilo de mouton, 9 tonnes ; dans un kilo de bœuf, 15,5 tonnes[35]. Oui, c'est bien cela : plus de 15 000 litres d'eau pour « fabriquer » un simple rôti de bœuf !

Sachant que pour une douche de cinq minutes, on consomme entre 30 et 80 litres d'eau[36], on en conclut que, pour obtenir un kilo de bœuf, on utilise en moyenne quasiment autant d'eau qu'un être humain qui prend une douche par jour pendant un an !

Mais ce n'est pas tout : non seulement les élevages utilisent beaucoup trop d'eau, mais ils polluent une partie de celle qu'ils n'utilisent pas ! En Bretagne, l'exemple des algues vertes, ces algues tueuses qui pourrissent les plages, l'atteste. La Bretagne concentre à elle seule la moitié des élevages de porcs et de volailles en France, ainsi qu'un tiers des bovins. Résultat : beaucoup trop d'animaux, des sols qui ne peuvent absorber une telle concentration d'azote et de phosphore due au lisier, ou encore des rivières polluées aux nitrates.

Instaurer une taxe sur la viande et sur le lait afin de préserver l'environnement : l'idée commence à faire son chemin[37]. Explication : comme une mobylette ou une bagnole, la bête d'élevage est une machine qui pollue la nature. Depuis la publication d'un rapport de la FAO en 2006, on sait que les élevages sont responsables de 18 % de la totalité des gaz à effet de serre (si l'on cumule l'azote des engrais chimiques, le gaz carbonique lié à la production de nourriture et au transport, le méthane des désormais célèbres pets et rots de vache et la fermentation des déjections animales). Les bœufs et les porcs polluent donc plus que l'ensemble des transports sur la planète, qui ne sont eux responsables « que » de 14 % des gaz à effet de serre[38].

Le phénomène de pollution est accentué par le fait que l'on importe une viande qui vient de loin : une étude publiée en 2012 montre que la consommation en Allemagne d'un kilo de bœuf provenant du Brésil occasionne l'émission de 335 kilos de dioxyde de carbone, soit l'équivalent de 1 600 kilomètres de trajet en voiture. Si le même Allemand consomme un kilo de viande produite dans son pays, l'émission de CO_2 induite n'est plus que de 22 kilos, soit l'équivalent d'un trajet d'environ 110 kilomètres en voiture. Il faut noter que la méthode de calcul utilisée pour cette étude tient compte non seulement des émissions provenant de la production de nourriture, mais aussi de la superficie consacrée aux élevages, dans la mesure où celle-ci se fait au détriment de prairies naturelles et de zones forestières qui captent le carbone, contrairement aux terres agricoles cultivées intensément.

Changer nos habitudes alimentaires aurait donc un impact prépondérant sur l'environnement : si l'on remplace les bœufs par des poulets, on réduit les émissions de gaz à effet de serre de 90 %. Si l'on remplace les bœufs par des haricots, on réduit ces émissions nocives de 99 %[39].

Preuve que l'impact incontesté de la viande sur l'environnement commence à atteindre les consciences de certains dirigeants, le département américain de l'Agriculture (USDA) a proposé à ses fonctionnaires, dans son bulletin interne, de manger végétarien le lundi à la cantine. Voici son argumentaire : « La production de viande, particulièrement de bœuf (et de produits laitiers aussi), a un gros impact sur l'environnement. Selon les Nations unies, l'élevage est une source majeure d'émissions de gaz à effet de serre et contribue au changement climatique. C'est aussi un gaspillage de ressources. Il faut 7 000 kilos de céréales pour produire 1 000 kilos de bœuf. De plus, cette production requiert beaucoup d'eau, d'engrais, de carburants fossiles et de pesticides. Et il y a aussi beaucoup de problèmes de santé liés à la consommation excessive de viande[40]. » Voici donc un ministère qui reconnaît des vérités embarrassantes pour le secteur qu'il représente : j'applaudis des deux mains ! Mais c'était trop beau pour être vrai… Après avoir provoqué un tollé chez les éleveurs de bœufs et certains de leurs alliés dans le monde politique, l'USDA est finalement revenue sur sa déclaration et ne soutient plus officiellement les « Meatless Monday » (lundi sans viande). Mais peu importe. Les esprits évoluent. Selon les projections de l'USDA, justement, la consommation de viande aux États-Unis devrait continuer à baisser. Au moment où j'écris ces lignes, il est prévu une diminution de 12 % entre 2007 et 2012.

RAISON N° 2

Parce que nous sommes incohérents avec les animaux

On aime les gens et on les tue : Pan ! Ah oui, vraiment, l'amour est amusant. Les vaches qu'on aime, on les mange quand même. Ah oui vraiment, l'amour c'est tout un système.

Alain Souchon

MENUS PLAISIRS POUR CHIENS ET CHATS

La nuit vient de tomber sur Montréal. L'automne est là depuis peu, les arbres commencent à perdre l'habit de cinabre qu'ils ont revêtu à la sortie de l'été. Je prends l'autoroute qui mène à Vaudreuil-Dorion, une ville de 30 000 habitants située à proximité de l'aéroport Trudeau qui dessert Montréal. Je prends garde de ne pas dépasser les 100 km/h autorisés par la loi. Je me méfie : les contrôles radars sont fréquents comme je m'en rends compte en observant les bœufs en embuscade sur le bord de la route, prêts à bondir à la poursuite d'un conducteur trop rapide. Les *bœufs* ? Les flics, si vous préférez. Oui, car si chez nous le flic est un poulet, au Québec c'est un

51

bœuf. Et en Angleterre, c'est un *pig*, un cochon. C'est comme ça. Nous n'avons pas la même lecture zoomorphique du représentant de l'ordre.

Vaudreuil-Dorion est connue pour avoir abrité la maison de Félix Leclerc. Dans les années 1950 et 1960, l'artiste le plus célèbre de l'histoire du Québec (si l'on exclut Céline Dion, hors catégorie depuis que Leonardo s'est noyé au son de sa voix), avait coutume d'y travailler et d'y recevoir ses amis. Le sol de Vaudreuil a donc été foulé par des célébrités comme Michel Legrand, Raymond Devos ou encore Jacques Brel.

Mais mon déplacement n'a rien d'un pèlerinage. Je suis là pour visiter l'hôtel Balto, un établissement de luxe qui se veut unique en son genre au Québec. Et qui n'a que peu d'équivalents dans le monde.

Cinq étoiles au fronton, des suites avec plancher chauffant, des repas gastronomiques, une limousine à disposition... Cela peut sembler normal pour un établissement haut de gamme. Sauf que cet hôtel ne s'adresse pas aux clients de tout poil, mais uniquement aux chiens et aux chats. Oui, vous avez bien lu : un palace pour nos plus fidèles animaux de compagnie ! Prix d'une nuitée : de 29 dollars canadiens (23 euros) à 99 dollars (77 euros) pour la suite royale.

Au Balto, les chiens et les chats disposent de chambres individuelles qui sont la réplique presque exacte de chambres pour humains (exception faite de la taille, évidemment) : dans chaque pièce un lit stylisé (armature en fer forgé), des draps, une couverture, des oreillers, une armoire... Au mur, des paysages encadrés, mais surtout, une télévision à écran plat qui diffuse essentiellement... des programmes animaliers ! Et ce n'est pas tout : des caméras de surveillance sont installées pour permettre aux maîtres partis en vacances d'observer leur animal sur Internet.

Les services proposés sont à l'avenant : repas à la carte préparés chaque jour en cuisine, salle de détente commune avec écran plasma géant, salle de jeux, salon de beauté avec possibilité de massages (sessions de reiki pour chien, guérison énergétique, purification, soulagement de la douleur), limousine disponible pour les sorties au parc... Les animaux peuvent même se faire immortaliser par une artiste peintre.

La boutique de l'hôtel propose par ailleurs tous les accessoires imaginables pour chiens et chats. Le rayon « vêtements » est particulièrement impressionnant. On y trouve tous types de manteaux, de capuches, voire de bonnets. Le manteau argenté ajusté, pour se la raconter en soirée, le pull à rayures pour les sorties du week-end, le ciré jaune en cas de pluie, le tissu soyeux agrémenté du collier de perles pour les cocktails, la grosse laine écrue pour le côté « *gentledog-farmer* »... Pour mettre à l'honneur les collections présentées, des défilés de mode sont régulièrement organisés : ils mettent en scène les clients poilus affublés de tel ou tel vêtement. À leurs côtés sur le podium, les employées de l'hôtel en robe de soirée leur servent d'escort girls.

L'hôtel Balto a été construit par une amoureuse des animaux qui y a investi 1,5 million de dollars. Derrière le comptoir de la réception en marbre rutilant se tient ce jour-là une jeune fille d'une vingtaine d'années. Elle a laissé tomber son boulot d'assistante sociale pour venir travailler ici où, dit-elle, elle s'épanouit beaucoup plus que face à des cas sociaux. Pour ceux qui douteraient encore de la philosophie sous-jacente à cette entreprise, l'employée lève toute ambiguïté : « Ici on s'occupe des chiens et des chats comme si c'étaient des enfants », affirme-t-elle avec conviction.

Les soins et les services proposés sont-ils déraisonnables ? Certainement, puisque les prestations ont peu de rapport avec les besoins réels de l'animal : je doute qu'un chien soit sensible à la couleur et à la coupe d'un bout de tissu dont on souhaite l'affubler. Je n'imagine pas non plus qu'il éprouve une quelconque fierté à parader en voiture de luxe. Courir à côté d'un vélo l'amuse probablement davantage. Mais peu importe. Lorsque le soin accordé à l'animal de compagnie confine à l'excès, il faut se tourner vers le maître : c'est lui qui est en cause. Faut-il pour autant le blâmer pour ce surinvestissement affectif et financier ? Il faudrait alors s'interroger aussi sur la santé psychologique de ceux qui dépensent toutes leurs économies pour « tuner » leur voiture, de ceux qui collectionnent les boules à neige ou de ceux qui assistent dix fois au même concert d'un chanteur.

Il se trouve à Montréal un chenil aux prestations assez semblables, le Muzo, qui a donné lieu à une querelle politique. En 2009, l'opposition s'est insurgée contre cet « hôtel et club pour chats et chiens urbains (*sic*) » situé non loin du centre-ville. Le Parti québécois (PQ) a déploré devant l'Assemblée nationale qu'un fonds régional de l'Estrie ait investi 250 000 dollars dans cet établissement destiné à des animaux. Un coût bien trop « dispendieux », comme on dit au Québec ! Pourtant, les locaux flambant neufs sont bien moins clinquants que ceux du Balto, moins rococo, et les prestations ne cèdent pas aux mêmes excès. Au Muzo, les chambres redeviennent simplement des box confortables et propres, même si certains d'entre eux sont également agrémentés d'une webcam et d'un écran plat. Mais peu importe ! Que l'argent public puisse financer un lieu de villégiature pour animaux de compagnie en choque plus d'un au Québec, comme cela choquerait sans doute dans tous les pays.

Les palaces pour chiens comme le Balto existent aujourd'hui aux États-Unis, au Japon, au Brésil, en Allemagne ou encore en Angleterre. En France, le phénomène tarde encore à s'implanter.

CHIENS ET CHATS SANS PLAISIR AU MENU

Plus de quinze ans séparent mon actuel voyage au Québec et ma découverte de la Chine. Au milieu des années 1990, sur le marché d'une ville située à quelques heures de route de Shanghai, j'ai photographié des chats en cage qui attendaient, au milieu d'animaux divers, d'être achetés pour finir au fond d'une marmite. L'un des clichés que j'ai conservés me serre toujours le cœur lorsque je le regarde. Dans une minuscule cage de fer, deux beaux chats blancs sont serrés l'un contre l'autre. Leur long pelage est sali par la crasse. L'un des deux est plus grand que l'autre, et comme ils se ressemblent, il semble qu'il s'agit d'un chaton et de sa mère. Celle-ci adresse à mon objectif un regard empli de la plus profonde tristesse. J'ai compris ce jour-là, à travers ces yeux fatigués et implorants, que le regard d'un animal parle autant que celui d'un humain. Si seulement nous savions mieux lire ce qu'ils nous disent !

Combien de temps le calvaire de ces deux animaux a-t-il encore duré après cette photo ? Et de quelle manière a-t-il pris fin ? Je me suis souvent posé la question.

Un coup d'œil sur les rapports de l'association de protection des animaux One Voice permet de se faire une idée claire du sort réservé aux chats et aux chiens qui sont encore consommés dans le monde. Cette association s'est intéressée à deux pays d'Asie du Sud-Est, la Chine et le Vietnam. Elle estime qu'en Chine plusieurs millions de chiens et de chats sont tués chaque année pour leur chair. Les chiens qui finissent dans les assiettes sont soit issus d'élevages spécialement destinés à la viande (des élevages de saint-bernards, en particulier, se sont développés), soit ramassés dans la rue, soit volés à leurs propriétaires.

En Chine, la viande de chien est consommée depuis plusieurs millénaires ; elle est très prisée pour son goût, et on lui prête aussi des vertus médicinales. Elle « réchaufferait le sang » et serait recommandée pour améliorer la virilité. Mais le plus tragique, c'est que, selon ces croyances, la viande est meilleure si l'animal a souffert : celui-ci est donc torturé avant d'être mis à mort.

Dans un rapport sur le commerce de la viande en Chine publié par One Voice en janvier 2008, des enquêteurs infiltrés témoignent des atrocités qu'ils ont observées. Voici ce à quoi ils ont assisté à Zibo, dans la province de Shandong, dans un restaurant qui sert de la viande de chien et abat les bêtes sur place (attention, âmes sensibles s'abstenir) :

Au moment de notre arrivée, M. Chu était en train d'aiguiser un couteau attaché à une tige tandis qu'une grande marmite remplie d'eau chauffait sur un feu à côté des cages des chiens. À l'aide d'un nœud coulant fixé à l'extrémité d'un manche, son fils était en train de tirer par le cou un chien croisé de type berger allemand. Nous avons vu M. Chu plonger son couteau dans le poitrail du chien. Il visait le cœur, mais il l'a raté, et le malheureux chien a hurlé : nous avons alors assisté au début d'une longue agonie. Pendant plusieurs minutes, le chien, en état de choc, a léché sa blessure de façon pathétique, alors que son sang se répandait par terre. Pourtant, il continuait de remuer la queue. M. Chu l'a alors poignardé à nouveau. Les hurlements de douleur et de terreur étaient insoutenables. Il a tiré de la cage le chien dont le sang continuait de couler et dont la queue s'agitait toujours, l'a fait basculer et lui a porté encore un coup en tournant le couteau alors que le chien hurlait encore davantage. Ensuite, son fils a hissé le chien jusqu'au bord de la marmite et a plongé dans l'eau bouillante l'animal encore vivant. Les autres chiens, terrorisés, observaient la scène, qui se déroulait à un mètre seulement de leur cage, sous leurs yeux – et sous les yeux des passants, parmi lesquels des enfants qui empruntaient cette rue très passante pour se rendre à l'école. Nous avons été témoins de brutalités similaires dans d'autres restaurants. Ainsi, devant un restaurant, nous avons vu quelqu'un frapper à l'aide d'une batte de base-ball un chien recroquevillé et gémissant jusqu'à ce qu'il perde connaissance, puis le saigner sur le trottoir même. Nous avons vu son sang se répandre sous les cages pleines à craquer de chiens terrorisés qui attendaient de subir le même sort[41].

Ces scènes atroces ne sont qu'une petite partie des actes de cruauté constatés par les enquêteurs. Les photographies qui accompagnent leurs témoignages sont presque insoutenables.

Il faut préciser que ces pratiques choquent beaucoup de Chinois eux-mêmes. Car si la possession d'animaux de compagnie a été interdite entre 1966 et 1976 (entretenir un lien affectif avec un animal était alors considéré comme « bourgeois »), elle s'est beaucoup développée depuis, surtout dans les grandes villes. La défense de la cause animale devenant un enjeu important en Chine, il se pourrait que la consommation de chien et de chat soit prochainement prohibée dans tout le pays. En septembre 2011, l'indignation de milliers d'internautes a d'ailleurs réussi à faire interdire une fête traditionnelle à Qianxi, dans la province du Zhejiang, dans l'est du pays. Une fête au cours de laquelle, chaque année depuis des siècles, des chiens étaient écorchés et mangés dans la rue.

En outre, même si la Chine est toujours la première à être montrée du doigt, il faut rappeler que la viande de chien a longtemps été consommée dans le monde entier (sauf par les musulmans et les hindous). La pratique a encore cours dans pas mal d'endroits aujourd'hui : en Afrique subsaharienne, en Corée, au Vietnam, aux Philippines, au Laos, etc. N'oublions pas non plus que des boucheries canines ont existé en France jusque dans la première moitié du XIXe siècle, et jusqu'en 1940 en Allemagne...

L'idée de tuer un chien ou un chat pour les manger révolte aujourd'hui une bonne partie de l'humanité, et la souffrance qui leur est infligée nous révulse. Mais, d'un autre côté, les hôtels de luxe destinés à ces mêmes animaux, tel le Balto décrit plus haut, nous paraissent ridicules, voire scandaleux. Tandis que je visite ce palace québécois, les questions se bousculent dans ma tête : pourquoi une cage de souffrance et de mort pour ces chats croisés quinze ans plus tôt en Chine ? Pourquoi une cage semblable à une suite du Caesars Palace pour ces chats canadiens ? Pourquoi réservons-nous aux représentants d'une même espèce des traitements si radicalement opposés ? Pourquoi tant d'inconséquence de notre part ? Sommes-nous fous ? Et dans quel cas sommes-nous dans le vrai : lorsque nous faisons d'un chiwawa le client d'un salon de beauté VIP ? Ou lorsque nous égorgeons un saint-bernard âgé de quatre mois pour le faire rôtir ? Comment l'être humain peut-il avoir des réponses si diamétralement opposées aux interrogations que suscite le statut d'une même espèce ?

L'autre jour, sans le faire exprès, j'ai dérangé Georges. Georges est une petite araignée qui habite chez nous depuis un an et qui a tissé sa toile dans le long couloir de l'entrée. Catherine, ma compagne, ne veut pas la chasser et lui a même trouvé un nom. Après tout, cette araignée ne gêne personne dans l'endroit où elle s'est installée. Mais surtout, Catherine insiste sur son travail salutaire, puisque Georges supprime quelques insectes que nous ne souhaitons pas spécialement croiser dans la maison.

Si Catherine est très tolérante vis-à-vis des araignées d'intérieur, elle ne supporte pas les mille-pattes. Pourquoi ? Parce qu'elle a peur qu'ils s'immiscent dans l'une de ses oreilles ! Sa mère, elle, est paniquée par les serpents, fussent-ils en plastique. Quant à ma mère, elle a beau avoir été endurcie par son métier d'infirmière et par la dizaine de marathons qu'elle a déjà courus, son courage s'évanouit à la simple vue d'une souris, morte ou vivante : de grands cris stridents ponctuent la rencontre, et ma coureuse de fond de mère se mue en sprinteuse.

La musophobie est une tendance assez courante, bien que complètement incompréhensible pour moi, qui adore les rongeurs. Beaucoup plus atypique est la phobie des chats. J'ai connu une femme qui en avait une peur panique car, m'avait-elle expliqué, leur regard « maléfique » l'indisposait. Elle avait aussi la frousse et le dégoût des oiseaux. Elle détestait par-dessus tout les pigeons. Comme beaucoup de Parisiens, d'ailleurs. « C'est sale ! », « ça transporte des maladies », « ça salit les trottoirs et les monuments », etc. Les pigeons sont aujourd'hui les mal-aimés des villes. Certains automobilistes s'amusent même à écraser ces volatiles lorsqu'ils ont le malheur de s'attarder sur la chaussée. C'est oublier un peu vite que le pigeon est un animal sociable et intelligent. Des scientifiques néo-zélandais ont découvert récemment que des pigeons réussissent certains tests de maths aussi bien que des singes. Surtout, cet animal envers qui nous sommes si ingrats nous a rendu de grands services pendant les deux guerres mondiales. Certains ont même été décorés pour leurs actions ! Mémoire courte et réflexe raciste en prime : un plumage gris, et le pigeon est honni ; un plumage blanc, et il est adoré au point qu'on en fait un symbole de paix : la colombe.

Les phobies animalières peuvent être collectives ou personnelles. Elles ne se fondent souvent sur aucun critère scientifique ni rationnel : leur origine est psychologique. En général, les humains rejettent ce qui grouille, rampe, possède plusieurs paires de pattes ou d'yeux, bref, ce qui leur est complètement étranger, et donc monstrueux. La nature regorge de créatures qui nous paraissent repoussantes, comme la taupe à nez étoilé, la tortue alligator, le crapaud pipa, la salamandre géante de Chine, le poisson dragon avec ses crocs démesurés, le blobfish, qui ressemble à un marshmallow fondu, ou encore toute une myriade d'araignées et d'insectes plus répugnants les uns que les autres.

En ce qui concerne les insectes, il faut bien reconnaître que tous nous écœurent plus ou moins, nous les Occidentaux. Pourtant, même parmi eux, nous marquons des préférences : nous regardons avec tendresse une coccinelle escalader le bout de notre doigt, mais, s'il s'agissait d'un cafard, nous secouerions frénétiquement la main pour chasser cet intrus dégoûtant, ou nous l'écraserions instantanément.

Sur quoi s'appuie la répulsion que nous inspirent certains animaux ? Bien souvent sur un simple délit de faciès : « je t'aime pas parce que t'es trop moche » ou « parce que tu fais peur ». Pour qu'ils nous plaisent, les animaux ont intérêt à ce qu'on les trouve jolis ou attendrissants.

Souvenez-vous de la « Knutmania » qui a déferlé sur l'Allemagne et sur une bonne partie du monde en décembre 2006. Knut, ourson polaire né en captivité au zoo de Berlin, rejeté par sa mère, nourri au biberon par le gardien de l'établissement, devint l'objet de toutes les attentions. Ses vidéos firent le tour de la planète. Grâce à lui, le zoo enregistra des records d'affluence. La photographe Annie Leibovitz l'immortalisa en une de *Vanity Fair*, une chanson fut enregistrée pour lui rendre hommage, et on ne comptait plus les objets à son effigie. Ses faits et gestes allaient parfois jusqu'à éclipser les événements politiques. Et sa mort prématurée, en mars 2011, fit les gros titres de la presse internationale.

Sans être aussi adulée que Knut, Heidi l'opossum avait plus de 330 000 fans sur Facebook lorsqu'elle a été euthanasiée en septembre 2011 par le zoo de Leipzig, dont elle était résidente. Ses particularités ? Heidi était atteinte de strabisme convergent et jouait les oracles lors de la cérémonie des Oscars.

Et puis il y a les pandas. Qu'est-ce qu'on les aime, ces peluches bicolores au regard cerclé de noir ! Au point que la disparition de l'un d'entre eux se transforme parfois en drame national. Au Japon, un jour de juillet 2012, la télévision publique NKH interrompit soudain ses programmes pour annoncer la triste nouvelle : le bébé panda né une semaine plus tôt au zoo de Ueno, dans le centre-ville de Tokyo, venait de décéder d'une pneumonie. Le directeur du zoo, Toshimitsu Doi, fondit en larmes lors de la conférence de presse. Les principales chaînes du pays reprirent l'information en boucle et diffusèrent des témoignages de Japonais effondrés. Le Premier ministre lui-même, Yoshihiko Noda, exprima sa tristesse et sa déception. La naissance de ce petit avait, il est vrai, représenté pour le pays l'une des premières bonnes nouvelles depuis le tremblement de terre et la catastrophe de Fukushima un an et demi plus tôt. Mieux : le bébé panda était devenu un émissaire de paix entre le Japon et la Chine, d'où venaient ses parents. Le porte-parole du ministère chinois des Affaires étrangères, Liu Weimin, avait ainsi déclaré : « Les pandas géants sont des messagers d'amitié. Nous espérons que les sentiments de chaque peuple envers l'autre et que les relations entre la Chine et le Japon pourront s'améliorer grâce à la naissance du petit. »

Knut, Heidi, les bébés pandas : pourquoi les humains en sont-ils tombés amoureux ? Sans doute en premier lieu parce qu'ils les trouvaient « mignons ». Assurément, un animal au pelage doux et au regard touchant attire immédiatement notre sympathie : ours, bébé phoque, biche, ouistiti, chaton, chiot, raton laveur, écureuil… Je croise souvent ces deux dernières espèces à Montréal. Les ratons me jettent parfois un œil ébahi quand, le soir, je les surprends à dévaliser la poubelle que j'ai sortie devant chez moi. Je les trouve très attendrissants, surtout lorsqu'en m'apercevant, les parents se placent devant leurs petits pour les protéger, et qu'ils me fixent immobiles, apeurés mais prêts tout de même à défendre leur progéniture. Les écureuils, quant à eux, courent sur les fils électriques et sur les branches des arbres qui surplombent le balcon où je passe des heures à écrire ou à lire. Je m'arrête parfois de longues minutes pour admirer les chorégraphies de ces rongeurs funambules. Je suis fasciné par leur habileté à défier la gravité grâce à leur queue en plumeau qui régit leur équilibre et à leurs minuscules doigts qui s'accrochent à l'écorce. Il arrive souvent que dans la précipitation ils semblent sur le point de vaciller, mais toujours ils se rétablissent, comme si un fil invisible les portait. Et comment ne pas craquer en observant un écureuil mastiquer avec énergie sa nourriture, tandis que la prochaine bouchée patiente déjà entre ses petites mains jointes ? Rien d'étonnant dès lors à ce qu'un magasin britannique ait choqué l'opinion en 2010 en commercialisant de la viande d'écureuil sauvage.

Lorsqu'ils ne ressemblent pas à des peluches qu'on aimerait serrer dans nos bras, certains animaux peuvent nous plaire grâce aux qualités qu'on leur reconnaît : le cheval élégant et racé, le dauphin intelligent et doux, l'éléphant imposant et pacifiste, le lion majestueux et redoutable. Ces animaux-là ont su nous séduire. Nous aimons les regarder et nous nous indignons facilement du mépris dont ils pourraient faire l'objet.

Nous apprécions également qu'un animal nous ressemble : c'est pourquoi les singes, dont certains partagent avec l'homme 99 % de leurs gènes, sont considérés comme des espèces à part qui méritent une attention toute particulière.

Et puis il y a les animaux dont les caractéristiques esthétiques et comportementales nous touchent moins. Les bœufs. Les cochons. Les poulets. Ni beaux ni moches. Pas spécialement affectueux à première vue, ni spécialement agressifs. Ce sont généralement ceux-là que nous mangeons. Ils ne nous inspirent *a priori* aucune compassion particulière, mais ne nous dégoûtent pas non plus – on ne peut manger ce qui nous dégoûte. On ne les aime pas assez pour les protéger, mais on ne les déteste pas non plus suffisamment pour les exclure de notre vie : nous sommes juste suffisamment indifférents à leur sort pour en faire les victimes de notre régime alimentaire.

Reste qu'il est curieux de constater que les espèces d'animaux dont nous souhaitons faire notre repas constituent finalement des exceptions. Il existe actuellement plus de 5 000 espèces de mammifères et plus de 10 000 espèces d'oiseaux recensées sur la planète. Pourtant, nous n'en avons choisi que quelques-unes pour nous servir de nourriture.

Il y a bien sûr à cela des raisons pratiques : rendement de la viande, facilité de production ou encore docilité de l'animal. Ce n'est pas un hasard si les animaux que l'on élève pour leur viande sont les plus inoffensifs et les moins carnivores. On imagine mal des élevages de lions ou d'ours. Les espèces qu'on a pris la précaution de domestiquer sont celles qui ne risquent pas de nous arracher un bras.

Toutefois, ce facteur n'explique pas tout. D'autant que, lorsqu'il s'agit de décider quels animaux il est convenable de manger, personne n'est d'accord.

SALMA L'ENTOMOPHAGE

L'actrice mexico-libano-américaine Salma Hayek possède une particularité qu'elle assume parfaitement : elle est entomophage. En clair : elle mange des insectes. Elle s'en est déjà expliquée dans des talk-shows télévisés américains, devant un public à la fois amusé et dégoûté. Sur le plateau de l'humoriste (végétalienne) Ellen DeGeneres, elle s'est cuisiné, puis a dégusté, des tortillas aux criquets. Dans l'émission du très populaire David Letterman, elle a vanté les qualités gustatives des œufs de fourmi au guacamole, des sauterelles grillées et des vers. Des mets particulièrement appréciés dans son pays d'origine, le Mexique.

En Europe occidentale, l'idée de manger des petits trucs qui rampent, sautent et grouillent, pattes et carapace comprises, nous fait frémir. D'ailleurs l'une des épreuves les plus dures, dans les jeux télé où il faut tester sa force et sa résistance, consiste à avaler des insectes, vivants si possible afin de corser la dégustation. En France, nous raffolons pourtant des crevettes, crabes et autres crustacés, que nous appelons à tort « fruits de mer », alors que ce sont des arthropodes marins. Pourquoi sommes-nous rebutés par les insectes, qui ne sont autres que des arthropodes terrestres ? La question est d'autant plus pertinente que parmi les mollusques, nous mangeons aussi bien les moules (mollusques marins) que les escargots (mollusques terrestres). En revanche, autre bizarrerie à noter, dans la famille des mollusques gastéropodes, on mange certes les escargots, mais pas les limaces. Le fait qu'elles n'aient pas de maison sur le dos doit apparemment être suspect. Non au gastéropode SDF ! Vous y comprenez vraiment quelque chose ?

Mais revenons à nos moutons, ou plutôt à nos insectes. L'idée de les mettre dans nos bouches puis dans nos estomacs répugne la plupart d'entre nous, alors qu'ils représentent une nourriture classique dans une centaine de pays, où ils font office de friandise ou d'apport protéinique indispensable. La FAO souhaite que cette pratique alimentaire gagne du terrain, et, en 2011, l'Union européenne a décidé d'investir 3 millions d'euros dans la recherche et la promotion des insectes dans notre alimentation. La raison ? Ils constituent un substitut très intéressant à la viande et au poisson. Leur efficacité énergétique est redoutable : ils sont pauvres en cholestérol et riches en protéines. Et le fait qu'ils représentent plus des trois quarts des animaux répertoriés pourrait les rendre indispensables lorsque la population mondiale aura encore augmenté pour atteindre 9 ou 10 milliards. Les insectes, solution à la famine ?

La FAO a recensé près de 1 400 espèces d'insectes consommées. Bruno Comby, auteur du livre *Délicieux insectes*[42], a lui-même goûté plus de 400 espèces différentes au cours de ses voyages. Ses préférées ? Le grillon domestique, car il a un « goût délicieux de noisette ou d'escalope panée à la crème », les coléoptères revenus à la poêle et les larves d'abeille[43]. Sur le site français insectescomestibles.fr, on peut acheter par correspondance des vers à soie, des fourmis, des scarabées, du méli-mélo de vers, des vers « façon trappeur » à déguster en apéro, des sauterelles ou encore des grillons. Parmi les recettes proposées : quiche aux ténébrions, galette de grillons au caramel, bananes flambées au rhum et aux insectes, verrines vers & fromage, brownies aux vers ou encore vers cuits au persil – une recette que je ne résiste pas à l'envie de vous détailler :

1) Faites revenir les oignons dans une poêle avec une cuillère d'huile d'olive, de l'ail coupé en petits carrés et une pincée de sel. Ajoutez les vers de farine. Attention à ne pas les faire trop cuire (deux ou trois minutes maximum). Entre 20 et 30 vers par personne devraient suffire.

2) Laissez égoutter le tout afin d'enlever le trop-plein de gras.

Servez chaud. Des pommes de terre sautées accompagneront très bien ce repas !

Si, malgré ces alléchantes suggestions, l'idée de manger des insectes vous donne toujours envie de vomir, sachez que vous en ingurgitez sans le savoir 500 grammes par an, dissimulés dans différents aliments comme les fruits, les légumes ou les céréales, et de ce fait présents sous forme de fragments dans tous les produits qui en sont issus, comme les confitures. Aux États-Unis, la Food and Drugs Administration (FDA) publie même des directives sur la quantité autorisée de fragments d'insectes dans les aliments !

Le cas Salma Hayek illustre en tout cas assez bien la complexité de nos réactions face à la nourriture animale. Salma la Mexicaine mange des insectes. Son public américain trouve cela surréaliste et pousse des cris d'horreur lorsqu'elle engloutit des criquets. De même, ce public ne mange sans doute pas de cheval, puisque la consommation de viande chevaline est marginale aux États-Unis. L'abattage des chevaux pour la consommation humaine est carrément interdit dans l'ensemble du pays. Le Mexique, en revanche, est le plus gros producteur de viande chevaline du monde et l'un des plus gros consommateurs ! Pire : il est connu pour assurer des conditions de transport et d'abattage honteuses. Car le Mexique exporte beaucoup de viande de cheval, notamment vers la France. La France que Salma Hayek connaît bien, puisqu'elle y a croqué un homme (elle est mariée à l'homme d'affaires François-Henri Pinault), mais où elle ne peut manger d'insectes, étant donné qu'ils nous inspirent autant de répugnance qu'aux Américains. Quant aux chevaux, nous les avons longtemps mangés en France, mais aujourd'hui cette habitude disparaît peu à peu. Les boucheries chevalines ont fermé les unes après les autres, et beaucoup de Français considèrent aujourd'hui le cheval comme un ami de l'homme au même titre que le chien.

Cette histoire américano mexico-française a de quoi nous faire perdre le nord, mais elle illustre combien les humains se contredisent dès qu'il s'agit de viande. Un même animal peut être mangé de façon régulière par un peuple, tandis qu'un autre peuple refusera d'y toucher. Un même animal peut aussi avoir été consommé à une époque par un groupe qui a depuis renoncé à cette pratique. Et puis il y a parfois, au sein d'une société donnée, des humains qui consomment un certain type de viande tandis que d'autres la rejettent parce qu'ils jugent moralement inconcevable de se nourrir de l'animal en question. Tout cela n'est-il pas un peu étrange ? S'il était si logique que nous consommions de la viande, ne devrions-nous pas tomber d'accord sur le choix des animaux à manger ?

AMOURS VACHES, CHIENNES OU COCHONNES : TOUT ET SON CONTRAIRE

Avec les animaux, nous agissons en schizophrènes, capables du pire comme du meilleur. Selon le lieu, l'époque, la religion ou la culture, le même animal est respecté ou méprisé. Plus étonnant encore : il arrive que des représentants d'une même espèce soient traités de manière opposée dans le même pays et au même moment – ce qui est à la fois injuste et illogique.

Comment, sur l'ensemble de la planète et au fil des siècles, les humains ont-ils opéré le tri entre les animaux qu'ils faisaient entrer dans leur cercle familial et ceux qu'ils envoyaient à l'abattoir ? Sur quels critères nous appuyons-nous pour déterminer qui seront les *happy few* logés et nourris gratis et les *sad many* voués à crever en silence et à remplir nos estomacs ? Mystère.

Il serait aisé de rendre les animaux eux-mêmes responsables de leur sort : au fil du temps, certains d'entre eux auraient réussi à « sauver leur peau » en démontrant leur capacité d'attachement à l'homme et leurs ressemblances avec nous, tandis que d'autres ne seraient jamais parvenus à sortir de leur animalité brute, prisonniers d'une altérité indépassable, et donc condamnés à rester des objets de consommation. Mais ce point de vue est trompeur. Ce ne sont pas les animaux qui ont choisi leur statut. Si la vache est sacrée en Inde, alors que nous sommes sacrément vaches avec elle partout ailleurs, elle n'y est pour rien. Si le porc est l'animal le plus mangé dans le monde, mais que les juifs et les musulmans le jugent impropre à la consommation, le pauvre n'y est pour rien non plus. Ce sont nous, les humains, qui sommes à l'origine de ce système, le plus inégalitaire et arbitraire qui soit. Prenons un instant pour rappeler quelques-unes de nos contradictions les plus flagrantes.

Le chien est aujourd'hui considéré en Occident comme le meilleur ami de l'homme. Mais, dans l'hindouisme classique, les chiens étaient des animaux détestés car coupables de forniquer avec des membres de leur propre famille et capables de manger n'importe quoi, y compris leur vomi. Ils étaient donc associés à l'échelon le plus bas du système de castes. Les brahmanes pensaient qu'un chien peut polluer la nourriture rien qu'en la regardant. Certaines interprétations de l'islam ont une vision assez proche, considérant le chien comme un être impur.

Si cet animal bénéficie désormais d'un statut privilégié dans les sociétés occidentales actuelles, il faut rappeler qu'il s'agit d'un statut très fragile. En effet, tout en étant notre animal de compagnie préféré, le chien n'en reste pas moins un animal de laboratoire sur lequel nous nous livrons à toutes sortes d'expériences. Le beagle est un chien anglais de taille moyenne dont le plus spirituel représentant est un héros de BD dénommé Snoopy. Très prisé pour la chasse en raison de son excellent odorat, il est aussi apprécié pour son caractère facile. Or sa docilité lui vaut d'être la race de chien la plus utilisée en France pour la vivisection. Selon le circuit dans lequel il est parachuté à sa naissance, un beagle peut donc finir en objet d'expérimentation dans un laboratoire ou en compagnon câlin pour vos enfants. Il sera dans ce dernier cas – et dans ce dernier cas seulement – un animal protégé par la loi, que votre voisin n'aura le droit ni de voler ni de torturer ni de seulement maltraiter. Y a-t-il la moindre logique à cela ?

Autre bizarrerie dont nous nous accommodons sans trop de peine : dans une famille, un chien reçoit tous les soins de base qui lui permettent de rester en bonne santé. Là encore, la loi l'impose. Pourtant, si ce même chien, enfui ou abandonné, se retrouve dans un refuge sans que personne ne le réclame, il sera euthanasié au bout de quelques semaines. Comment une société peut-elle décréter d'un côté l'obligation de soins et de bons traitements pour un être, et d'un autre côté lui ôter la vie au simple prétexte qu'il n'a plus de propriétaire ?

Ces quelques exemples prouvent que l'expression « vie de chien » n'a en fait aucun sens. De quel chien parle-t-on ? Dans certains pays, l'ambiguïté est telle que, sur les marchés, les chiens à acheter sont séparés en deux catégories : d'un côté les chiens de compagnie, de l'autre les chiens de boucherie[44]. Enfin, n'oublions pas qu'en Occident, récemment encore, les chiens étaient utilisés comme animaux de trait dans l'industrie, l'artisanat, ou pour transporter les produits des maraîchers en charrette. Ils servaient même parfois de taxi pour transporter des personnes. Ce genre de pratique n'a cessé qu'au milieu du XXe siècle, devant la désapprobation grandissante de l'opinion.

Le chat, pour sa part, fut au cours de l'histoire tour à tour vénéré, chassé, brûlé, noyé, cloué, mangé, chouchouté, câliné, et parfois un peu tout ça en même temps. Les Égyptiens, qui étaient particulièrement zoolâtres, ont respecté toutes sortes d'animaux, du chien à l'ibis en passant par le lion et l'épervier. Mais le chat a toujours occupé une place privilégiée. Protecteur des récoltes, animal de compagnie, il était interdit de le battre ou de le tuer. Lorsqu'un chat mourait, il était embaumé puis momifié.

En Europe, à partir du Moyen Âge, le chat devient associé au maléfice et à la sorcellerie ; on lui prête le pouvoir de jeter des sorts (ah, le fameux chat noir !). Craint et rejeté, il ne peut entrer dans les maisons, au moins jusqu'au XIVe siècle. L'Église catholique n'est pas étrangère à cette réputation : les papes n'hésitent pas à faire exterminer les chats au prétexte qu'ils sont des réincarnations du diable et donc malfaisants. En 1484, Innocent VIII rédige ainsi une bulle dans laquelle il ordonne que les sorcières et leurs chats soient brûlés vifs. Il arrive que des femmes soient condamnées à mort parce qu'elles se sont prétendument transformées en chats ! À cette époque, ces félins sont sacrifiés les jours de célébration. Mieux que le pétard, le cotillon ou le feu d'artifice. Dès que le carnaval arrive, c'est donc sa fête. À la Saint-Jean, il est d'usage de brûler les chats ou de les noyer dans des sacs. On espère ainsi chasser les mauvais esprits et protéger les hommes et les récoltes des épidémies et des intempéries. À Metz, par exemple, ce « chaticide » traditionnel perdurera jusqu'à la fin du XVIIIe siècle.

La réhabilitation du chat commence pourtant au milieu du XIVe siècle grâce à une tragédie : la peste noire, qui dévaste près de la moitié de la population européenne en cinq ans, entre 1347 et 1352. Le chat devient alors utile, car il chasse les rats porteurs de la maladie. Tout en restant ostracisé, il fait peu à peu son entrée dans les foyers, et au XVIIe siècle il devient l'animal favori de quelques femmes de la bourgeoisie parisienne, dont certaines n'hésitent pas à faire dresser une pierre tombale avec épitaphe lorsque leur animal disparaît.

Parlons maintenant du cheval. Nous n'avons pas été plus cohérents avec lui. Pour son malheur, son destin a longtemps suivi celui de l'homme dans le labeur et dans la guerre. Dans ces deux domaines, il fut notre esclave. Rien que pendant la guerre 1914-1918, 700 000 chevaux ont été sacrifiés en France, ce qui représente un cheval tué pour deux soldats français tombés[45]. Au XIXe siècle, le cheval vit l'enfer dans les mines, où il travaille jour et nuit, et dont il ne ressort que mort. S'il est affecté au transport en ville, il lui faut tirer chaque jour pendant des heures un omnibus de près de 2 tonnes. Alors que la durée de vie moyenne d'un cheval est en principe comprise entre vingt-cinq et trente ans, il ne survit pas plus de dix ans en mine et cinq ans dans les transports, après avoir commencé à travailler à l'âge de 5 ans. Les chevaux destinés aux travaux agricoles sont un peu moins malchanceux, la tâche, bien que pénible, y étant tout de même moins extrême.

Ces siècles d'utilisation abusive sont derrière nous en France. Le cheval y est aujourd'hui un animal profondément respecté, un compagnon de jeux et de loisir. On loue sa noblesse, son élégance, son caractère. C'est pourquoi, en 2010, des députés français ont proposé – sans succès – un projet de loi visant à changer le statut juridique du cheval pour le faire passer de celui d'animal de rente[46] à celui d'animal de compagnie. Dans le même temps, chaque année en France, plus de 12 000 poulains sont encore abattus pour leur viande, auxquels il faut ajouter les chevaux de réforme, c'est-à-dire les vieux chevaux auxquels on ne trouve plus d'utilité[47], et la viande de cheval importée de l'étranger. Cependant, la consommation de viande de cheval ne cesse de diminuer.

Le porc est une autre bonne illustration de notre instabilité intellectuelle à l'égard des animaux. Il est à la fois le « cousin de l'homme » et l'animal le plus consommé dans le monde. Anatomie, physiologie, sensibilité : le cochon nous ressemble énormément. C'est pourquoi les scientifiques qui s'intéressent à la xénotransplantation – la greffe d'organes animaux sur l'homme – placent en lui de grands espoirs et espèrent que nous pourrons bientôt accueillir ses organes (cœur, poumons…). Malgré cela, le porc est encore traité avec le plus grand mépris. Il est réduit à l'état de masse vivante dont l'unique fonction est de répondre à nos besoins alimentaires au moindre coût. Une seule règle régit donc son existence : la productivité. Et cette notion s'embarrasse peu des sentiments. Très rentable, très docile, le cochon est une solution industrielle idéale pour nourrir l'humanité. Sauf que l'humanité est divisée sur l'opportunité de son intérêt alimentaire. D'où vient ce désamour chez une partie d'entre nous ?

Chez les Égyptiens, le cochon était domestiqué et sacrifié en l'honneur de Nout, la déesse du ciel et des étoiles, parfois elle-même représentée sous les traits d'une truie. Le cochon fut également offert à Osiris, dieu de l'agriculture et de la végétation. Puis il fut finalement associé au frère et assassin de ce dernier, Seth, une divinité guerrière à la force destructrice par qui le malheur arrive. L'image de Seth étant très négative, celle du cochon, qui lui était assimilé, le devint aussi : dès lors, on cessa complètement de le manger. Les Phéniciens, les Cananéens, les Éthiopiens ou encore les Indiens considéreront eux aussi le cochon comme un animal impur, à des époques différentes. Tout comme les juifs et les musulmans aujourd'hui. Principale raison invoquée : l'hygiène. L'impureté découlerait de l'alimentation débridée du cochon (il mange tout et n'importe quoi, des ordures comme des excréments) et de sa propension à se rouler dans la fange. L'argument sanitaire est pourtant largement contesté, notamment parce que, dans le Proche-Orient ancien, des peuples voisins des Hébreux, comme les Moabites ou les Ammonites, mangeaient régulièrement du porc sans encombrement intempestif de l'infirmerie.

La vraie raison de l'interdit résiderait donc ailleurs : dans le symbole. Mais lequel ? Nous n'allons pas passer en revue toutes les explications qui ont pu être avancées depuis des siècles, mais citons tout de même certaines d'entre elles, qui valent ce qu'elles valent. Le cochon ayant été utilisé dans les cérémonies sacrificielles dans une grande partie du Proche-Orient ancien, il a aussi occupé cette fonction chez les Cananéens. Or les Cananéens sont ceux qui occupaient la Palestine avant l'arrivée des Hébreux. D'où l'idée que les Hébreux auraient jugé peu recommandable de consommer l'un des animaux favoris de leurs rivaux. Autre hypothèse avancée par les anthropologues : les Hébreux, peuple nomade, auraient considéré comme impur cet animal sédentaire, contrairement aux chèvres, moutons ou chameaux qui les suivaient dans leurs déplacements. D'autres encore affirment que le problème tient à ce que les porcs nécessitent beaucoup d'eau, une denrée rare au Proche-Orient. Bref, difficile de s'y retrouver dans les motifs réels des interdits humains vis-à-vis du cochon. D'autant que, chez les Crétois et les Galates (des peuples celtes ayant migré dans le centre de l'Asie Mineure pendant l'Antiquité), les cochons étaient les plus sacrés des animaux[48] !

Inutile de prolonger ce tour d'horizon. On l'a bien compris : le statut des animaux n'a cessé d'évoluer au gré des époques et des lieux, et pas toujours pour le meilleur. L'Histoire nous montre que, dans bien des cas, ils étaient plus respectés aux débuts de notre civilisation qu'ils ne le sont aujourd'hui. Mépris, amour, détestation, amusement, indifférence, vénération : nous hésitons, tergiversons en fonction de nos croyances, de nos peurs, de nos connaissances scientifiques aussi. Mais surtout de nos intérêts.

TOUT CE QUI A QUATRE PIEDS, SAUF LES TABLES

Un dicton que j'ai souvent entendu en Chine veut qu'à Canton, dans le sud du pays, on mange tout ce qui a quatre pieds, sauf les tables, et tout ce qui vole, sauf les avions. Lorsqu'on y regarde de plus près, la boutade n'est vraiment pas éloignée de la vérité. Car là-bas on n'a que l'embarras du choix : on peut manger du chat, du chien, de la souris ou du singe, mais aussi des animaux qui ont six pattes (toutes sortes d'insectes). On ne fait pas non plus sa chochotte en ce qui concerne les parties consommées : les viscères, la tête, la queue, voire le pénis peuvent figurer au menu. Choquant ? Et si, au lieu d'être marginale, la cuisine cantonaise, qui est par ailleurs extrêmement réputée pour ses saveurs, était au fond la plus logique ? Et si, en choisissant de ne pas choisir, de ne pas faire le tri entre les animaux « mangeables » et les autres, elle était la moins hypocrite des gastronomies ? Elle n'en serait pas pour autant la plus sensée, car elle véhicule des croyances absurdes, comme celle que nous avons déjà évoquée, qui veut qu'un chien ou un chat doit avoir souffert avant d'être tué pour que la viande soit meilleure, ce qui donne lieu à des exécutions longues et atroces. En revanche, le principe qui consiste à décréter l'égalité devant la marmite de tous les animaux non humains n'est pas stupide en soi.

En ce mois de juillet 2011, la presse française relaie la détresse des éleveurs des Alpes-de-Haute-Provence dont les troupeaux subissent régulièrement des attaques de loups. Plusieurs centaines de bêtes sont déjà mortes depuis le début de l'année.

Un article publié dans *La Provence* le 17 juillet relate une nouvelle attaque à Méolans-Revel, dans la vallée de l'Ubaye, contre un troupeau de 600 têtes, « sans doute l'attaque la plus meurtrière de ces dernières années. [...] Une brebis et un agneau ont été dévorés, 38 agneaux ont été tués et presque autant, blessés, ont dû être euthanasiés[49] ».

La brebis et l'agneau sont des animaux qui attirent la sympathie du public. Ils sont *tellement mignons* qu'ils incarnent l'innocence la plus pure. L'image du grand méchant loup sans pitié qui blesse, tue et dévore ces créatures sans défense ne peut donc que choquer. D'ailleurs, les reportages télé réalisés dans ce genre de circonstances s'arrêtent toujours – logiquement – sur les images de moutons éventrés. Et c'est vrai que cela peut faire de la peine. Mais pour qui éprouve-t-on cette peine ? Pour l'animal qui a subi la triste loi de la nature ? Ou pour son propriétaire, qui a perdu une partie de son capital ?

Revenons à l'article de *La Provence*, très instructif. Les termes utilisés par la journaliste et par les éleveurs interrogés illustrent toute l'ambiguïté, sinon l'hypocrisie, de la situation :

> Un crève-cœur et une perte financière sèche pour Yves Derbez qui, depuis 2004, fait pâturer les mères et les agneaux dont la production a obtenu le label rouge, agneau de Sisteron, sur les terres de Méolans. [...] C'est Sandra Ocelli, sa bergère depuis deux ans, qui a découvert le massacre. « Je suis arrivée vers 7 h 30 et j'ai constaté que le parc était vide et défoncé. Je n'entendais

plus les mères et leurs petits alors j'ai cherché. J'ai retrouvé le bétail et des cadavres éparpillés sur un rayon de 800 mètres », raconte cette fille d'éleveur. [...] Hier soir, cet éleveur n'avait d'autre alternative que d'imposer à son bétail, affaibli, deux heures et demie de marche pour rejoindre la bergerie où il sera enfin à l'abri.

Tout est fait pour que le lecteur (et potentiel consommateur) s'émeuve du sort des animaux qui ont été attaqués. Les éleveurs eux-mêmes expriment leur empathie : on parle de « crève-cœur », on évoque « les mères et leurs petits » (plutôt que « les bêtes »), on se désole du fait qu'il ait fallu « imposer » de la marche aux animaux traumatisés. Quant à leurs corps morts, ce sont des « cadavres », et non des « carcasses ». Pourtant, le terme de « carcasse », beaucoup plus déshumanisant, est bien celui utilisé par le site label-viande.com dans son paragraphe consacré à l'agneau de Sisteron[50]. Autre ambiguïté : la journaliste évoque une attaque « meurtrière ». Le meurtre désigne en principe le fait qu'un être humain en tue un autre. Il y a donc ici reconnaissance du statut de personne à l'agneau.

D'ailleurs, quelques jours après la publication de cet article, on retrouve le nom du producteur Yves Derbez sur France 3. Cette fois, celui qui est aussi président de l'association Éleveurs et Montagnes 04 déclare : « Ce que nous vivons à l'heure actuelle, ce sont de véritables attentats[51]. » Là encore, profonde ambiguïté. Qui est ce « nous » ? Qui subit ces « attentats » ? S'agit-il des moutons ? Auquel cas ils sont clairement assimilés à des hommes, puisqu'il est désormais entendu qu'ils peuvent eux aussi perdre la vie dans des actes terroristes. Ou bien s'agit-il des éleveurs, et l'attentat est-il alors d'ordre économique ?

Dans ces histoires d'attaques de loups, les agneaux sont donc présentés comme des êtres à protéger. Ce que ne précisent pas ces articles et ces reportages, c'est le temps qu'il restait à vivre à ces animaux de toute façon. Un temps forcément court, puisque l'agneau de Sisteron est tué au bout de cent cinquante jours maximum.

DOMESTIQUE ? DE COMPAGNIE ? APPRIVOISÉ ?

Un animal domestique n'est pas forcément un animal de compagnie. Un animal de compagnie n'est pas forcément apprivoisé. Un animal apprivoisé n'est pas forcément un animal de compagnie. Un animal de compagnie n'est pas forcément un animal domestique.

Ce petit jeu de dominos syntaxiques illustre à merveille notre attitude névrotique vis-à-vis des animaux que nous côtoyons : notre logique donne le tournis et l'on s'y perd. Sous une apparente cohérence se dissimulent des contradictions qui révèlent notre arbitraire. Je m'explique : dans le langage courant, l'expression « animal domestique » est souvent utilisée pour désigner l'animal de compagnie. Lui-même est souvent confondu avec l'animal apprivoisé. Or ces expressions n'ont pas la même signification. Une petite mise au point s'impose.

Animaux domestiques

Les animaux *domestiques* sont ceux dont divers caractères ont été modifiés par l'action humaine et que nous utilisons pour satisfaire nos différents besoins, essentiellement alimentaires. En gros, ce sont des animaux qui sont très différents des espèces dont ils sont issus et que nous avons créés pour notre agrément. Ils diffèrent des animaux *sauvages* sur lesquels l'homme n'opère pas de modification génétique.

En France, l'État établit une liste officielle des « espèces, races et variétés d'animaux domestiques ». La dernière en date a été publiée par le ministère de l'Agriculture et le ministère de l'Écologie en annexe de l'arrêté du 11 août 2006[52]. Elle comporte des animaux d'élevage intensif (bœufs, cochons, poules et autres), mais aussi des animaux que l'on peut acheter en animalerie. Un animal qui n'est pas répertorié dans cette liste est considéré comme non domestique, et sa détention est soumise à l'obtention d'un certificat de capacité.

Les premières domestications ont eu lieu à la fin du paléolithique, vers 12000 avant notre ère. Le premier animal domestiqué par l'homme fut le loup. Les loups étaient utilisés lors de la chasse pour rabattre le gibier. Les louveteaux étaient élevés par les femmes, devenaient des compagnons pour les enfants et développaient des relations affectueuses avec l'homme. Peu à peu, les loups domestiqués ont perdu une partie de leurs spécificités de chasseurs, tandis que les hommes effectuaient une sélection en ne gardant à leurs côtés que les plus dociles : le chien était né. Les autres domestications d'animaux ont été le fait d'agriculteurs sédentarisés et ne sont intervenues que plusieurs milliers d'années plus tard : les chèvres, les moutons, puis les bœufs (à partir de l'auroch), les cochons (à partir du sanglier), avant d'en venir aux chats, aux poules, aux chevaux, aux oies, etc.

Les Romains élevaient des biches pour les traire. Les Égyptiens élevaient des pélicans ou des crocodiles, les Japonais des pieuvres... Au cours de son histoire, l'homme a domestiqué environ deux cents espèces différentes, parmi lesquelles la gazelle, la hyène, le zèbre, l'autruche, le guépard et même la couleuvre[53].

Les animaux domestiqués l'ont été pour le travail, la nourriture, ou tout simplement pour servir de distraction – on peut ainsi assister à des combats de grillons en Chine.

Animaux de compagnie

Les animaux *de compagnie* sont des animaux qui n'ont d'autre vocation que d'accompagner le quotidien de l'homme, censé leur offrir en retour gîte, nourriture et une forme plus ou moins développée d'affection. La définition officielle de l'animal de compagnie se trouve dans le Code rural, article L. 214-6, paragraphe 1 : « On entend par animal de compagnie tout animal détenu ou destiné à être détenu par l'homme pour son agrément. » L'animal de compagnie est donc un animal domestique dont le propriétaire ne tire aucun profit particulier, si ce n'est celui de sa présence, qui le divertit.

L'animal de compagnie existe en Occident au moins depuis l'Antiquité gauloise et romaine. Son importance varie selon les époques, mais elle croît réellement en France à partir du XIXe siècle, dans les zones urbaines, grâce à l'enrichissement des populations, qui peuvent alors se permettre d'entretenir au quotidien un animal.

Nous n'avons pas toujours eu les mêmes préférences en matière de compagnons à pattes ou à plumes. Au XVIIIe siècle, dans l'aristocratie et la bourgeoisie, les perroquets et les singes étaient particulièrement en vogue, ainsi que les chats. Les chiens, eux, étaient plus répandus dans les classes modestes. Dans la bourgeoisie et l'aristocratie, seuls les chiens de race étaient prisés (épagneuls, caniches, lévriers…). Ils occupaient à peu près la même fonction qu'une Rolex aujourd'hui : objet de luxe réservé à une élite.

De nos jours, on observe une tendance générale quel que soit le milieu social : dans le monde entier (même là où ils servent de repas), les chiens et les chats sont les animaux de compagnie préférés, qu'ils soient racés ou non. En France, en 2010, on comptait près de 11 millions de chats domestiques et 7,6 millions de chiens. D'autres espèces ont néanmoins droit à notre affection quotidienne : des oiseaux, des poissons, des rongeurs (cochons d'Inde, hamsters, souris, rats, chinchillas…), des lapins, des tortues, des grenouilles, des serpents, des lézards et même des araignées. Mais le troisième animal de compagnie préféré des Européens et des Américains est le furet. Là encore, c'est une jolie preuve de notre inconséquence : cet animal, qui peut être aussi docile qu'un chat, a beau vivre désormais dans de très nombreux foyers, il continue à être exploité pour sa fourrure et pour les expérimentations. À noter qu'il n'est toutefois pas le bienvenu partout : par exemple, il est totalement interdit en Nouvelle-Zélande, où il est jugé nuisible. Nuisible ?

Nuisibles

La génération de mon père a appris dès l'école primaire, dans le livre de leçon de choses, qu'il existait des animaux nuisibles, tels le rat et le sanglier, ainsi que des mauvaises herbes, tel le bleuet, qui envahit les champs de céréales. Aujourd'hui, les espèces nuisibles sont officiellement répertoriées par la loi. Dans la liste actuelle, mise à jour en 2008, figurent 12 mammifères et 6 oiseaux : la belette, le chien viverrin, la fouine, le lapin de garenne, la martre, le putois, le ragondin, le rat musqué, le raton laveur, le renard, le sanglier, le vison d'Amérique, le corbeau freux, la corneille noire, l'étourneau sansonnet, le geai des chênes, la pie bavarde et le pigeon ramier.

Cette liste a été établie par le ministère de l'Écologie et du Développement durable, après avis du Conseil national de la chasse et de la faune sauvage. Autrement dit, ce sont les chasseurs eux-mêmes qui listent les animaux qu'ils vont s'autoriser à tuer en dehors des règles classiques de la chasse. Officiellement, ce choix est dicté par le souci de protéger la faune et la flore et de prévenir des dommages causés aux récoltes agricoles. Le problème, c'est que cette liste ne repose sur aucune réalité biologique ni sur aucune étude scientifique sérieuse. Pire, certaines des espèces répertoriées sont protégées dans d'autres pays d'Europe. C'est le cas de la martre ou du corbeau freux.

Bien souvent, l'unique tort de ces « nuisibles » français est de faire concurrence aux chasseurs. En tout cas, en figurant sur cette liste, ils deviennent des proies idéales qui peuvent être chassées et piégées toute l'année. Prenons l'exemple du renard : ce cousin du chien est un animal peureux, joueur et sensible, à la vie sociale très développée. En quoi est-il nuisible, et à qui ? Autre bizarrerie, relevée un jour par un député à l'Assemblée nationale : pourquoi le rat d'égout ne figure-t-il pas sur cette liste, alors qu'il est bien plus nuisible que le putois ?

En réalité, comme l'affirme le scientifique Hubert Reeves, c'est par pure commodité que quelques groupes d'humains qualifient certains animaux de « nuisibles ». En oubliant de citer le plus nuisible de tous, l'homme :

Les mots « espèces nuisibles » et « mauvaises herbes » ne sont que le reflet d'un préjugé séculairement ancré, selon lequel les plantes et les animaux sont là pour nous servir ou nous réjouir, et que nous avons sur eux un droit discrétionnaire. Ces mots sont la traduction directe de notre égocentrisme (ou anthropocentrisme), de notre ignorance et de notre étroitesse d'esprit. Les animaux considérés comme nuisibles ne le sont que par nous, et il en est de même des herbes prétendues mauvaises. En réalité, nous ne sommes qu'une espèce parmi tant d'autres. Ajoutons, en passant, que, face aux extinctions multipliées d'espèces dont nous sommes aujourd'hui responsables, nous mériterions, seuls, le qualificatif d'espèce hautement nuisible à l'harmonie et à la préservation de la biodiversité[54].

Animaux apprivoisés

Un animal *apprivoisé* est un animal avec lequel on a développé un lien affectif après lui avoir enseigné un certain nombre de comportements (répondre à son nom, dormir à un endroit précis, exécuter un ordre, etc.). *Domestiquer* un animal et l'*apprivoiser* sont deux choses différentes. On comprend alors pourquoi certains animaux domestiques peuvent très bien devenir animaux de compagnie et apprivoisés (le porc, par exemple), tandis que certains animaux de compagnie ne s'apprivoisent quasiment jamais (avez-vous déjà essayé de donner un ordre à une tortue ou à un cochon d'Inde ?). Il faut dire que l'animal de compagnie peut n'avoir qu'un rôle ornemental (à l'image du poisson dans un aquarium), un sort guère plus enviable que celui d'un animal d'élevage intensif.

Les animaux de compagnie ne sont donc pas toujours ceux capables de la plus grande proximité avec l'homme. Et, inversement, des animaux officiellement non domestiques peuvent être adoptés par des humains, qui doivent alors se battre devant les tribunaux pour démontrer le bien-fondé de leur démarche.

Exemple : Zouzou, dont le nom a envahi les journaux français en mars 2011. Ce renardeau avait été découvert près d'un an plus tôt au bord d'une route par une famille, les Delanes. L'animal n'est alors qu'une petite boule de poils rousse, désemparée à côté du cadavre de sa mère, qui vient de se faire écraser par une voiture. Les Delanes possèdent déjà chez eux des chiens, des chats, des poules et même une truie. Alors pourquoi pas un renard ? L'animal est donc ramené à la maison et nourri au biberon, puis avec des croquettes. On lui aménage une niche. Il boit dans la même gamelle que les poules, s'amuse avec les chats, se laisse caresser, joue à la balle, remue la queue quand il est content, répond à son nom... Bref, selon ses propriétaires, il développe rapidement exactement le même comportement qu'un chien : câlin, joueur et, surtout, inoffensif. Mais, aux yeux de la loi, tout cela ne compte pas : un renard est « nuisible et dangereux ». Il est donc interdit d'en héberger un chez soi, à moins de posséder un certificat de capacité, ce qui n'est pas le cas des Delanes.

En découvrant l'existence de ce renard, l'Office national de la chasse et de la faune sauvage (ONCFS) tente de l'enlever à sa famille d'accueil, rappelant que la sanction prévue par la loi peut s'élever à un an de prison et 15 000 euros d'amende. Pour l'ONCFS, le comportement irréprochable de Zouzou n'est en rien la garantie d'une domestication réussie. L'animal pourrait retrouver ses « instincts » et, du jour au lendemain, agresser les poules avec qui il a cohabité jusqu'à présent de façon tout à fait pacifique. Prédiction sans fondement selon Reha Hutin, la présidente de 30 Millions d'amis : pour elle, l'agressivité ne peut réapparaître après des mois d'apprentissage domestique. L'affaire se règle devant la justice.

Tandis que je boucle ce livre, en novembre 2012, la cour d'appel de Bordeaux vient de décider de donner aux propriétaires plusieurs mois pour se mettre en règle et obtenir l'autorisation nécessaire. Elle n'a pas suivi le parquet général, qui réclamait la confiscation du renardeau, mais elle a néanmoins confirmé la culpabilité de la famille, condamnée en première instance à 300 euros d'amende pour détention non autorisée d'un animal non domestique. Selon Mme Delanes, Zouzou, quant à lui, n'a pas changé depuis deux ans et demi : « Il est toujours aussi affectueux et joueur. »

Un animal non domestique peut être de bonne compagnie. Un animal de bonne compagnie peut être non apprivoisé. Un animal non apprivoisé peut être domestique. Un animal domestique peut être de mauvaise compagnie. Un animal de mauvaise compagnie peut être non domestique. Éprouvez-vous le même tournis que moi ?

Plus on en tue certains, plus on cajole les autres

Deux foyers américains sur trois possèdent au moins un animal. Un foyer sur deux en France, où le nombre total d'animaux de compagnie atteint 60 millions. Ces animaux deviennent souvent des membres à part entière de la famille qui les a adoptés. Ils ont d'ailleurs un prénom, dorment sur le lit ou les fauteuils de leurs propriétaires, partent parfois en vacances avec eux, et reçoivent toutes sortes de soins pour qu'ils se sentent le mieux possible. Les Français dépensent ainsi en moyenne chaque année entre 600 et 800 euros pour leur animal préféré[55] :

nourriture (toujours plus élaborée), soins vétérinaires, jouets, garderie, psys, assurances santé... Le nombre de services proposés ne cesse de grandir. Si la maternité pour chiens et chats n'a pas encore été inventée – à ma connaissance –, le départ vers l'au delà, lui, est bien accompagné : services funéraires, crémation, cimetière... Une publicité pour aliments pour chiens diffusée récemment à la télévision en Allemagne et en Autriche s'adressait directement à eux, et non à leurs maîtres, grâce à des ultrasons censés capter leur attention. Les animaux de compagnie ont également droit depuis peu à leurs réseaux sociaux, comme Yummypets, lancé en France en novembre 2011. Ils y sont inscrits sous leur nom, leur race et leur pedigree, et leurs propriétaires alimentent leur profil de photos de leur vie quotidienne.

Parallèlement, leur statut administratif évolue : depuis 2004, les animaux de compagnie carnivores (chiens, chats, furets...) doivent être munis d'un passeport pour voyager en Europe. Ce document s'obtient non pas à la préfecture, empreintes digitales à l'appui, mais chez un vétérinaire qui tatoue l'animal ou lui insère une puce électronique.

Selon l'anthropologue Jean-Pierre Digard, cet amour croissant pour quelques bébêtes que l'on cajole est le pendant nécessaire des cruautés que l'on fait subir à toutes les autres. Une manière de nous racheter, en somme.

On peut se demander si le fait d'aimer tellement nos animaux de compagnie n'aurait pas finalement pour fonction – une fonction rédemptrice en quelque sorte – de nous déculpabiliser d'élever pour les tuer et les manger, chaque année en France, un milliard d'animaux, toutes espèces confondues : bétail, volaille, etc. Ceux-là on les ignore, on les méprise, on reste indifférent à leur sort. [...] Nous, Occidentaux zoophages, ne nous sentons autorisés à manger certains animaux que dans la mesure où nous aimons très fort d'autres animaux. Cette coupure entre les animaux de compagnie, qui occupent le haut du panier, et les animaux de rente, que l'on considère comme des choses, est caractéristique de la civilisation occidentale. Et ce fossé qui ne cesse de s'élargir, et que nous creusons en développant la mastodontisation des premiers et la miniaturisation des seconds, renforce à mon sens la validité de l'hypothèse rédemptrice[56].

Ce point de vue est partagé par l'Américain Hal Herzog, professeur de psychologie à l'University of Western California, spécialiste des relations homme-animal. Dans son livre *Some We Love, Some We Hate, Some We Eat*[57], il explique que tout a commencé lorsque les campagnes se sont vidées et que les humains n'ont plus eu que très peu de contacts avec les réalités de l'élevage. En devenant distants des animaux que nous exploitons, nous nous sommes rapprochés des animaux de compagnie. Plus on a mangé de la chair animale, plus notre culpabilité a augmenté, tout comme la honte et le dégoût que nous éprouvons vis-à-vis de la manière dont on traite les animaux que l'on mange.

LA GUEULE DU MAÎTRE

En cette soirée un peu frisquette, sur le boulevard Décarie, dans l'ouest de Montréal, mon regard est attiré par un homme d'un âge incertain qui marche sur le trottoir d'en face. Un mètre devant lui, un petit chien tire sur sa laisse. Le couple est fascinant : on dirait les deux parties d'une même personne. L'un comme l'autre, ils portent un vêtement à carreaux rouges et verts. Le plus drôle, c'est que l'homme, coiffé d'un chapeau beige, a affublé son chien d'une capuche de la même couleur.

Aussitôt me revient à l'esprit cette scène hilarante qui introduit *Les 101 Dalmatiens*, ce classique de Walt Disney. Pongo, le héros du film, un splendide et vigoureux dalmatien, est installé sur un sofa dans l'appartement londonien qu'il occupe avec son maître Roger, pianiste un peu lunaire. Par la fenêtre, Pongo observe les chiens qui se font promener en laisse dans la rue. Tous les couples qui défilent sont parfaitement assortis. Une artiste dégingandée aux longs cheveux roux filasse escorte nonchalamment un lévrier dont le pelage semble être fait de la même chevelure. Une bourgeoise pète-sec, ronde et courte sur pattes, menton fièrement levé, tient au bout de sa laisse un petit bouledogue. Port de tête similaire, mêmes petits pas hautains : les deux êtres semblent issus de la même portée.

Chaque chien est-il le sosie de son maître ? Pas toujours, mais il arrive souvent qu'ils se ressemblent. Pour quelle raison ? L'un déteint-il sur l'autre ? Ou bien l'homme choisit-il un compagnon dont les traits et l'allure lui inspirent confiance parce qu'ils sont semblables aux siens ? Il semble que la dernière hypothèse soit celle qui se rapproche le plus de la vérité, si l'on en croit des études menées au Japon, au Venezuela et en Angleterre[58].

La première expérience a consisté à présenter à des témoins des photos de chiens et de leurs maîtres pris séparément, en leur demandant de reconstituer les couples. Les duos ont été correctement identifiés dans une proportion plus grande que la simple probabilité mathématique ne l'aurait permis. Détail intéressant : l'expérience fut bien plus concluante avec les chiens pure race qu'avec les bâtards. Pourquoi ? Parce que les chiens sont souvent acquis lorsqu'ils sont encore bébés. Or, dans le cas d'un chien de race, son propriétaire sait déjà à quoi il ressemblera plus tard ; dans le cas d'un bâtard, en revanche, c'est beaucoup plus incertain.

Autre expérience qui laisse songeur : on a demandé à un groupe de femmes dont certaines avaient les cheveux courts, et les autres les cheveux longs, de choisir leur race de chien préférée parmi quatre races. Les femmes aux cheveux longs ont désigné les épagneuls bretons et les beagles, aux oreilles longues et tombantes, tandis que les femmes aux cheveux courts et aux oreilles apparentes ont choisi les huskis et les basenjis, dont les oreilles pointues sont dressées vers le ciel. Conclusion du scientifique qui a mené cette étude : les femmes testées apprécient chez les animaux une esthétique qui se rapproche de la leur. Walt Disney est un grand sociologue.

Cohabiter avec un animal qui nous ressemble, pourquoi pas ? Mais ce qui peut importer davantage à l'homme dans une relation quotidienne avec un être vivant, au-delà de l'affection qu'il en retire, c'est l'exercice flatteur d'un certain pouvoir et la sensation d'une utilité. Jean Pierre Digard estime ainsi que « ce que nos contemporains aiment par-dessus tout dans leurs animaux de compagnie, c'est l'image d'êtres supérieurs, indispensables à la vie d'autrui, que ceux-ci leur renvoient d'eux-mêmes, comme par un effet de miroir, déformant peut-être mais flatteur[59] ». D'où l'idée qu'un chien et un chat ont un « maître » ou une « maîtresse ».

NOS PREMIERS AMIS SONT DES ANIMAUX

La méfiance dont les adultes font preuve à l'égard des animaux, et qui se transforme parfois en mépris, n'est pas innée. Elle se met en place après notre naissance, au fil des années, au contact des autres humains. Freud considère d'ailleurs qu'un enfant ne fait pas la différence entre sa propre nature et celle des animaux. Boris Cyrulnik affirme même que les rêves des enfants sont prioritairement peuplés d'animaux[60]. Cela n'a rien d'étonnant, car tout est fait pour qu'il en soit ainsi : les animaux sont omniprésents dans la vie du bébé. Les peluches et les doudous qui l'entourent dès les premiers jours sont presque exclusivement des représentations acidulées d'oursons, de lapins ou d'éléphants. Très souvent, une ménagerie s'immisce également dans les motifs de la layette ou de la décoration de la chambre. De plus, les premières histoires que l'on raconte aux enfants sont des histoires d'animaux, qu'il s'agisse de stars intergénérationnelles comme Babar ou d'autres à la gloire plus éphémère. Régulièrement, les héros se renouvellent, mais ce sont toujours des bêtes. Ils parlent, portent des vêtements et ont un prénom : les chats s'appellent Félix, Sylvestre, Tom ou Garfield, les chiens Dingo, Scoubidou, Droopy, Idéfix, Milou, Pif ou Snoopy, les canards Donald, Picsou, Daffy Duck, Saturnin ou Gédéon, les souris Mickey, Minnie, Speedy Gonzales, Jerry ou Stuart Little, les rats Ratatouille, les lapins Bugs Bunny ou Roger Rabbit, etc.

Il existe deux manières de nous présenter ces animaux. Soit ils prennent purement et simplement la place des humains dans une société dont ils reproduisent la logique et les ressorts (dans ce cas, ils travaillent, habitent une maison, sont mariés, font du sport, touchent un salaire et ont des dettes, etc.). Soit ils conservent leur statut d'animal et occupent la place qu'ils ont dans la vraie vie : Scoubidou a un maître humain (Samy), Titi et Gros Minet habitent chez une vieille dame… Cette deuxième catégorie ajoute à la confusion dans l'esprit des enfants, amenés à penser que les animaux sont beaucoup plus proches de nous qu'ils ne le laissent paraître.

Dans les longs métrages de Walt Disney, la dimension morale est très présente. Le message est que les animaux sont souvent plus gentils que les humains : ils sont ainsi amenés à lutter contre la cruauté des hommes ou à leur venir en aide. Dans *Les 101 Dalmatiens*, le chien Pongo, après avoir permis à son maître de rencontrer la fiancée parfaite, combat Cruella, une odieuse femme avide de fourrure. On retrouve les mêmes ressorts dans *Cendrillon*, *Dumbo*, *Bambi*, *Pinocchio*, *La Belle et le Clochard*, *Le Livre de la jungle*, *Les Aristochats*, *Bernard et Bianca* ou encore *Rox et Rouky*.

Pourquoi éduquer les enfants avec des modèles sans rapport avec la réalité ? Pourquoi leur mentir ? Pourquoi les encourager à s'attacher à des êtres dont ils seront amenés plus tard, d'une manière ou une autre, à renier la sensibilité ?

Parce que l'on n'assume pas la mort de l'animal que l'on mange

Nous arrivons à manger de la chair animale uniquement parce que nous ne pensons pas à la dimension cruelle et coupable de cet acte.

Rabîndranâth Tagore,
Prix Nobel de littérature

PAS DE MORT À TABLE

L'aptitude au bonheur implique une capacité à l'oubli ainsi qu'un penchant pour l'indifférence. Savoir fermer les yeux. Au sens propre comme au figuré. Pour apprécier la fête, il faut laisser une partie de sa conscience au vestiaire. C'est comme ça. Sans cette anesthésie morale, plus ou moins profonde, impossible de croire Frank Capra et d'aimer James Stewart sous la neige. Impossible de se dire que, finalement, *La vie est belle*.

On passe donc son temps à mettre un voile sur certains épisodes douloureux de son passé, mais aussi sur une partie du monde qui nous entoure. Il y a des choses que l'on préfère ignorer, car si nous y réfléchissions réellement, elles nous empêcheraient d'être tout à fait bien dans nos baskets.

A-t-on vraiment envie de connaître dans le détail les traitements réservés aux animaux qui finissent sous les hachoirs ? Veut-on vraiment tout savoir des conditions dans lesquelles ils sont élevés et tués ? Non. La plupart de ceux qui mangent de la viande ne veulent pas méditer sur les implications réelles de ce choix. Et même lorsque certaines interrogations se font jour, elles s'arrêtent souvent avant d'atteindre la zone d'inconfort, la zone du paradoxe et du reniement.

D'ailleurs, un test simple que je me plais parfois à réaliser – par perversion sans doute – le confirme : lors d'un dîner avec des non-végétariens, je m'amuse à décrire avec force détails l'existence sacrifiée de l'agneau ou du canard qui a fini par passer au four et nous arrive en pièces détachées sur la table. L'effet est imparable : relier le bout de viande qui nage dans sa sauce à un être avec des pattes, des yeux, une bouche ou un bec, un être capable de sentir et d'éprouver, cela provoque presque toujours de l'embarras. Vous pouvez même aisément passer pour un goujat, puisque vous osez troubler les réjouissances en divulguant des informations inconfortables. Vous le sentez, certains meurent d'envie de vous crier : « On ne parle pas de ça à table ! » Un jour une amie (celle qui avait peur des chats et des oiseaux) s'est d'ailleurs mise en colère contre moi, me demandant de me taire et m'accusant d'être à deux doigts de l'empêcher de manger.

Non seulement la plupart des gens ne souhaitent pas savoir à quoi ressemble vraiment l'existence des animaux qu'ils mangent ou de quelle manière ils sont tués, mais ils évitent aussi de faire le lien entre la viande dont ils se repaissent et un animal bien vivant. Je ne compte plus le nombre de mes amis

« carnivores » qui m'ont avoué que, s'ils peuvent manger de la viande, c'est uniquement parce qu'ils se forcent à ne pas penser à la bête qui a été charcutée.

L'industrie de la viande fait d'ailleurs reposer son commerce sur le mensonge par omission. Tout est fait pour que les consommateurs oublient la vérité sur ce qu'ils ingurgitent. Longtemps, les ateliers d'équarrissage et les tanneries ont fonctionné à la vue de tous. Jusqu'au XIXe siècle, les bouchers exposaient des cadavres de bêtes sanguinolents. Puis cette pratique fut interdite pour des raisons d'hygiène. Alors, la boucherie s'esthétisa : on eut droit à des « étalages décoratifs », composés de pièces d'animaux morts déjà préparées et nettoyées. Depuis la fin de la Seconde Guerre mondiale, les boucheries exhibent de moins en moins les têtes de cochon ou les carcasses éventrées, et aujourd'hui dans les supermarchés on achète des morceaux de viande sous cellophane. Une pièce de chair rosée uniforme, esthétiquement parfaite, recouverte d'un film de plastique transparent. Le sang ne dégouline pas, c'est aussi propre qu'une barquette de légumes.

Il y a plus de trente ans, l'écrivaine Marguerite Yourcenar, qui était végétarienne, dénonçait cette hypocrisie : « Les enfants des villes n'ont jamais vu une vache ou un mouton ; or, on n'aime pas ce dont on n'a jamais eu l'occasion de s'approcher ou qu'on n'a jamais caressé. [...] Débitée en tranches soigneusement enveloppées de papier cristal dans un supermarché ou conservée en boîte, la chair de l'animal cesse d'être sentie comme ayant été vivante[61]. »

Un petit garçon se promène dans la campagne. Il arrive au bord d'un ruisseau et se met à fabriquer une petite roue à eau grâce à quelques bouts de bois et un couteau. Pendant ce temps, une jeune femme, dans sa cuisine, prépare des mouillettes pour déguster un œuf à la coque. Elle pose délicatement de fines lamelles de jambon sur les morceaux de pain. Les mouillettes ressemblent ainsi aux bouts de bois utilisés pour fabriquer la roue à eau. Une voix grave et rassurante énonce alors calmement cet aphorisme : « Le temps n'est plus au compliqué. » Le tout accompagné d'une musique new age interprétée par un synthétiseur qui tente d'imiter le son d'un hautbois.

Que veut-on vendre ici ? Des œufs ? Des jouets en bois ? Un week-end à Center Parcs ? Pas du tout. Du jambon Herta. La symbolique n'est peut-être pas évidente, mais peu importe : il vaut mieux tripatouiller des symboles liés à la douceur de vivre et à la nature plutôt que de montrer le quotidien de porcs qui ne voient jamais la lumière du jour, immobilisés dans un box trop petit où tout mouvement est impossible.

La publicité Herta en question date du milieu des années 1980. Celle qui suivra sera du même acabit, avec un autre slogan : « Ne passons pas à côté des choses simples. » Quel rapport entre les « choses simples » et le sort des cochons qui n'apparaissent pas un seul instant à l'image ? Dans le spot réalisé en 2010, Herta continue à exploiter le filon « enfance, nature et sérénité » en narrant les premiers émois amoureux d'un petit garçon et de sa jeune voisine, sous les yeux attendris de la maman de cette dernière. Ça se passe dans un jardin, avec en fond sonore une chanson pop-folk acidulée chantée par une douce voix féminine. Là encore, le jambon n'apparaît que quelques instants et de manière quasi subliminale. Chez Herta, groupe alimentaire allemand aujourd'hui propriété de Nestlé, il n'y a pas d'animaux. Il y a des enfants, de l'émotion à deux balles, des aphorismes à pleurer, mais pas de bétail, et bien évidemment pas d'abattoirs.

Mais ne nous acharnons pas sur Herta, ce serait injuste. Ses concurrents font exactement pareil. En 2011, le spot télé pour le jambon Fleury Michon situe son action dans une cuisine. Il met en scène un jeune commercial en costume-cravate et un cuistot à la rusticité sympathique. Dialogue :

LE COMMERCIAL : Ah justement, je vous cherchais ! J'ai une idée à vous proposer, c'est au niveau de la cuisson du jambon. Voilà, je me disais, dix heures, c'est un peu long quand même, alors si on pouvait réduire le temps par deux...

LE CUISTOT : Le temps de quoi ?

LE COMMERCIAL : De cuisson, du jambon... Parce que si on diminue par deux, ça nous permet de doubler la production, et donc les bénéfices...

LE CUISTOT : Mais enfin, on n'est pas à Wall Street ! C'est une cuisine ici, t'as remarqué que c'était une cuisine ?

LE COMMERCIAL : Euh, oui... Parce que moi, j'ai appris dans mon école de commerce...

LE CUISTOT : Mais le jambon, il a pas fait d'école de commerce ! Il mijote pendant dix heures dans un bouillon de légumes, à basse température, c'est pour ça qu'il est savoureux, et ça, c'est pas écrit dans le... [il montre du doigt les notes du commercial]. Non mais regardez pas, c'est pas écrit ! Bon, venez avec moi...

Là-dessus, ils vont savourer ensemble une bonne tranche de jambon. L'imberbe technocrate en reste baba. Slogan : « Jambon Fleury Michon, l'obsession du bon ».

La marque opère ici un petit tour de passe-passe pour détourner l'attention du spectateur. En effet, à en croire ce film, la qualité du produit ne vient pas de la viande elle-même, mais de sa cuisson ! La référence à Wall Street et au doublement de la productivité l'atteste : Fleury Michon veut montrer qu'il ne cède pas aux sirènes du profit et aux pressions de la finance, au détriment de la qualité. Sauf que le souci de productivité ne se mesure pas à la durée de la cuisson, mais bien plutôt aux conditions d'élevage des animaux, industrialisées au possible pour, justement, augmenter au maximum les rendements.

Les petits soldats de la communication ont bien conscience qu'il y a un malaise. Il leur faut vendre un produit dont les acheteurs potentiels préfèrent ne pas tout savoir. Un peu comme si vous achetiez des chaussures de sport fabriquées par des enfants en Asie, mais que vous ne souhaitiez surtout pas qu'on vous le répète, car c'est contraire à vos convictions. Aussi, dans les pubs pour les produits animaux, la mort réelle n'existe pas. L'animal d'élevage est soigneusement caché, et si tout de même il apparaît, il est systématiquement flanqué d'un cadre bucolique et fantasmé. C'est tellement bien mis en scène qu'on se dit qu'il a vraiment du bol, le bougre d'animal, de brouter ainsi dans son champ en liberté. À tel point qu'on échangerait presque sa vie contre la nôtre, cette vie d'humain passée à trimer sans espoir, ou à espérer trimer, alors qu'on serait tellement mieux à juste manger, aimer et dormir sous le soleil bienveillant, quitte à ce que cette vie idéale soit écourtée d'un ou deux ans pour subvenir aux besoins alimentaires de la communauté. Être un humain d'élevage en plein air, vaquant à ses occupations quotidiennes en liberté... Logé, blanchi, nourri, sexe à volonté... Seule contrepartie : accepté d'être abattu avant de devenir trop vieux et rance, afin d'être transformé en produit alimentaire... Et pourquoi pas ? Il y aurait peut-être des volontaires !

Mais non ! Ce n'est pas la réalité de la vie quotidienne d'un animal d'élevage. Aucune publicité pour le porc ou le bœuf ne montre les hangars surchargés où s'entassent les bêtes. Aucune publicité pour le foie gras ne montre l'insoutenable opération de gavage des oies et des canards. Aucune publicité pour le thon ou le saumon ne montre les poissons qui suffoquent ou les hameçons plantés dans la chair. Tout simplement parce que ces images, plutôt que de donner envie d'acheter les « produits » concernés, peuvent au contraire couper l'appétit. Moins les publicitaires nous montrent ces images, plus nous nous déconnectons des réalités de l'élevage moderne, et plus nous nous enfermons dans un déni qui nous arrange.

LA PRODUCTION INDUSTRIELLE REMPLACE L'ÉLEVAGE

Le Salon de l'agriculture qui se tient tous les ans porte de Versailles, à Paris, présente au public des animaux magnifiques, en bonne santé, et dont le postérieur est l'objet de nombreuses convoitises politiciennes résumées par l'expression « venir tâter le cul des vaches ». Cette manifestation populaire qui a le souci d'afficher la proximité des éleveurs avec leurs bêtes peut laisser penser qu'en France nous sommes loin des systèmes d'élevage industriel américains dénoncés ces dernières années dans différents films et reportages. On pourrait aisément imaginer que la majorité des animaux élevés chez nous profitent d'un minimum d'attention de la part de leurs propriétaires. La réalité est hélas tout autre. Certes, il existe bien en France des agriculteurs qui se battent pour maintenir ou rétablir une forme de production à visage humain (ou devrais-je dire, « à visage animal »). Il reste des éleveurs qui respectent leurs bêtes, et même qui s'y attachent. Il faut leur rendre hommage. Mais on doit reconnaître aussi qu'ils sont une petite minorité.

En France, depuis les années 1970, le paysan se meurt. Le sociologue Henri Mendras prophétisait déjà sa disparition en 1967 dans son livre *La Fin des paysans*. Dans notre pays, plusieurs fermes sont abandonnées chaque jour. Pression des fournisseurs et des banquiers, manque de perspectives, sentiment d'inutilité : les agriculteurs représentent la catégorie socioprofessionnelle où le taux de suicide est le plus élevé. Chaque jour, au moins un agriculteur se donne la mort, selon des estimations qui sont pourtant difficiles à obtenir, tant le sujet est tabou.

S'il veut poursuivre son activité, le paysan est sommé de devenir un exploitant agricole soumis aux lois du marché, voire un exploitant industriel pour qui les animaux ne sont qu'une matière première. Les éleveurs d'antan, qui connaissaient chacune de leurs bêtes et dont la production était destinée au marché local, se font rares. Ceux-là, le végétarien que je suis les apprécie. Même si je n'approuve pas la finalité de leur activité, je leur reconnais la volonté de perpétuer une tradition où l'animal bénéficie d'une forme de respect, voire de reconnaissance. Ces éleveurs qui aiment leur métier et leur bétail, qui dénoncent la déshumanisation et la « désanimalisation » de leur activité, passent aujourd'hui pour des résistants idéalistes. Le marché de la viande est désormais au cœur d'une agriculture qui vise à produire toujours plus, à moindre coût, quelles qu'en soient les conséquences pour les animaux, notre santé et l'environnement.

Chez nous comme aux États-Unis, le modèle industriel est désormais le modèle dominant. En

France, 95 % des porcs consommés sortent de l'élevage industriel. C'est aussi le cas de 80 % des poules pondeuses et des poulets de chair, et de 90 % des veaux. Quant aux 40 millions de lapins tués chaque année, ils sont quasiment tous élevés en cage. Pour l'aquaculture, c'est du 100 % intensif. Il est vrai qu'aux États-Unis c'est encore pire : 99 % de la viande provient des élevages industriels.

Les usines à viande sont des espaces concentrationnaires où les animaux ne sont pas considérés comme des êtres vivants, mais comme de la matière première. Aucun espace vital, aucune possibilité de déplacement, la solitude au milieu de la multitude, et une durée d'existence raccourcie au maximum en vertu d'un seul critère : la rentabilité.

Jocelyne Porcher, chargée de recherches à l'INRA-SAD, est aujourd'hui l'une des meilleures spécialistes des relations entre les hommes et les animaux dans les différents systèmes d'élevage. Selon elle, la notion d'« élevage industriel » n'existe pas. Elle préfère parler de « systèmes industriels », qu'elle distingue par ailleurs des systèmes intensifs, même si les deux dimensions sont très souvent liées. Parler d'« élevage industriel » est erroné, dit-elle, car l'éleveur a disparu, remplacé par un producteur soumis aux règles de la concurrence. La violence touche, d'une manière différente, aussi bien les hommes que les animaux.

Jusqu'au milieu du XIXᵉ siècle, l'élevage était intégré au travail paysan, et les animaux étaient d'abord des partenaires de travail qui partageaient la maison de leurs éleveurs. Le développement de l'industrie a tout changé. La zootechnie est apparue. « Zootechnie » ? Un nouveau terme qui désigne l'art de mettre les sciences et les techniques au service d'une rentabilisation optimale des animaux domestiques. Les élevages se sont transformés en « productions animales » avec un objectif précis : générer le maximum de profits. L'animal est alors devenu une « machine animale », et ce malgré les réticences de certains paysans, vétérinaires ou agronomes. Lisez attentivement les mots qui suivent, dont la froideur et le cynisme sont difficiles à croire, mais qui expliquent pourtant parfaitement le système qui a été sciemment mis en place : « Nous savons que, dans *l'état actuel de la science*, les animaux *doivent être considérés* comme des machines qu'il s'agit de construire et d'alimenter pour en obtenir des transformations utiles, matières premières ou force motrice[62]. » Ces propos ont été tenus en 1888 par le vétérinaire et professeur de zootechnie André Sanson.

Le processus d'industrialisation des élevages a vraiment pris son essor en France après la Seconde Guerre mondiale, avec la création en 1946 de l'Institut national de la recherche agronomique (INRA) et l'apparition de nouvelles techniques, notamment la diffusion d'antibiotiques et des vitamines de synthèse. Ce système se caractérise par la parcellisation du travail et des animaux : ainsi, les poussins mâles des races à ponte ne présentant aucun intérêt commercial parce qu'ils n'engraissent pas, on les broie dès le jour de leur naissance.

Dans les systèmes industriels, le terme « bien-être animal » ne désigne en réalité que le degré de souffrance. Les animaux ne voient la lumière du jour qu'une fois dans leur vie : au moment de leur mort, ou plus exactement quelques heures auparavant, lorsque débute leur transfert vers l'abattoir. Pour beaucoup d'entre eux aussi, les derniers pas auront été les premiers. Ne l'oubliez pas lorsque vous achetez votre jambon ou votre bœuf bon marché.

Ces hangars où sont entassées des milliers de bêtes privées de toute considération et qui n'ont pour seule perspective que l'élimination physique à très court terme sont-ils semblables à des camps de la mort nazis ? L'analogie peut choquer. Elle a pourtant été proposée par l'auteur de langue yiddish et Prix Nobel de littérature Isaac Bashevis Singer : « Pour ces créatures, tous les humains sont des nazis[63]. » Puis elle a été reprise par Charles Patterson en 2002 dans son livre *Un éternel Treblinka*[64]. Ce docteur en histoire à l'université Columbia de New York note que Henry Ford s'est inspiré du travail à la chaîne dans les abattoirs de Chicago pour la fabrication de sa célèbre Ford T. L'industriel fut un soutien du parti nazi dans les années 1930, avant que les camps d'extermination ne soient mis en place. Jocelyne Porcher affirme que l'analogie entre les productions industrielles de viande et le système nazi est de plus en plus souvent avancée par des éleveurs et des salariés des systèmes industriels eux-mêmes, « non pour la rejeter comme une outrance déplacée, mais pour la considérer en face[65] ». La comparaison est fort dérangeante, souligne-t-elle, mais c'est justement pour cela qu'il faut l'affronter.

Je ne souhaite pas trancher ici le délicat débat sur la pertinence de la référence au système nazi. L'objectivité oblige simplement à reconnaître des similitudes de traitement entre les prisonniers des camps de la mort et tous ces animaux élevés en masse en vue d'une extermination rapide.

COMMENT VIVENT LES ANIMAUX QUE L'ON MANGE ?

Une vie de vache

« Si les vaches faisaient du miel ? » se demande l'excellent et regretté Reiser dans *La Vie des bêtes*. « À l'école, explique le dessinateur dans un commentaire, on apprend que la vache a quatre estomacs. Sur les quatre, il s'en trouve bien un qui ne fout rien et qui pourrait se recycler en glande à miel et trier les grains de pollen engloutis avec les fleurs des champs. Le miel serait recueilli par les paysans grâce à un cinquième trayon. » Reiser propose ensuite que les queues des vaches se terminent par un épi de blé qui repousserait tous les mois, et que le haut de leurs fesses soit en chocolat afin que la vache fournisse à elle seule le petit déjeuner.

Reiser pousse ici la logique jusqu'à l'absurde, mais on n'est pas si loin que ça de la réalité : les chercheurs ont déjà trouvé le moyen de creuser un hublot dans le flanc de certaines vaches pour accéder directement à la panse de l'animal en y plongeant le bras, ce qui permet d'observer la digestion des aliments et ainsi d'améliorer la production de lait. Alors, un peu plus ou un peu moins…

Quel est aujourd'hui le sort d'une vache laitière ? Première chose simple à comprendre : pour fournir du lait, une vache laitière doit avoir un veau. Elle est donc inséminée (artificiellement) une première fois lorsqu'elle a un peu plus d'un an. La gestation dure neuf mois. Quand le veau naît, il est retiré à sa mère au bout d'un jour ou deux, ce qui représente une expérience traumatisante : la vache ne supporte pas la séparation d'avec son petit et meugle parfois des jours durant pour le réclamer (il faut dire que dans la nature un veau peut téter sa mère jusqu'à huit mois). Le veau enlevé à sa mère sera nourri avec des substituts, tandis que le lait sera récupéré pour nous, les humains. La vache sera de nouveau fécondée trois mois après chaque vêlage. Elle est également traite pendant sa grossesse, hormis les deux derniers mois. Elle produit ainsi du lait pendant dix mois, soit une moyenne de 4 000 à 8 000 litres par an. Le chiffre peut monter à 12 000 litres pour certaines vaches Holstein. Il faut se rappeler qu'il y a soixante ans une vache traite à la main donnait en moyenne 2 000 litres de lait[66]. La surproduction imposée peut entraîner le développement de malformations du pis. Une vache a en moyenne trois à six veaux avant d'être « réformée », c'est-à-dire envoyée à l'abattoir pour finir en steaks. Une grande partie de la viande vendue sous l'appellation « viande de bœuf » est en réalité de la vache laitière réformée. Une vache laitière industrielle vit entre cinq et sept ans, âge auquel son rendement n'est plus jugé suffisant. Normalement elle pourrait vivre jusqu'à vingt ans.

Et le veau, que devient-il entre-temps ? Il est placé dans un box individuel, souvent sur sol nu, sans litière, pour une période qui peut aller jusqu'à huit semaines. Au-delà, la loi impose désormais que les veaux soient élevés en groupe. Au lieu de brouter de l'herbe, le veau doit se contenter d'aliments liquides servis dans une poche plastique. Comme les consommateurs préfèrent la viande rosée, presque blanche, les éleveurs évitent de nourrir les veaux avec du foin, car celui-ci contient du fer qui fait rougir la viande. La viande rosée est en fait une viande anémiée. Les veaux de boucherie ne vivent pas plus de 5 mois. Précisons aussi ce détail qui n'en est pas un pour les végétariens : une substance extraite de l'estomac des veaux, appelée présure, est utilisée comme coagulant pour faire cailler le lait des fromages. De nombreux fromages ne sont donc pas végétariens.

Une vie de cochon

Le cochon nous ressemble beaucoup d'un point de vue anatomique et physiologique, notamment à cause de la taille de ses organes internes. Comme il est aussi très intelligent, il a longtemps été considéré en Occident comme l'animal le plus proche de l'homme. Il demeure d'ailleurs un animal de compagnie dans certains pays. Pourtant, il est aujourd'hui l'animal que l'on consomme le plus dans le monde, avec la moitié de la production en Chine. En France, 25 millions de porcs sont tués chaque année.

Dans *Le Livre noir de l'agriculture*[67], la journaliste Isabelle Saporta rappelle qu'on comptait en France 795 000 exploitations porcines en 1968. Il n'y en a plus aujourd'hui que 15 000. Cinquante fois moins. Et, dans l'intervalle, le nombre de porcs élevés a doublé. Nos parents mangeaient des cochons venant de fermes où on en élevait une douzaine. Désormais, le moindre élevage compte un millier de têtes. Et il est semblable à une usine de fabrication de porcs, avec production à la chaîne et rendements de natalité qui défient les lois de la nature.

Les truies chargées de faire des porcelets sont appelées des coches. Comme les vaches, elles sont inséminées artificiellement. Les coches sont maintenues vingt-quatre heures sur vingt-quatre dans des stalles de contention de moins d'un mètre de large, où elles ne peuvent pas bouger pendant le temps de la gestation. Ces stalles sont répandues aussi bien en Europe qu'aux États-Unis. Depuis le 1er janvier 2013, en vertu de la législation européenne, toutes les stalles existantes pour les truies doivent avoir été supprimées et les truies doivent être gardées en groupe au-delà des quatre premières semaines de gestation. Il faudra voir comment la règle est appliquée, mais, selon l'association L214, la France a déjà pris un retard considérable.

Les truies sont des animaux sociaux qui ne sont pas faits pour être isolés. Alors, sous l'effet du stress, elles passent une partie de leur temps à mâchonner leurs barreaux et ont parfois des gestes nerveux répétitifs. Le nombre moyen de portées par an est de

2,5. Il y a au moins 20 % de pertes parmi les porcelets. Beaucoup d'entre eux meurent écrasés par leur mère, qui n'a pas assez de place pour bouger. Les truies sont souvent sous-alimentées, pour faire des économies. Elles sont réformées au bout de trois années de mise bas, et finissent dans des saucisses ou du pâté. La plupart d'entre elles sont littéralement traînées à l'abattoir, avec des treuils par exemple, parce qu'elles n'ont plus la force de marcher.

Les porcelets, quant à eux, ont une existence qui commence dans la souffrance. Leur queue est coupée, leurs testicules enlevés, leurs dents limées, le tout sans aucune anesthésie évidemment. Les opérations se font dans les hurlements : la douleur des petits s'ajoute à la colère des mères.

Au bout de quatre semaines (en principe, le sevrage naturel se fait progressivement en trois ou quatre mois), les porcelets partent à l'engraissement. Jocelyne Porcher explique que, chez les éleveurs de plein air, les cochons aiment courir, brouter l'herbe, creuser la terre. Mais là, on trouve seulement des caillebotis, ces grillages de bois ou de plastique qui présentent l'énorme avantage de laisser passer les déjections dans une grande fosse située sous l'animal. Plus de paille à changer, donc entretien minimal – un simple coup de karcher de temps en temps. Et tant pis pour l'odeur nauséabonde, irritante, et l'air irrespirable. Et le manque de lumière. Et l'ennui toute la journée. Qui rend agressif. Chaque jour des porcs meurent à cause de leurs conditions de « détention », avant le délai de six mois au bout duquel ils sont envoyés à l'abattoir. Six mois pour le cochon de viande, trois ans pour la truie reproductrice. Dans des conditions normales, un cochon peut vivre vingt ans.

Aujourd'hui, 2 février 2012, une dépêche de l'agence Reuters :

Un Japonais a remporté vendredi la 20ᵉ édition du Wing Bowl en ingurgitant pas moins de 337 ailes de poulet en une demi-heure. Devant un public de plus de 17 000 personnes, Takeru Kobayashi, 57 kilos, a dominé vingt-six participants plus corpulents. Il a notamment devancé le quintuple champion de l'épreuve Bill Simmons, 150 kilos et surnommé « El Wingador » (« chicken wings » étant le terme anglais pour les ailes de poulet) et a aisément battu le record de 255 unités du triple tenant du titre, Jonathan Squibb, dit « Super Squibb ». Sa performance lui a valu une récompense de 20 000 dollars.

Ai-je bien lu ? Un type vient de remporter 20 000 dollars parce qu'il a mangé onze ailes de poulet par minute pendant une demi-heure devant 17 000 spectateurs ébahis ?

D'une part, ma mère m'a appris dès mon plus jeune âge à ne pas jouer avec la nourriture. D'autre part, cette info, qui fera sans doute une sympathique brève de fin de journal pour quelques radios ou télés, prouve à quel point nous sommes régulièrement capables (coupables ?) de renier notre statut d'espèce intellectuellement supérieure. Manger un maximum d'animaux pour avoir l'air malin, c'est le degré zéro de l'évolution. J'y vois même plutôt de la régression. Mais lorsqu'il s'agit de poulets, qui s'en soucie ? Le poulet est l'une des espèces que nous maltraitons et méprisons le plus.

Pour être précis sur la vie d'un poulet d'élevage intensif, il convient d'abord de distinguer les deux types d'élevage : poule pondeuse et poulet de chair. Ces deux catégories de poules sont issues de souches différentes : une souche à croissance rapide pour la viande, une souche à croissance plus lente et plus adaptée à une ponte abondante pour les œufs.

Pratiquement chaque être humain sur terre a une poule pondeuse qui travaille pour lui, puisqu'au total on en dénombre 5 milliards. Elles produisent chaque année 1 000 milliards d'œufs. La France utilise 46 millions de poules pondeuses par an. Près de 80 % d'entre elles sont élevées de manière industrielle, en batterie[68].

Ces poules pondeuses vivent entassées à plusieurs dans des cages alignées à l'intérieur de hangars qui contiennent jusqu'à 100 000 oiseaux. Dans sa cage de batterie, chaque poule européenne disposait jusqu'en 2012 d'un espace correspondant à une feuille A4 (550 cm^2). Désormais, elle bénéficie officiellement d'un espace supplémentaire équivalent à… un post-it ! Il va sans dire que, dans cette configuration, la poule ne peut rien faire d'autre que se tenir debout sur ses pattes. Et de quelle manière : le sol est un grillage en pente. Les poules vivent dans des conditions de stress et de détresse psychologique et physique qui génèrent de la violence, et même du cannibalisme : à part pondre, se battre est la seule activité à laquelle elles peuvent s'adonner. À cause de cela, il est fréquent qu'on leur coupe le bec (sans anesthésie bien sûr) avec une lame chauffante peu de temps après leur naissance, ce qui, outre la souffrance immédiate, occasionne une excroissance qui les handicape ensuite pour manger. Les poules vivent dans le noir (les hangars n'ont pas de fenêtres), mais des lumières électriques sont allumées régulièrement pour stimuler artificiellement la ponte, ce qui permet d'obtenir environ 300 œufs en une année, soit deux fois plus que les races d'il y a cinquante ans. Ce chiffre correspond aussi au total des œufs pondus dans une vie de poule : elle commence son travail au bout de trois mois d'existence et elle est jetée à la poubelle, ou plus exactement envoyée à la réforme, au bout d'un an. Elle finit comme bouillon cube, viande pour chiens et chats ou dans des raviolis. Compte tenu de leurs conditions de vie, les poules pondeuses sont en très mauvais état lorsqu'elles arrivent à l'abattoir (fractures, déboîtements d'aile et autres blessures), ce qui les rend impropres à la consommation directe.

On pourrait s'imaginer que la vie d'une poule pondeuse n'a rien de choquant dans la mesure où elle est un animal qui n'a de toute façon pas besoin d'espace, et que ses besoins naturels sont extrêmement limités. Faux. Elle est issue de la domestication d'une poule de la jungle d'Asie du Sud-Est : la poule Bankiva. Celle-ci est habituée à vivre dans des zones boisées qui lui offrent des abris et des perchoirs naturels. Il s'agit d'un animal social qui vit dans un groupe hiérarchisé et qui communique grâce à un répertoire de dizaines de sons, mais aussi grâce au langage corporel. Elle a l'habitude de s'isoler pour pondre. Elle passe ses journées à explorer, à gratter le sol, à se nettoyer. Rien à voir avec la misérable existence qu'on lui impose en batterie.

Un exemple du mépris total que nous affichons à l'égard de ces animaux-objets : en 2010, la société Alsace Œuf située à Kingersheim, près de Mulhouse, connaît des problèmes financiers. Elle cesse de payer le fournisseur d'aliments, qui, du coup, n'assure plus ses livraisons. Les 200 000 poules sont alors laissées à l'abandon et commencent à mourir de faim. Lorsque les autorités, alertées par les riverains, découvrent l'ampleur du carnage, il est déjà trop tard. Les 135 000 poules encore vivantes devront être euthanasiées. Juste un problème de trésorerie ? Non. Un problème de mentalité : ce ne sont que des poules. Un gros titre dans les journaux ? Non. Ce ne sont que des poules.

Passons aux poussins, maintenant. C'est mignon, un poussin. Qui aurait le cœur de blesser un poussin ? Ou pire, de le broyer ? C'est pourtant ce qui arrive à des millions d'entre eux chaque année. Dix minutes à peine après qu'ils sont sortis de leur coquille, ils sont arrachés à leurs couvoirs et balancés sans le moindre ménagement dans un circuit fait de tapis roulants, de conduits, d'aspirateurs et de trappes. Ils sont triés par « sexage ». Les femelles sont gardées pour devenir de futures poules pondeuses. Les mâles en revanche ne sont pas intéressants, puisqu'une fois devenus coqs ils ne peuvent ni pondre ni être consommés, car ils sont issus d'une espèce qui ne se développe pas assez rapidement selon les standards de l'industrie. Ils sont donc tués, broyés ou gazés, à l'exception de quelques chanceux (50 000) qui seront utilisés pour la reproduction. On estime à 50 millions le nombre de poussins tués à la naissance en France chaque année.

Les végétariens s'autorisent à manger des œufs, puisque théoriquement un œuf n'implique pas la mort ni le mauvais traitement d'un animal. Face à la réalité de l'élevage industriel, cependant, la théorie ne fait pas le poids. Il existe néanmoins des œufs de poules élevées « en plein air » (pas tant que ça en fait), label rouge, ou bio. Cette dernière appellation est la plus respectueuse de l'animal. Pour savoir à quel genre d'œuf vous avez affaire, il suffit de jeter un coup d'œil sur la coquille. Observez les chiffres imprimés. Le 3, avant les lettres FR, signifie que l'œuf provient d'une poule élevée en cage (FR fait référence au pays d'origine, la France en l'occurrence) ; le 2, une poule élevée au sol ; le 1, une poule élevée en plein air ; le 0, une poule bio. Si vous voulez manger des œufs en imposant le moins de souffrance possible à celles qui les auront produits, choisissez donc des œufs estampillés « 0 ». Et attention aux œufs vendus sur les marchés ! Rien ne garantit *a priori* qu'ils proviennent d'un élevage bio ou en plein air.

Enfin, terminons ce panorama de la vie de poulet en évoquant les poulets de chair qu'on élève, tue et consomme à la pelle – 700 millions en France chaque année. Blanc de poulet, cuisses de poulet, ailes de poulet : cette viande attire de plus en plus, car elle rassure. Elle est considérée comme moins dangereuse pour la santé que la viande rouge. Certains estiment même (grâce à un tour de passe-passe intellectuel qui m'échappe) qu'elle n'est pas tout à fait de la viande...

La vie d'un poulet de chair est une vie express. Tout comme les veaux ou les porcelets, ils ne connaissent qu'un lieu, une pièce dans laquelle ils sont déposés tout petits et qu'ils ne quittent que pour rejoindre l'abattoir. Il s'agit d'un énorme hangar où les poussins sont déposés juste après leur naissance. Ils grandissent très vite, trop vite, et se retrouvent rapidement complètement entassés. Les poulets de chair que nous avons créés sont des espèces de monstres dont les os et les organes ne sont pas adaptés au poids des muscles, qui se développent beaucoup trop rapidement. Ils souffrent donc de problèmes pulmonaires ou osseux. Au bout d'une quarantaine de jours seulement (deux fois plus vite que les poulets bio), le poids recherché est atteint. Le produit est prêt. Direction : l'abattoir. Une suspension par les pattes, une électrocution, et un égorgement.

Offre d'emploi

Ouvrier / Ouvrière d'abattoir
Postuler maintenant
Lieu : Sablé-sur-Sarthe, Sarthe
Date de publication : 04 novembre 2011
Ouvrier / Ouvrière d'abattoir – ROME H2101 –
Abattage et découpe des viandes
POUR LES BESOINS EN RECRUTEMENTS DE
FIN D'ANNÉE, PLUSIEURS POSTES SONT À
POURVOIR AU SEIN DE L'ATELIER ABAT-
TOIR : BRIDAGE, ÉVISCÉRATION, ACCRO-
CHAGE, PLUMAGE, FICELAGE DES RÔTIS.
Type de contrat : TRAVAIL INTÉRIMAIRE DE
1 MOIS
Nature d'offre : CONTRAT DE TRAVAIL
Expérience EXIGÉE DE 6 MOIS SUR LES
MÊMES TYPES DE POSTE
Formation : Aucune formation scolaire exigée
Qualification : Ouvrier spécialisé
Salaire indicatif HORAIRE 9 euros (59,04 F)
+ PRIMES FROID ET HABILLAGE
Durée hebdomadaire de travail : 35 HEURES
HEBDO EN 2*8
Déplacements : PAS DE DÉPLACEMENT
Taille de l'entreprise : 6 À 9 SALARIÉS...

À l'école, aucun de mes camarades ne rêvait de
devenir ouvrier d'abattoir.

Vétérinaire, prof, DJ, animateur radio, dessinateur, mécanicien, musicien, ingénieur, pilote d'avion,
assistante maternelle, oui, mais pas ouvrier d'abattoir.
Quelque chose me dit que, la plupart du temps, on
accepte ce genre de job quand on a vraiment besoin

de travailler et qu'on n'a rien trouvé d'autre. « Éviscération », « accrochage », « plumage » : ce ne sont
pas des mots qui donnent envie. Pourtant, chez Pôle
Emploi, on trouve que l'abattage est un secteur très
valorisant, à en croire la petite vidéo que l'on peut
voir sur Internet, promouvant le poste de « responsable de production en abattoir » : un « métier ultra-
varié, entre bureau et terrain, qui demande sensibilité
et humanité », nous explique une voix off guillerette.
Un métier qui permet également de belles évolutions
de carrière, comme nous le prouve le parcours d'un
dénommé Stéphane qui a eu le bonheur de devenir
très vite chef et qui tient à insister sur l'essentiel :
« le respect de l'animal au moment de l'abattage »,
car il ne faut pas, bien sûr, que celui-ci souffre. Sauf
qu'en réalité...

Le mythe de la mort douce

En France, 3 millions d'animaux partent à l'abattoir
chaque jour. Un chiffre tellement impressionnant qu'il
en perd tout sens. Il ne rend pas compte de la réalité
du drame, *des* drames, car la masse dilue les indivi-
dualités. Pourtant, ce chiffre signifie que chaque
minute nous éradiquons 2 000 vies, 2 000 consciences,
2 000 destins que nous avons niés dès leur naissance
en leur octroyant arbitrairement le statut d'objets
de consommation. Nous avons néanmoins à l'égard
de l'animal de consommation une obligation désormais légale : lui accorder une mise à mort miséricor-
dieuse. Nous devons lui épargner toute souffrance au
cours des derniers instants de son triste passage sur
cette planète. Les lois française et européenne sont
claires sur ce point. Mais la réalité est hélas tout autre.
Jean-Luc Daub a enquêté pendant des années dans
les abattoirs pour le compte d'associations de pro-

tection animale. Il en a tiré un livre poignant, *Ces bêtes qu'on abat*. Il lui a fallu un sacré courage pour avoir osé fréquenter tant d'établissements de mort, pour avoir assisté à autant de scènes d'horreur, et pour avoir ensuite choisi d'en témoigner dans un livre que l'on hésite à parcourir, tant les descriptions sont pénibles. Jean-Luc Daub a observé le décalage entre les textes législatifs et la cruelle réalité du terrain : les mauvais traitements, les agonies, les souffrances. Et l'indifférence. Il dénonce « les intérêts mercantiles de la toute-puissante filière viande, avec la FNSEA, et avec ce ministère de l'Agriculture, laxiste au point de sanctionner rarement les responsables d'employés et d'abattoirs, les éleveurs et les transporteurs qui transgressent les réglementations du Code rural. Car il n'y a sans doute pas de ministère, en France, où l'on soit aussi peu regardant quant aux normes par soi-même édictées[69] ».

L'étude de Jean-Luc Daub recèle tant d'informations précieuses qu'il est impossible de la résumer en quelques lignes. Il raconte les scènes brutales, voire sadiques, de déchargement de camions, les vaches frappées à coups de bâton ou de fourche sur les pattes ou sur les naseaux, les cochons qui tombent les uns sur les autres et reçoivent des coups de piles électriques partout sur le corps, y compris la tête et le groin, les bêtes coincées dans les portes qu'on referme sur elles, celles qui attendent des heures, sans air et sans eau, avant d'être débarquées, beuglant pour sortir de cet enfer, les animaux blessés, incapables de marcher, qui auraient dû bénéficier de la mesure d'abattage d'urgence à la ferme mais qu'on trimballe tout de même et qu'on laisse agoniser sur le sol. Ce n'est pas un hasard si l'un des combats actuels des associations concerne les conditions de transport des animaux entre le lieu d'élevage et le lieu d'abattage, souvent contraires aux réglementations.

Jean Luc Daub raconte aussi l'odeur du sang, les cris des animaux, les bruits métalliques, les cadences infernales qui empêchent d'avoir une quelconque considération à l'égard de l'animal, la cruauté de certains employés, ou encore le laxisme des services vétérinaires. Un extrait parmi d'autres :

> Il faisait encore nuit lorsqu'à 5 heures du matin, je visitai un abattoir en Alsace. J'assistai à l'abattage des porcs ; ces derniers hurlaient et ne voulaient pas entrer dans le local d'abattage. L'employé frappait avec un bâton ceux qui étaient au bout du rang. De ce fait, ceux qui recevaient les coups fonçaient dans les premiers qui avançaient malgré eux sans comprendre quelle direction ils allaient prendre. Les hurlements des uns paniquaient les autres restés dans la porcherie. Les brutalités exercées par l'employeur stressaient les animaux. Les hurlements s'entendaient jusque dans la bouverie, où les bovins en attente étaient également pris de panique.
>
> Un taureau qui était seul dans un box était complètement effrayé. On pouvait lire l'inquiétude dans son regard. Il allait et il venait dans le box, cherchant désespérément à en sortir. Il avait bien compris que quelque chose n'allait pas et que bientôt ce serait son tour. Il me faisait mal au cœur, ce taureau. Un monstre, tant il était grand et costaud, une force de la nature réduit à avoir peur et à être impuissant. L'image la plus insupportable pour moi, ce fut lorsqu'il remarqua que les poutrelles métalliques du bas de son box étaient beaucoup plus écartées que celles du haut. Un grand espace lui donnait espoir de passer entre ces poutrelles pour s'enfuir. [...] Il tenta désespérément de sortir par ce petit espace. Rien à faire, il était bloqué par ses épaules. Il était désespéré et tellement apeuré[70] !

Longtemps, nous avons justifié l'abattage des animaux en expliquant que ceux-ci n'avaient pas conscience du sort qui les attendait. Or il suffit de jeter un coup d'œil aux vidéos tournées dans les abattoirs par les associations, ou récupérées par elles, pour se rendre compte que c'est faux. Je n'en évoquerai qu'une seule, sur laquelle on voit deux vaches qui attendent dans un couloir étroit de quelques mètres. Au bout de ce couloir, une trappe vers laquelle elles vont être poussées. Derrière cette trappe, elles seront abattues. La première vache est guidée par un homme vers le lieu de son exécution grâce à un bâton à impulsions électriques. La trappe s'ouvre puis se referme derrière l'animal. Un bruit sourd se fait entendre, suivi d'un beuglement bref. On voit alors nettement la vache restée seule dans le couloir prendre peur, s'agiter et chercher à s'enfuir. Elle tente de se retourner pour prendre le chemin inverse et fuir la pièce où l'attend la mort, comme elle vient de le comprendre. Mais les murs qui l'entourent sont trop rapprochés, elle n'a pas la place de faire demi-tour. Alors elle recule au maximum et se recroqueville le plus loin qu'elle peut dans le fond du corridor. Cela dure une minute environ, jusqu'à ce que l'homme revienne et la force à se diriger vers la trappe et la pièce où elle va être tuée.

Dans le bouleversant livre testament qu'il a publié quelques semaines avant de décéder d'un cancer, le docteur David Servan-Schreiber compare la perception humaine de la mort à la perception que peuvent en avoir les animaux : « J'ai peur de souffrir, je n'ai pas peur de mourir. Ce que je redoute, c'est de mourir dans la souffrance. Cette peur est générale me semble-t-il chez tous les êtres humains, et même chez les animaux[71]. »

Intuition confirmée par un artisan boucher du XVIIIe arrondissement de la capitale interrogé par *Le Parisien* au sujet des conditions d'abattage. Selon lui, l'angoisse de l'animal pendant son exécution ne peut être niée et a des conséquences visibles : « Le stress ressenti par l'animal, je le vois sur la viande. Celle-ci est un peu plus fiévreuse, comme on dit, un peu plus rouge[72]. »

La peur de l'animal qui sait qu'il va être tué a été décrite il y a plus d'un siècle par l'écrivain russe Léon Tolstoï dans un texte oublié, *Plaisirs cruels*, publié en 1895. Le romancier avait un profond respect pour la vie animale, et pour la vie sous toutes ses formes. Tolstoï a été l'un des précurseurs du concept de non-violence – il influença d'ailleurs Gandhi –, et dans la dernière partie de sa vie il était devenu végétarien. Il avait tenu à visiter les abattoirs de la ville de Toula, à 200 kilomètres au sud de Moscou et à une dizaine de kilomètres de son domaine, Iasnaïa Poliana, pour s'assurer « de visu de l'essence même de la question dont on parle quand il s'agit du végétarisme ». Ces abattoirs étaient, explique-t-il, « construits d'après un modèle nouveau, perfectionné comme dans toutes les grandes villes, de façon à ce que les animaux souffrent le moins possible ». Il y a plus d'un siècle déjà, donc, les promoteurs de la viande mettaient en avant le bien-être animal pour calmer les consciences. Et, déjà, le décalage avec la réalité était choquant. Voici ce dont a été témoin Tolstoï et qui relève de la plus profonde cruauté :

Par la porte opposée à celle où je me trouvais, on faisait passer [...] un grand bœuf rouge et gras ; deux hommes le traînaient. Il avait à peine franchi la porte, qu'un des bouchers, armé d'une hache à long manche, le frappa au-dessus du cou. Comme si ses quatre pieds eussent été coupés en même temps, le bœuf tomba lourdement sur le ventre, puis, tout de suite, se retourna sur le côté et se mit à remuer convulsivement les jambes et les reins. Alors, un boucher se précipita sur lui, en se garant des jambes, le saisit par les cornes, et abaissa de force sa tête vers le sol, pendant qu'un autre boucher lui coupait la gorge ; et, de la blessure béante, le sang, d'un rouge noir, jaillissait en fontaine, recueilli dans un bassin de métal par un enfant tout éclaboussé de sang. Pendant tout ce temps, le bœuf n'avait pas cessé de tourner et de secouer sa tête, et d'agiter convulsivement ses jambes en l'air. Cependant, le bassin s'emplissait rapidement, mais le bœuf était encore vivant, il continuait de battre l'air avec ses pieds, si bien que les bouchers avaient soin de se tenir à l'écart. Aussitôt que le bassin de métal fut rempli, le jeune garçon le mit sur sa tête et l'emporta à la fabrique d'albumine, pendant qu'un autre enfant apportait un autre bassin qui commença de s'emplir à son tour ; mais le bœuf continuait à ruer désespérément. Dès que le sang cessa de couler, le boucher souleva la tête du bœuf et se mit à le dépouiller de sa peau ; l'animal se débattait toujours. La tête était mise à nu, devenue rouge avec des veines blanches, et prenait la position que lui donnaient les bouchers. La peau pendait des deux côtés, le bœuf ne cessait de se débattre. Un autre boucher saisit alors le bœuf par la jambe, la cassa et la lui trancha : sur le ventre et sur les autres jambes couraient encore des convulsions ; puis on lui coupa les membres restants et on les jeta dans le tas où étaient les jambes des autres bœufs du même propriétaire. Puis on traîna l'animal abattu vers la poulie et on le pendit. Alors seulement, la bête ne donna plus signe de vie[73].

Des animaux égorgés sans étourdissement

Depuis 1964, la loi française oblige à étourdir les animaux de boucherie avant la saignée, et ce pour deux raisons : réduire la douleur de l'animal au moment de la mise à mort, et assurer la sécurité du personnel. L'étourdissement se pratique soit à l'aide d'un matador (un pistolet qui perfore le crâne jusqu'à la cervelle), soit par électronarcose (la tête est plongée dans un bac rempli d'un électrolyte – c'est la méthode utilisée pour les volailles), soit par administration d'une décharge électrique derrière la tête, soit par gazage.

L'étourdissement doit garantir que l'animal est inconscient lorsqu'il est tué. Mais, dans les faits, les choses ne se passent pas toujours ainsi. Les associations ont constaté que, fréquemment, le courant utilisé pour l'étourdissement par décharge électrique n'est pas suffisamment fort, ou que les pinces sont mal placées sur la tête de l'animal. Il faut donc recommencer l'opération, ce qui occasionne une douleur supplémentaire.

Pour l'électronarcose, les volailles sont suspendues par les pattes afin que leur tête soit plongée dans un bain électrifié. Mais, souvent, l'animal relève la tête, échappant à l'anesthésie, ou bien se débat au moment où il est accroché par les pattes : ses ailes touchent alors l'eau électrisée, ce qui lui vaut une violente décharge électrique, sans l'endormir pour autant.

Parfois encore, le temps entre l'étourdissement et l'égorgement est trop long et l'animal reprend conscience. Sur le site de l'association de protection animale One Voice, une vidéo tournée dans un abattoir montre un bovin qui doit subir deux coups de matador avant de s'effondrer. Suspendu ensuite dans les airs, sa gorge est tranchée, mais il continue de bouger. Entre le premier coup de pistolet et le moment où il cesse de remuer, vidé de son sang, il aura agonisé pendant cinq minutes et quarante secondes[74].

L'étourdissement n'est donc pas une garantie de mort tranquille. Mais lorsqu'il n'est carrément pas pratiqué avant l'égorgement, c'est l'assurance d'une fin de vie douloureuse. La plupart des scientifiques et des vétérinaires s'accordent sur ce point. L'incision de la trachée, de l'œsophage et des veines jugulaires ne peut être indolore[75].

Pourtant, l'abattage halal (musulman) et l'abattage casher (juif) imposent dans de nombreux cas que les animaux soient saignés en pleine conscience. Du coup, au nom de la liberté des cultes, la France comme l'Union européenne accordent une dérogation pour l'abattage rituel, qui peut s'effectuer sans étourdissement. Au-delà de la cruauté du procédé, l'Œuvre d'assistance aux bêtes d'abattoir (OABA) dénonce le manque de formation des sacrificateurs, mais aussi, par exemple, l'absence dans certains établissements de dispositifs de contention mécanique pour les moutons, lesquels sont souvent simplement suspendus par une patte, ce qui est interdit. Pour les bovins, c'est particulièrement terrible : le box de contention utilisé est très stressant (il retourne l'animal à l'envers) et la vache peut agoniser pendant plusieurs minutes, jusqu'à un quart d'heure, tout en cherchant à se relever et à respirer.

Le pire, c'est que de nombreux consommateurs mangent sans le savoir de la viande d'animaux tués sans étourdissement. En effet, pour des raisons de rentabilité, de nombreux abattoirs choisissent de ne pas faire de changement de chaîne entre le mode halal et le mode non halal, et suppriment l'étourdissement dans tous les cas. Comme l'explique la chambre d'agriculture d'Île-de-France dans un communiqué du 21 février 2012, la totalité de la viande abattue en région parisienne est halal ou casher : « L'Île-de-France compte à ce jour cinq abattoirs dont un spécialisé dans la viande de porc. Les quatre autres abattent les cheptels exclusivement de manière rituelle : 100 % de la viande abattue en Île-de-France l'est selon les traditions musulmane et juive. »

Par ailleurs, dans le rite casher, on ne consomme que l'avant de l'animal, jusqu'à la huitième côte. Que devient le reste, jugé religieusement impropre mais pourtant consommable ? Il est envoyé dans le circuit « classique », où le rejoignent les carcasses qui ont été refusées après l'inspection du rabbin.

L'OABA, dont les enquêteurs travaillent sur les 280 abattoirs français, estime que 48 % des animaux abattus en France le sont sans étourdissement. Un chiffre corroboré par un rapport du ministère de l'Agriculture datant de novembre 2011, qui affirme que plus de la moitié des bovins, ovins et caprins tués en France le sont selon un mode d'abattage rituel, halal ou casher, ce qui excède largement les besoins de la population nationale concernée. Ce rapport, rédigé par une dizaine d'experts et hauts fonctionnaires du ministère, précise que la demande en viande halal ou casher « devrait correspondre à environ 10 % des abattages », mais que le volume d'abattage rituel « atteint 40 % des abattages totaux pour les bovins et près de 60 % pour les ovins ».

Le « surplus » part donc dans la grande distribution, sans qu'aucun étiquetage ne précise le mode d'abattage particulier. Il alimente aussi certains restaurants. De nombreux non-musulmans et non-juifs mangent donc halal ou casher à leur insu. Ce constat est choquant, non en raison de présumées implications religieuses ou culturelles, mais à cause de ses conséquences morales et sanitaires. Le consommateur a en effet le droit d'être informé de l'origine de ce qu'il mange afin de pouvoir faire son choix en son âme et conscience. Si certains se moquent des conditions d'abattage de leur viande, ce n'est pas le cas de tout le monde. D'autant que l'abattage rituel n'est pas sans danger pour la santé, puisque cette pratique multiplie les risques d'infection bactérienne, notamment par *E. coli* dans les steaks hachés. Le consommateur devrait être informé, et un étiquetage « abattu sans étourdissement » devrait figurer sur la viande concernée.

Si l'on se place maintenant du point de vue de l'animal, on ne peut admettre qu'il soit la victime de dogmes religieux qui ignorent les conditions de « confort » minimales qu'on a péniblement réussi à lui accorder dans les années 1970 pour ses derniers instants. L'abattage rituel tel qu'il est pratiqué en France à l'heure actuelle, qu'il soit juif ou musulman, est un archaïsme qui n'a plus sa place dans notre société. Si la République est réellement laïque, une et indivisible, alors on ne peut tolérer que les droits minimums accordés aux animaux d'élevage soient bafoués au nom de croyances communautaires. D'ailleurs, certains pays européens, comme la Suisse ou la Suède, ont interdit l'abattage rituel.

La remise en cause de cette méthode est d'autant plus pertinente que rien ne justifie dans le Coran que l'animal soit conscient au moment de sa mise à mort. Il doit simplement être vivant pendant l'égorgement. Or l'étourdissement ne provoque pas la mort. D'ailleurs, l'Indonésie, qui compte 200 millions de musulmans, accepte que les animaux soient étourdis avant l'abattage. Et, même en France, l'abattage halal tolère l'étourdissement dans certains cas. Ainsi, 90 % des volailles certifiées halal sont étourdies par électronarcose avant la saignée, comme dans les abattages standard[76]. Pourquoi la même religion infligerait-elle aux moutons ou aux veaux un traitement qu'elle épargne aux poulets ?

Il faut encore noter que, selon les préceptes du judaïsme et de l'islam, tout le sang doit être expurgé de l'animal après l'abattage. Sauf que l'égorgement (avec ou sans étourdissement) ne garantit pas une viande dépourvue de sang : il en restera toujours dans les plus petits vaisseaux. Conclusion : aucune

viande n'est parfaitement casher ou halal. Seule solution pour le juif ou le musulman qui veut être sûr
de ne pas manger de sang : ne pas manger d'animaux, quel que soit le mode d'abattage.

Les abattoirs n'existent pas

Les abattoirs sont aujourd'hui des lieux cachés,
maintenus loin des regards. Sans exagérer vraiment,
on peut considérer qu'il est sans doute plus facile
de pénétrer clandestinement dans une centrale
nucléaire française, comme l'ont encore prouvé en
mai 2012 des militants de Greenpeace, que dans un
abattoir. Les documents vidéo révélant les mauvais
traitements infligés aux bêtes qui y sont mises à
mort ne sont pas tournés par des équipes de journalistes officiellement accrédités. Ils sont l'œuvre
de militants qui les tournent en caméra cachée,
après s'être fait embaucher par l'entreprise. Un vrai
travail d'espion.

Cette dissimulation de la vérité n'a pas toujours
existé. On a d'abord tué les animaux dans la rue, au
vu des passants, avec les cris audibles par tous et le
sang qui s'écoulait le long des trottoirs. Puis, sous
Bonaparte, la mise à mort fut transférée dans des
lieux spécialement dédiés : les abattoirs. Ceux-ci se
sont progressivement installés à la périphérie des
villes. Avec l'industrialisation générale de la société,
les abattoirs sont devenus des usines quasi secrètes
où l'on préfère ne pas savoir ce qui se passe.

Le secret qui entoure ces établissements n'a rien
d'anodin. On cache ce qui s'y déroule comme on
cache quelque chose de honteux. A-t-on jamais vu
une école organiser une sortie pédagogique dans un
abattoir ? Jamais. Pourquoi ? D'où nous vient cette
pudeur qui nous force à taire aux enfants le sort que

nous réservons aux animaux ? Un égorgement, une électrocution, une éviscération sont-ils des scènes obscènes pour des yeux innocents ? La réponse est oui.

On pourrait croire que la première censure à laquelle nous sommes confrontés dans notre vie concerne le sexe. Faux. Elle concerne la condition animale. Les enfants n'ont pas le droit de voir ni de savoir ce qui se passe dans les élevages industriels, la manière dont on tue les animaux ou celle dont on les utilise dans des laboratoires. Lorsqu'on éveille un enfant au monde, on lui présente la beauté d'un coucher de soleil, on lui explique les feuilles qui rougissent à l'automne, on lui demande de lever les yeux vers le ciel les soirs de pleine lune. On ne l'emmène pas visiter une chaîne d'abattage de porcs.

Que cherche-t-on au juste en masquant ainsi la vérité ? S'agit-il d'épargner un traumatisme à de jeunes esprits ? Si c'est le cas, alors cela atteste que nous avons conscience du degré de violence que nous infligeons aux animaux. Au fond de nous, nous savons que ces tueries de masse représentent l'un des aspects les moins reluisants de la société que nous allons léguer à nos enfants. Quel argument raisonnable pourrait-on avancer pour justifier de telles méthodes ? « Dis, papa, comment on fait les bébés ? », c'était déjà une question assez compliquée comme ça. Alors répondre à : « Dis, papa, est-ce que les animaux ils souffrent quand on les étourdit à l'abattoir ? Et est-ce qu'ils savent qu'ils vont mourir ? Est-ce qu'ils ont peur ? »... Non, merci.

Des sujets tabous dans l'éducation des tout-petits, il y en a d'autres, bien sûr. À commencer par la mort. Pas celle des animaux d'élevage, mais la nôtre, celle qui nous attend tous. Cependant, même la finitude humaine est plus facile à expliquer à un enfant que la tranche de jambon dans l'assiette. Car, en tant que telle, la mort est inscrite dans nos gènes. Elle est l'une des composantes du vivant, qui, par définition, doit se régénérer. L'être humain subit cette condition, mais il n'en est pas responsable. Il doit essayer de l'accepter au mieux. Et même d'en tirer profit. Avec quelques mots choisis et rassurants, on peut donc aborder cette question avec un enfant et parler du jour où « on ne sera plus là ».

En revanche, l'exécution d'autres êtres vivants n'est pas une situation naturelle et inéluctable : c'est un acte voulu par l'homme, qui choisit de répondre ainsi à l'un de ses désirs, en l'occurrence la satisfaction de ses papilles gustatives. L'explication de ce geste revêt donc une dimension morale embarrassante. Le cochon du film *Babe* est peut-être adorable (*les* cochons, devrais-je dire, puisque quarante-huit porcelets ont été utilisés pour le tournage !), et les cochons savent se montrer affectueux dans la vraie vie, puisque certains sont domestiqués. Pourtant, nous, les Babe, on les bouffe, c'est comme ça. C'est vrai que c'est court comme argument pour la tranche de jambon.

MEURTRE À DISTANCE

Il s'appelait Lustucru. Un bien étrange nom, j'en conviens. Lustucru a été mon lapin pendant deux ans. Mais pas un lapin nain comme on en achète en animalerie aujourd'hui, ah non ! Lustucru était un bon gros lapin dodu au pelage brun-gris, digne représentant de la race des Fauves de Bourgogne. Nous l'avions gagné dans une kermesse de village grâce à une loterie à laquelle mon père avait participé sans aucune conviction, dans le simple but de faire plaisir à l'un des organisateurs. Lorsqu'il avait acheté son billet, mon père ne s'était pas intéressé un instant au lot qu'il était susceptible de gagner. Quelques minutes plus tard, il reçut son prix avec un certain embarras, se demandant ce qu'il allait bien pouvoir faire d'un lapin vivant.

L'arrivée de cet animal à la maison n'était pas vraiment prévue. Son sort fut immédiatement étudié par un tribunal familial réuni à la hâte dans la voiture, sur la route du retour. D'un côté mon père, plutôt hésitant sur l'accueil à réserver à ce compagnon inattendu, de l'autre ma mère, mon frère et moi, militant fermement pour une amnistie et une fin de vie heureuse à nos côtés. J'étais encore petit, et mes arguments étaient sans doute un peu courts (du genre « c'est pas gentil de le tuer ! »). Dans un premier temps, ni le cas ni le cou ne furent tranchés. Mon père avait conclu la conversation par un classique : « On verra. » On installa donc Lustucru dans une cage, tout en lui octroyant des sorties quotidiennes dans l'appartement. Puis les jours passèrent, et les semaines, et l'idée que l'animal puisse finir dans nos assiettes s'éloigna d'elle-même. Tout simplement parce que tout le monde s'était attaché à lui. Il mourut donc de vieillesse au bout de quelques années passées à nos côtés. L'eusses-tu cru ?

Cet épisode de mon enfance illustre une règle qui régit nos interdits alimentaires : on ne peut pas manger ce qui est proche de nous. Il faut de la distance entre le mangeur et le mangé. « Un lien affectif, une familiarité, une trop grande proximité bloque l'acte phagique », explique Madeleine Ferrières dans son *Histoire des peurs alimentaires*. Ce que confirme le sociologue Claude Fischler, chercheur au CNRS, dans *L'Homnivore* : « Entre l'homme et l'animal, le mangeur et le mangé, il faut, semble-t-il, une distance optimale pour que l'acte phagique puisse s'accomplir. Une proximité trop grande rend impossible la consommation. Proximité affective, d'abord :

un animal domestique, à plus forte raison un animal familier, nous devient, du seul fait de son intimité avec nous, difficilement consommable. De nombreuses anecdotes attestent que la meilleure manière de protéger un animal qui risquerait de "passer à la casserole", c'est probablement de lui donner un nom propre. En l'identifiant, en le dotant ainsi d'une individualité, on le rend en somme beaucoup moins comestible[77]. » Fischler ajoute qu'une grande proximité physique nous gêne aussi : les animaux qui nous ressemblent beaucoup (les singes par exemple) sont peu consommés.

Cette distance imposée avec l'animal de consommation concorde avec le système industriel, qui s'est efforcé de « désentimentaliser » sa vie au maximum. L'animal pris en charge n'a pas de nom, ne reçoit pas d'affection, ne croise que très peu d'humains. Pire : l'organisation technique de sa vie et de sa mort a segmenté toutes les étapes de sa courte existence, de telle sorte que celui qui donne à manger à l'animal n'est pas celui qui le conduit à l'abattoir, lequel n'est pas celui qui le met à mort, lequel n'est pas celui qui le découpe en morceaux. Une division du travail aux vertus déculpabilisantes : aucun des différents acteurs impliqués dans l'élevage et l'exécution de l'animal ne porte à lui seul le poids du crime.

Quant au consommateur, c'est encore mieux : bien qu'il soit le réel commanditaire de la mort de l'animal (puisque c'est pour satisfaire son appétit que celui-ci a été élevé), il n'a absolument aucun contact avec lui jusqu'au moment où il en achète un morceau en boucherie ou en supermarché. Ce qui lui permet d'alléger sa conscience en s'imaginant qu'il n'est responsable de rien. Il lui arrivera même d'inverser la réalité en affirmant que, s'il mange de la viande, c'est simplement parce que des animaux sont tués pour cela, et que ce serait donc du gâchis de ne pas en profiter !

Au final, le processus qui détermine la vie et la mort d'un animal d'élevage dilue les responsabilités : du donneur d'ordres au bourreau en passant par l'éleveur, chacun peut oublier la cruauté, voire l'immoralité, de l'action globale à laquelle il participe. Pourtant, s'il est normal de tuer des animaux pour les manger, pourquoi tant de chichis ? L'embarras manifeste de ceux qui ne veulent pas savoir ce qu'ils mangent et de ceux qui ne veulent pas voir qui ils tuent est la preuve qu'il y a un sacré malaise. Peut-être faudrait-il revenir aux égorgements en public : ce serait certes répugnant, mais cela permettrait d'avoir une idée fiable du pourcentage de personnes qui cautionnent réellement les conséquences de la consommation de viande.

LE JOUR OÙ J'AI ARRÊTÉ DE MANGER DE LA VIANDE

Pendant les dernières guerres en Irak et en Afghanistan, les Américains n'ont presque jamais vu les cercueils de leurs soldats morts au combat. Interdiction aux médias de montrer les boîtes contenant les restes des corps déchiquetés. La base aérienne de Dover, dans le Delaware, qui reçoit les dépouilles des militaires avant qu'elles ne soient envoyées à leurs familles, a été fermée aux journalistes pendant presque vingt ans, entre 1991 et 2009, par une décision de George Bush père.

Pour l'administration américaine, montrer, c'était rendre vrai. Certes, on connaît précisément le nombre de soldats américains morts à l'étranger. Mais les chiffres restent des chiffres. Ils atteignent la partie rationnelle du cerveau, pas sa partie émotionnelle. L'information qu'ils transmettent est vidée d'une part essentielle de son sens. L'image d'une seule famille devant le corps de son fils aura plus d'impact sur l'opinion que l'annonce par un présentateur télé d'un bilan comptable, fût-il de cent morts. L'opinion américaine a cessé de soutenir l'intervention au Vietnam à cause des images. Des images qui n'avaient pas encore été interdites, et qui disaient la vérité.

Nous sommes tous plus ou moins des saint Thomas qui ne croyons que ce que nous voyons. L'image sert à croire, mais elle sert surtout à comprendre. Il a fallu que la télévision nationale canadienne Radio-Canada, en 1964, diffuse des images très dures pour que la chasse au phoque soulève l'indignation. On y voyait un chasseur dépecer un bébé phoque, celui-ci étant encore vivant tandis que le couteau le transperçait et l'ouvrait de part en part.

Moi-même, je suis définitivement devenu végétarien un soir, aux alentours de minuit, en regardant des images. J'avais 21 ans et j'étais étudiant en école de journalisme. Le processus qui allait faire de moi un végétarien était déjà enclenché depuis longtemps, et ma consommation de viande avait déjà largement diminué. Au début de l'adolescence, j'avais décrété que je ne mangerais plus de viande d'animal jeune. Il me paraissait inutilement cruel de supprimer une vie à peine commencée au prétexte que le goût de la viande en est meilleur. J'ai donc cessé de manger de l'agneau et du veau.

Quelques années plus tard, je prolongeai mon raisonnement : pourquoi ôter la vie à des animaux de petite taille, dont la chair ne peut nourrir que très peu d'estomacs humains ? Quitte à tuer un être sensible pour satisfaire notre appétit, faisons au moins en sorte que ce sacrifice soit utile à un maximum de personnes, comme c'est le cas quand on exécute un bœuf ou un porc ! Je décidai alors de supprimer de mon alimentation les plus petites espèces, tels les lapins ou les oiseaux. J'en vins logiquement à bannir aussi de mes achats les morceaux de poulet. Je n'étais pourtant pas encore tout à fait tranquille. J'avais pleinement conscience du contenu réel de mon assiette et la viande me plaisait de moins en moins. Son goût et sa substance me devenaient presque désagréables. Le sang s'écoulant du bout de chair réchauffé à la poêle commençait à m'indisposer. J'étais par ailleurs de moins en moins à l'aise avec mes propres contradictions : alors que j'emmenais mes chiens chez le vétérinaire au moindre bobo, je fermais les yeux sur la souffrance des animaux d'élevage que je consentais encore à consommer. Mes proches, pour lesquels le végétarisme s'apparentait à cette époque à une secte étrange, me rassuraient en affirmant que les abattoirs n'en étaient plus au temps où l'on massacrait les animaux à la massue. Ils soutenaient que les bêtes étaient aujourd'hui tuées sans douleur. Et, sans chercher beaucoup plus loin, par facilité sans doute, j'acceptais de les croire. Cette assurance d'une « mort paisible » me permettait d'endormir quelque peu ma conscience.

Et puis, une nuit, je suis tombé sur un reportage dans le journal de France 2. Une vidéo tournée clandestinement dans un abattoir. Elle montrait comment les animaux sont traités lorsqu'ils sortent des camions qui les amènent à la mort. On y voyait entre autres une vache vivante suspendue par une patte au moyen de je ne sais plus quel engin, puis lâchée violemment sur le sol quelques mètres plus bas. Elle agonisait ensuite, secouée de spasmes. Une autre, visiblement blessée, ne pouvait pas se tenir debout et était frappée avec un bâton par un salopard en blouse. D'autres scènes similaires témoignaient des souffrances infligées à des bêtes apeurées quelques instants avant leur mort. C'était donc cela, nos abattoirs exemplaires ? C'était cela, la fin de vie des animaux d'élevage ? Mais alors, le reste de leur existence devait être à l'avenant !

Alors que l'écœurement me gagnait devant ma télé, me revint aussi en tête l'image de ces camions régulièrement croisés sur l'autoroute, remplis de cochons entassés, cherchant un peu d'air à travers les grilles de leur cage roulante. Ces chargements qui m'avaient toujours indisposé, et dont je tentais immédiatement de chasser le souvenir après les avoir dépassés.

Beaucoup d'omnivores deviennent végétariens après avoir été confrontés à une réalité qu'ils découvrent dans un document vidéo. Ces preuves par l'image ont longtemps circulé dans les seuls milieux associatifs, mais Internet permet aujourd'hui d'avoir un accès facile à des centaines de films qui témoignent de la vérité de l'exploitation animale. Il est de plus en plus difficile d'affirmer : « Je ne pouvais pas le savoir. » Aujourd'hui, deux ou trois clics suffisent.

Ce jour-là, devant ma télévision, à cet instant précis, je décidai que plus jamais je ne mangerais de viande. Et si j'avais *su* plus tôt, si j'avais *vu* plus tôt, j'aurais arrêté plus tôt. Mais, comme un cancer qui nous ronge ou une femme qui nous trompe, a-t-on vraiment envie de savoir ? A-t-on envie de dire adieu à une tranquillité certes illusoire, mais confortable ?

Parce que l'amour de la viande est culturel, pas naturel

Tout ce qui est bon selon les parents, ne l'est pas. Le soleil, le lait, la viande rouge, le collège.

Woody Allen

VÉGÉTARIOPHOBIE : LE RACISME DE L'ASSIETTE

On a mangé ensemble
Une glace au chocolat
Elle, elle a pris framboise
Et moi, j'ai rien mangé
J'voulais une glace à la viande
Oui mais y en avait plus
Ou alors viande hachée
Mais ça coule le long du cornet

La glace à la viande de Renaud m'a beaucoup fait rire lorsque j'ai entendu pour la première fois la chanson « Près des autos tamponneuses », en 1983. Ce titre me revient souvent en tête. Depuis que je suis devenu végétarien, je ne compte plus le nombre de fois où, au moment du dessert (glace ou gâteau), je me suis entendu dire par un comique du

133

dimanche très fier de lui : « Hé, tu peux en manger : c'est sans viande ! » Trop drôle.

Le végétarien est un objet de moqueries et de sarcasmes. Pendant un repas, on lui propose trois fois de la viande en pouffant. On lui parle constamment de laitue, comme si c'était son unique moyen de subsistance. On ironise sur sa vitalité, voire sur sa virilité s'il s'agit d'un homme. On lui demande s'il boit tout de même de l'alcool, même si ça n'a aucun rapport. Incompris, oui. Le végétarien exaspère et on le lui fait sentir. Opprimé ? On n'en est pas là, même si les végétariens ont lancé il y a quelques années les *Veggie Pride*, dont le nom fait référence aux *Gay Pride* homosexuelles.

Il y a deux ans, je déjeunais dans un petit restaurant de l'avenue de la Motte-Picquet, dans le XVe arrondissement de Paris. Un bistrot bourgeois qui fleure bon la cuisine d'autrefois. Le décor lui-même semble n'avoir pas bougé depuis des décennies. Les nappes sont blanches, les couverts sont lourds, la carte est simple, les tarifs élevés. Les clients ont la cinquantaine, costume et tailleur, audiovisuel, politique, communication... J'étais moi-même ce jour-là en rendez vous de travail avec un ami producteur.

Le patron s'approche pour prendre la commande. Un rapide coup d'œil sur la carte me confirme sans surprise que tous les plats contiennent soit de la viande, soit du poisson. Je pose alors cette question que je me suis habitué à trimballer depuis vingt ans dans la plupart des restaurants où le destin m'amène : « Je suis végétarien. Est-ce qu'il vous serait possible de me préparer quelque chose, d'adapter un de vos plats ? » L'homme me regarde un instant d'un air dubitatif, puis lâche, agacé : « Végétarien ? C'est quoi, ça ? »

Aïe ! Je le sens, j'ai insulté son bon goût culinaire. Pire, j'ai insulté le bon goût culinaire français. Je suis un barbare. Un bizarre. Un pas normal.

Bien sûr que mon restaurateur sait ce qu'est un végétarien. Sa remarque n'est qu'ironique. Elle tend à souligner que ce régime est celui de l'étrange, voire de l'étranger. Étranger à des codes, à une histoire, étranger à une communauté qui est celle des omnivores, laquelle est reconnue depuis longtemps comme la communauté naturelle des humains. En refusant de faire comme les autres, je m'exclus, je me mets en faute, et la question faussement naïve de ce monsieur a pour but de me le rappeler. En gros, je suis victime d'un acte ordinaire de racisme culinaire. Je suis jugé ici non sur ma couleur de peau, ma religion ou mes origines, mais sur mes choix alimentaires. Je subis un acte de végétariophobie.

Comme toujours en pareilles circonstances, je m'abstiens de relever la remarque et demande simplement si le chef accepterait de me préparer, par exemple, une omelette aux champignons. Cela m'est finalement accordé avec une magnanimité dont je me montre immédiatement reconnaissant en me répandant en remerciements.

Dur, dur d'être végé. Le végétarien court en effet un risque majeur : celui de l'isolement social. Dans de nombreux pays, il est regardé comme un empêcheur de tourner en rond et de manger ce qui est bon. Même ses proches ont parfois du mal à le comprendre. Le végétarien en a conscience et il n'est pas toujours facile pour lui d'assumer sa différence.

À l'âge de 24 ans, alors que je travaillais pour le consulat de France à Shanghai, je fus convié à un repas organisé à la résidence du consul. Lorsque je reçus l'invitation, je fis le choix de ne pas préciser au secrétariat que je ne mangeais pas de viande.

J'étais trop préoccupé par le regard que le consul et son équipe risquaient de porter sur moi s'ils découvraient cette originalité. J'avais déjà un profil un peu atypique pour un employé diplomatique : en tant que responsable d'un studio radio, j'avais banni le costume-cravate et je portais les cheveux longs et des boucles d'oreilles – nous étions, je le précise, au milieu des années 1990. Inutile, donc, d'en rajouter dans la marginalité. Mieux valait rester discret sur le côté atypique de mon régime alimentaire. Il me suffirait, pour que personne ne s'aperçoive de rien, que je laisse sur le côté de l'assiette le petit bout de viande qui me serait servi, et l'affaire serait classée en toute discrétion.

Je n'avais pas prévu que nous serions si peu nombreux à ce déjeuner. Six personnes tout au plus, réunies autour d'une de ces grandes tables qui n'existent que dans les films et les ministères. Je n'avais pas non plus anticipé l'ambiance compassée et les longs silences. Je n'avais surtout pas imaginé qu'on nous servirait en plat principal une caille. Avec trois petits pois autour. Lorsque l'assiette fut posée devant moi, je compris immédiatement que je m'étais fourré dans une situation plus que délicate. Il m'était impossible de toucher à ce repas composé uniquement d'une carcasse de viande, mais il m'était aussi impossible de faire semblant de manger : la grossière manœuvre aurait été immédiatement remarquée. Rester les bras sous la table à scruter l'embarrassant cadavre de volatile n'était pas une attitude envisageable sur la durée, car elle risquait très vite d'être perçue comme un manque élémentaire d'éducation (« Même si tu n'aimes pas le plat qui t'est servi, il faut toujours le manger », m'avait répété ma mère des centaines de fois). Au bout de quelques instants d'hésitation, je me décidai à prendre la parole. Autant qu'il m'en souvienne, j'ai dû dire à peu près ceci : « Pardonnez-moi si vous ne me voyez pas manger, et ne le prenez pas pour de la grossièreté, c'est juste que je suis végétarien. »

Le consul leva le nez de son assiette, imité par ses invités qui tournèrent vers moi un œil brillant. Tous entreprirent de me bombarder de questions. Ma sortie avait eu le grand mérite de leur fournir un sujet de discussion. En un instant, j'étais devenu un objet de curiosité. Exactement ce que je voulais éviter.

Après cette expérience particulièrement embarrassante, je décidai que désormais, avant d'accepter quelque invitation que ce soit, j'informerais mon hôte de mon régime végétarien. Toutefois, pendant les dix premières années, j'ai éprouvé de la gêne à me distinguer ainsi. Mille fois je me suis excusé d'être « si compliqué ». Ne voulant pas occasionner de dérangement, je demandais à ce qu'aucun plat spécial ne soit cuisiné pour moi, et je précisais que les légumes prévus en accompagnement feraient très bien l'affaire. Et, lorsque c'est moi qui invitais, j'avais à cœur d'expliquer à mes convives pourquoi je ne leur servais pas de viande afin qu'ils ne soient pas décontenancés ou ne se sentent pas insultés.

En vingt ans, les mentalités ont un peu évolué, et moi aussi. Aujourd'hui, il n'est plus question que je m'excuse ou que je me justifie. Je suis végétarien, et c'est comme ça. Mes amis mangeurs de viande ne s'excusent jamais, eux.

Pourtant, il reste délicat de faire son « coming-out ». L'actrice américaine Portia de Rossi – aperçue notamment dans la série *Ally McBeal* – est végétalienne et homosexuelle, et elle assume ces deux particularités. Aux États-Unis, sa relation avec l'animatrice Ellen DeGeneres (elle aussi végétalienne) est connue de tous. Or, selon elle, il est plus compliqué d'être végétarien que d'être gay. Elle s'en

est expliquée dans le magazine *VegNews* (oui, car les
végétariens ont leurs magazines !) :

> Les gens ont plus de difficultés à l'accepter. Ils sont
> plus mal à l'aise avec un végétalien à leur table qu'avec
> une lesbienne. Car il s'agit de quelque chose qui les
> interroge directement. Parce que quelque part, le fait
> de ne pas manger de viande suggère que ce que font
> les autres est mal ou mauvais, et cela atteint les gens
> à un niveau personnel. Si quelqu'un est assis à côté de
> vous en train de manger un steak et qu'il vous regarde
> manger de la polenta, il va penser que vous êtes en train
> de lui faire la morale ou que vous essayez d'une certaine
> façon de le convertir. Ce qui n'est pas le cas avec le
> fait d'être homosexuel[78] !

Tout végétarien a déjà vécu cette expérience :
invité dans une soirée ou dans un dîner, pour peu
qu'il soit le seul représentant de sa « catégorie », il
devient rapidement le centre de la conversation et
se retrouve mitraillé de questions, dont la première
est invariablement : « Pourquoi es-tu végétarien ? »
Autrement dit : « Pourquoi as-tu fait un choix différent du mien ? » Avec en creux cette interrogation :
« Lequel de nous deux a tort ? »

Car il y en a forcément un qui est dans l'erreur.
Choisir ce que l'on mange, ce n'est pas juste suivre
son goût ou son humeur : c'est faire un choix de
société. Un choix politique, intellectuel et parfois
même spirituel.

Certes, cela ne saute pas aux yeux. Et, *a priori*, se
décider entre une côte de bœuf ou une pizza ressemble à de nombreux autres choix quotidiens sans
grande conséquence, comme la couleur de nos sous-
vêtements ou le film qu'on va regarder à la télé.
Pourtant, lorsqu'il s'agit de nourriture, l'enjeu est
complètement différent. D'ailleurs, les innombrables
articles de diététique (parfois contradictoires entre

138

eux) nous disent bien ce qu'il « faut » manger et ce qu'il convient au contraire d'éviter. Le sociologue Claude Fischler a longuement étudié l'alimentation humaine. Dans son livre *L'Homnivore*, il résume ainsi la situation : « Ce n'est pas seulement que le mangeur incorpore les propriétés de la nourriture : symétriquement, on peut dire que l'absorption d'une nourriture incorpore le mangeur dans un système culinaire et donc dans le groupe qui le pratique, à moins qu'il ne l'en exclue irrémédiablement. Mais il y a davantage : à un système culinaire s'attache ou correspond une vision du monde, une cosmogonie[79]. »

Le végétarisme est un système culinaire très particulier dans le sens où il réunit des individus aux profils extrêmement variés autour d'un interdit : la consommation de la viande. Or cet interdit est le plus souvent la conséquence de choix moraux généraux. C'est ce qui différencie ce régime alimentaire de beaucoup d'autres : il n'est guidé ni par le goût ni par un souci pratique. Il est un choix réfléchi qui s'inscrit dans un système global de pensée que Fischler nomme la « cosmogonie ». En conséquence, les végétariens, et à plus forte raison les végétaliens, sont encouragés malgré eux à se replier sur eux-mêmes. Non seulement parce qu'on leur renvoie l'image de personnages bizarres et emmerdeurs, mais aussi parce qu'on leur répète qu'ils ne sont pas tout à fait adaptés au monde social.

L'une de mes anciennes conjointes, très friande de bidoche avant de me rencontrer, a avoué un jour avoir vécu comme une frustration ces années passées à ne pouvoir fréquenter ses restaurants préférés en ma compagnie. « Je ne suis pas faite pour vivre avec un végétarien ! » avait-elle conclu après notre séparation. Je ne l'ai pourtant jamais empêchée d'acheter ou de cuisiner pour elle-même toute la viande de

son choix. Je n'ai jamais banni les steaks du réfrigérateur. Mais le simple fait que je ne puisse partager sa passion carnée représentait à ses yeux une
anomalie difficilement supportable. Quant à ma
compagne actuelle – omnivore –, plusieurs de ses
amies lui ont déjà affirmé qu'elles ne pourraient
s'accommoder d'un végétarien, à peu près pour les
mêmes raisons. Une étude corrobore leurs dires : il
s'agit d'un sondage effectué récemment aux États-
Unis sur 4 000 personnes qui révèle que 30 % des
mangeurs de viande interrogés refuseraient de sortir
avec un végétarien. En revanche, seuls 4 % des végétariens interrogés ont affirmé refuser de fréquenter
un carnivore.

En réalité, dans un couple « mixte », le végétarisme est d'abord vécu par l'autre comme une singularité charmante. Mais, bien souvent, dès les
premiers désaccords, il se transforme en insupportable défaut.

Sans doute à cause de ce genre de réaction, il
existe aujourd'hui dans différents pays des végé-
sites de rencontre ou des végé-speed dating. Avoir
un partenaire qui mange comme vous ne garantit
pas le succès de la relation, mais peut permettre
d'éviter quelques complications ! Cette démarche
ne m'enthousiasme que moyennement : je me
méfie du communautarisme sous quelque forme
qu'il se présente. Il me semble plus judicieux de
mêler les sensibilités et les croyances plutôt que
de les séparer. Juifs, musulmans, catholiques, protestants, végétariens, carnivores : je suis pour les
mariages mixtes.

L'HOMME EST-IL PROGRAMMÉ POUR MANGER DE LA VIANDE ?

« **OMNIVORE** adj. – 1749 ; de *omni-* et *-vore*. – DIDACT. Qui mange de tout, qui se nourrit indifféremment d'aliments d'origine animale ou végétale. *L'homme, le porc sont omnivores.* »

Officiellement, l'homme est donc omnivore.

Mais la définition proposée par le *Petit Robert* est ambiguë et imprécise.

Ambiguïté tout d'abord de cette affirmation : « l'homme EST omnivore ». Le célèbre dictionnaire se contente-t-il de dresser un constat – à savoir qu'à l'heure actuelle, en effet, la plupart des humains mangent aussi bien des animaux que des végétaux – ou affirme-t-il comme une vérité scientifique qu'il est dans l'ordre naturel des choses que l'homme se nourrisse ainsi, car il serait en quelque sorte « génétiquement programmé » pour cela ?

Imprécision ensuite. Il est faux d'affirmer que l'homme mange « de tout ». Il eût été opportun de préciser que les omnivores que nous sommes ne se nourrissent pas de toutes les viandes, ni de tous les végétaux, mais que nous avons fait des choix qui varient en fonction des lieux et des époques, et qu'en réalité nous consommons aujourd'hui très peu d'espèces différentes. Qui plus est, certains animaux et certains végétaux ne sont pas comestibles pour nous et nous empoisonneraient.

Il n'en reste pas moins que l'opinion généralement admise est que l'homme est « fait » pour manger de la viande, qu'il en a mangé de tout temps, et qu'il n'y a aucune raison que cela change. « Les hommes préhistoriques étaient carnivores ! » : voilà généralement l'argument qui s'abat comme une massue, semblable à celle que nos ancêtres en peaux de bêtes écrasaient sur le crâne d'animaux qu'ils allaient ensuite représenter sur les murs de leurs grottes. Mais cet argument soulève plusieurs objections.

La première est qu'il est pour le moins curieux, au XXIe siècle, de se référer à l'homme préhistorique pour justifier l'un de nos comportements actuels. Si l'on devait réellement faire de l'homme de Neandertal ou de l'homme de Cro-Magnon des références culturelles et morales vers lesquelles il faut tendre, je pense que le fonctionnement de notre société en prendrait un sacré coup. L'ironie veut que ceux qui utilisent cet argument sont souvent les plus remontés contre les mouvements de défense de l'environnement, dont ils accusent les représentants de vouloir « revenir à l'âge de la pierre ». L'âge préhistorique est donc une période qu'ils condamnent par ailleurs. Mais passons. Le plus gênant, c'est surtout que cet argument est faux.

Si l'on remonte à nos ancêtres les plus lointains, c'est-à-dire il y a 7 millions d'années, on constate que les Australopithèques (comme Lucy, il y a 3,2 millions d'années) étaient végétariens. Ils mangeaient des noix, des tubercules, des racines, des fruits ainsi que quelques insectes. On sait aujourd'hui qu'à l'occasion ils pouvaient manger des petits mammifères, mais c'était exceptionnel. Le docteur nutritionniste Laurent Chevallier explique que les hommes de la préhistoire étaient cueilleurs avant d'être chasseurs, et qu'ils absorbaient, pour se nourrir ou se soigner, plus de 400 variétés de végétaux. Il y a 2,5 millions d'années ou un peu moins, l'*Homo habilis* a vraiment commencé à manger de la viande, mais comme un charognard, en récupérant celle des proies tuées par d'autres animaux. La chasse n'est arrivée que plus tard, avec l'*Homo erectus*, découvreur du feu il y a 450 000 ou 800 000 ans, selon les estimations, puis avec l'homme de Neandertal. Ce

dernier était essentiellement carnivore, à t[...]
qu'il mangeait plus de viande que l'*Homo* [...]
(nous !), apparu il y a 200 000 ans. Mais les c[...]
cheurs estiment que, dans les régions nordiques
notamment, son régime carné s'expliquait principalement par le manque de végétaux. Puis intervient
la révolution du néolithique, vers 10 000 avant J.-C.
L'homme quitte son statut de « chasseur-cueilleur »
pour devenir « agriculteur-éleveur ». Avec l'invention
de l'agriculture et de la domestication, l'homme se
sédentarise. L'apparition des céréales cultivées et du
lait dans l'alimentation provoque une baisse de la
consommation de viande.

Ce petit retour sur nos habitudes alimentaires
« originelles » montre que la viande n'est absolument
pas intrinsèquement liée à la nature de l'homme,
mais simplement à des phases de son évolution. De
toute façon, comme Charles Darwin l'a expliqué,
l'histoire de l'être humain, comme celle de toutes les
espèces vivantes, repose sur sa capacité à évoluer et
à s'adapter à son environnement. Alors, même si
nous avons été carnivores pendant une période de
notre évolution, pourquoi ce comportement serait-il
immuable ?

Par ailleurs, on peut s'étonner du fait que c'est la
maîtrise du feu qui nous a fait entrer réellement
dans l'ère de la viande. Pourquoi sommes-nous obligés de cuire la chair d'un animal pour tuer les bactéries dangereuses ? Aucun carnivore ne se plie à
cette contrainte : les lions ou les ours ne tombent
pas malades quand ils mangent de la viande crue !

Paul Sherman, biologiste à l'université Cornell, à
Ithaca, aux États-Unis, a constaté que, dans le
monde entier, les plats à base de viande sont plus
épicés que les plats de légumes. La raison selon lui
en est que les épices retardent le développement des
microbes dangereux. Les zones géographiques

haudes et humides sont plus propices au développement des bactéries. C'est pourquoi on trouve des plats de viande très épicés en Inde, en Indonésie, en Malaisie, au Nigeria ou en Thaïlande. Selon Sherman, la viande est la plus risquée des nourritures, et les fruits la plus sûre. Il insiste sur le fait que la viande est particulièrement dangereuse pour les femmes enceintes. Différentes infections qui lui sont imputables peuvent causer des fausses couches, des enfants mort-nés ou des prématurés. C'est la raison pour laquelle, affirme-t-il, le corps humain a développé des moyens de défense tels que les nausées, les vomissements ou l'aversion à l'égard de certaines nourritures : pour protéger l'embryon des effets négatifs de certaines toxines. L'embryon étant particulièrement sensible à ces effets pendant les trois premiers mois, c'est pendant cette même période que les nausées et les vomissements de la mère sont les plus importants. Sherman a testé sa théorie sur 12 000 femmes enceintes et a constaté qu'elle était juste : les femmes enceintes ont dix fois plus de chances de développer une aversion à la viande qu'aux légumes[80].

DES RECETTES QUI DIVISENT LE MONDE

Pourquoi mangeons-nous ce que nous mangeons ? Pourquoi un peuple préfère-t-il les pâtes et un autre les pommes de terre ? Les choix culinaires de chaque société sont déterminés par une histoire et un environnement propres.

Si l'on prend l'exemple des céréales, on observe que les civilisations européennes et moyen-orientales se sont construites autour du blé, celles d'Extrême-Orient autour du riz, celles des Amérindiens autour du maïs, et celles d'Afrique noire autour du mil.

Gilles Fumey, professeur de géographie de l'alimentation (oui, ça existe !), divise le monde actuel en plusieurs zones géographiques distinctes[81] :

– *les pays industriels et urbains « occidentaux », y compris l'Australie et ses voisins*, où l'on privilégie la viande et les produits laitiers, et où l'on s'appuie sur une diététique du XIXe siècle ;

– *les pays industriels et urbains d'une vaste aire méditerranéenne et moyen-orientale*, où la viande, rôtie, est présente, mais où les fruits et les légumes tiennent une place plus importante, d'après des diététiques très anciennes ;

– *les pays qui gravitent autour du modèle chinois (cela inclut le Japon, la Corée et une grande partie de l'Asie du Sud-Est)*, où les repas s'organisent autour du riz et des légumes, d'après des modèles diététiques anciens, mais aussi de la viande pour les classes les plus aisées. Les produits laitiers sont très peu présents ;

– *l'Inde*, où le régime alimentaire est basé sur les légumes verts et les légumineuses, les épices, le lait, dans une moindre mesure la viande, et bien sûr le riz : un Indien consomme 150 kilos de riz par an, contre 4 kilos pour un Européen ;

– *l'Afrique subsaharienne*, où l'alimentation est essentiellement composée de céréales, où la viande est rare et où une aide extérieure est encore aujourd'hui indispensable ;

– *l'Amérique latine, du Mexique à l'Argentine*, qui constitue une zone complexe et inégalitaire, faite de régions pauvres et de régions riches. On peut y trouver encore les traces, même ténues, des régimes alimentaires précolombiens.

Notre mappemonde culinaire est une accumulation de cas particuliers découlant de contextes géographiques et historiques, de pratiques culturelles et religieuses, qui ont parfois des conséquences génétiques. Prenons l'exemple des produits laitiers. Pourquoi les Européens en sont-ils de grands consommateurs, contrairement aux Asiatiques ? Parce que les Asiatiques, dépourvus du gène de la lactase, supportent beaucoup moins bien le lait que nous.

Reprenons l'histoire depuis le début. La lactase est cette enzyme qui nous permet de digérer le lactose du lait maternel. Le gène de la lactase est en activité chez tous les nouveau-nés humains, ainsi que chez les autres mammifères, pendant la période d'allaitement. En revanche, la lactase n'était, à l'origine, plus produite chez les adultes. Lorsqu'en Europe, il y a plusieurs millénaires, nous avons commencé l'élevage, nous avons développé les produits laitiers. Grâce à une mutation progressive, le nombre d'adultes chez qui le gène de la lactase n'est pas désactivé a progressivement augmenté. On estime qu'en Europe aujourd'hui 70 % des adultes sont ainsi capables d'assimiler le lactose (avec toutefois des nuances, puisque les Espagnols sont plus intolérants au lactose que les Français). En revanche, les peuples d'Asie n'avaient pas choisi de se nourrir du lait de leur bétail. La désactivation du gène de la lactase n'a donc pas été remise en cause pendant longtemps. Il en résulte que les Asiatiques sont plus intolérants aux produits laitiers et qu'ils ont adapté leur alimentation en conséquence. Les peuples africains sont dans la même situation[82].

LE CAMEMBERT, LE TOFU ET LES ŒUFS QUI PUENT

Au delà des grandes lignes de la géographie alimentaire mondiale, on repère des distinctions fondamentales. Chaque pays, chaque région a établi sa façon de manger et a choisi ses recettes préférées.

La liste est potentiellement infinie : le couscous ou le tajine au Maroc ; la poutine au Québec ; la pizza en Italie ; les sushis et les makis au Japon ; la tortilla en Espagne ; la charcuterie en Allemagne ; le bortsch en Russie ; le goulasch en Hongrie ; le saté en Indonésie ; le poulet à la citronnelle au Vietnam ; le canard laqué en Chine ; le stamppot et le rookworst aux Pays-Bas ; la panse de brebis farcie en Écosse... Mais aussi, plus localement : la choucroute en Alsace ; le foie gras dans le Périgord ; le camembert en Normandie ; les crêpes en Bretagne ; les escargots en Bourgogne ; la moutarde à Dijon ; la fondue au fromage en Savoie ; la tarte au maroilles et le welsh dans le nord de la France ; le cassoulet dans le Sud-Ouest ; le fromage de chèvre à Selles-sur Cher. Etc.

Les aliments sont des syllabes. Les condiments et les épices sont une grammaire. Les rites qui commandent le déroulement d'un repas sont comme les intonations d'une phrase. La Bible ne le raconte pas, mais il y a sans doute eu autrefois un Babel de la nourriture. Et tout comme les humains se divisèrent lorsque des langues différentes apparurent, ce qui créa incompréhensions et conflits, l'alimentation a généré des langues très différentes les unes des autres. Comme avec des mots, il arrive qu'une cuisine soit difficilement compréhensible par celui qui ne l'a jamais pratiquée.

J'en ai fait personnellement l'expérience à la fin de mes études. J'avais 23 ans et je venais d'obtenir mon poste au consulat de France à Shanghai. Quelques semaines avant mon départ, il m'a fallu suivre un stage de quelques jours à Grenoble. J'y ai fait la connaissance de Xiaolei, une Chinoise employée au consulat où je venais d'être nommé. Xiaolei, qui était parfaitement bilingue, avait fait le voyage en France pour suivre la même formation que moi.

Le dernier soir, un dîner fut organisé pour célébrer la fin du stage. Xiaolei et moi étions assis à la même table. Je me souviens très bien de son expression lorsque le plateau de fromages est arrivé : étonnement total. L'instant d'après, ses narines l'alertèrent de l'incongruité des aliments qui venaient de faire leur apparition : devant elle s'étalaient certains des plus beaux représentants de notre culture fromagère, parmi lesquels les inévitables camembert, fromage de chèvre et coulommier. Elle hésita, coupa un petit morceau de l'un d'eux, le porta à ses lèvres, mastiqua légèrement, faillit le recracher puis se força à l'avaler avec dégoût. Elle fit une deuxième tentative avec un autre fromage, sans plus de succès. Elle renonça à mieux connaître nos pâtes molles. Elle ne comprenait pas que nous, Français, puissions éprouver le moindre plaisir à déguster ces produits qui empestent l'air et la bouche. Les produits laitiers ne font pas partie de la culture asiatique. Pas plus que les parfums si particuliers qui découlent de leur affinage. Comment les Chinois pourraient-ils de prime abord apprécier l'intensité d'un chèvre, la puanteur d'un maroilles ou la moisissure d'un roquefort ? D'ailleurs pourquoi n'y a-t-il qu'une vingtaine de pays dans le monde qui fabriquent des fromages ? Mystère.

Xiaolei est retournée en Chine le lendemain de sa dégustation ratée. Un an plus tard, elle y a rencontré un Français. Elle s'est mariée avec lui et tous deux sont revenus vivre en France il y a une quinzaine d'années. Aujourd'hui ils ont deux enfants, et Xiaolei adore le fromage.

L'histoire ne s'arrête pas là. Quelques semaines après mon périple grenoblois, je pris l'avion pour Shanghai, où j'allais m'installer pour deux ans. À mon tour de m'immerger dans une culture aux antipodes de la mienne. Le lendemain de mon arrivée, je rencontrai un Français expatrié depuis plusieurs années avec lequel j'allais être amené à travailler par la suite. Comme de bien entendu, nous nous étions donné rendez-vous autour d'un « déjeuner de travail » afin de faire connaissance dans la plus parfaite convivialité. Mon nouveau collègue me conseilla de goûter au tofu, un pâté à base de soja dont j'ignorais totalement l'existence (la scène se passe en 1993, et à l'époque on ne trouvait dans les magasins français que très peu de substituts à la viande).

Le tofu qui me fut servi appartient à la famille des tofus « soyeux » : un gros carré de soja mou, un peu gélatineux et très friable. Lorsqu'on m'apporta cette brique blanche à la surface humide, je restai quelques instants interdit. Pas question de l'attaquer avec des baguettes. Ah, les fameuses baguettes asiatiques ! J'étais sur le sol chinois depuis moins de vingt-quatre heures et n'avais pas encore pu me familiariser avec leur maniement. Cela allait me demander plusieurs semaines. Comme je les ai maudits, ces instruments illogiques ! Pourquoi avoir eu un jour l'idée d'utiliser deux tiges de vingt centimètres pour saisir et couper les aliments, alors qu'un couteau et une fourchette sont mille fois plus efficaces ? Finalement, grâce à la patience et aux talents de pédagogue d'une jeune et ravissante serveuse que je croisais tous les soirs dans le restaurant où j'ai pris mes habitudes, j'ai fini par intégrer la technique : l'une des baguettes doit rester immobile, calée dans ce léger coussin de peau qui relie le pouce à l'index, et reposant en l'autre bout sur l'annulaire, tandis que la deuxième baguette, parfaitement coincée entre l'extrémité de l'index et celle du majeur, conserve une autonomie et une mobilité parfaites. Aujourd'hui, je n'apprécie véritablement un repas asiatique qu'avec des baguettes.

Mais revenons au tofu. J'y plongeai donc ma fourchette et avalai un morceau.

Ma première réaction, qui est encore très précisément ancrée dans mon esprit, fut sans ambiguïté : « Dégueulasse ! » De la lessive. Voire du savon. En tout cas, pas le goût de quelque chose qui se mange. Plutôt celui de quelque chose qui sert à nettoyer. Pas vraiment un goût, d'ailleurs. Non, plutôt une suggestion de goût. En tout cas, je n'ai pas aimé du tout. Comme Xiaolei et ses fromages. J'étais convaincu que ce mets se passerait de moi, et surtout qu'il ne passerait plus par moi.

Six mois plus tard, j'étais devenu fan de tofu, et aujourd'hui encore c'est l'un de mes aliments préférés. Je me suis fait à sa saveur, mais surtout j'ai découvert ses multiples déclinaisons et les incroyables possibilités gustatives qu'elles ouvrent. Le tofu peut avoir des dizaines de consistance différentes, et autant de saveurs. Dès lors qu'il est accommodé avec un minimum de raffinement, il devient délicieux.

L'une de mes autres trouvailles dans la cuisine chinoise, ce fut les *pidan*, qu'on appelle en français « œufs de cent ans ». En réalité, ces œufs (de cane ou de poule) n'ont qu'une centaine de jours, qui correspondent à la période pendant laquelle on les laisse mûrir dans un mélange de terre et de chaux. Le résultat est surprenant : le blanc de l'œuf se transforme en gelée marron translucide, et le jaune en une pâte vert foncé un peu gluante. Mais, surtout, l'œuf dégage une très forte odeur d'ammoniac qui fait un peu penser à l'urine. Disons-le sans détour : pour un Occidental, le spectacle est répugnant et l'odeur évoque un œuf pourri parvenu au plus haut degré de décomposition. Bref, ça pue et ça devrait prendre la direction de la poubelle. Je connais plusieurs Français qui d'ailleurs ont refusé d'y goûter.

Et pourtant, quel délice ! Surtout servi avec… du tofu blanc et froid, dont il rehausse parfaitement le goût.

Le *pidan tofu* est le plat que j'ai le plus souvent commandé au restaurant pendant les deux ans que j'ai passés en Chine. C'est un « classique » de la cuisine là-bas. Malgré cela, vous n'en avez sans doute jamais entendu parler. Et pour cause : il ne figure presque jamais au menu des restaurants chinois en France. Depuis mon retour d'Asie, j'en ai fréquenté des dizaines en région parisienne. Le plus souvent, les plats m'ont semblé fades, les recettes peu variées, et le tofu, aliment de base de la cuisine asiatique, en est souvent absent. Pour quelle raison ? Tout simplement parce que les restaurateurs chinois installés chez nous sont obligés d'édulcorer leur cuisine, comme me l'a expliqué un jour l'un d'entre eux : « Il faut s'adapter aux goûts des Français. Si l'on propose les vraies recettes de la cuisine pékinoise ou sichuanaise, ils n'aiment pas forcément. »

Bref, quand vous allez au resto chinois, le décorum vous promet un voyage en Asie (les dragons à l'entrée, les poissons dans les aquariums, les meubles en bois rouge laqué, les idéogrammes sur le menu), mais la nourriture, elle, vous fait à peine dépasser le périph. Histoire de ne pas heurter notre goût occidental.

LE GOÛT ET LE DÉGOÛT

Quand j'étais ado, mes potes venaient souvent dormir à la maison le week-end. On ne trouvait le sommeil qu'au milieu de la nuit, après avoir cent fois raconté notre vie du moment et imaginé celle à venir. Et nous nous endormions de la musique plein les oreilles. Le lendemain, le petit déjeuner donnait

151

immanquablement lieu à un moment d'incompréhension. Tous mes amis s'étonnaient de me voir avaler au réveil une tasse de lait froid. Pourtant, j'avais toujours fait ainsi : le lait est la boisson des Hollandais, dont la culture m'a été transmise par ma mère, qui a grandi aux Pays-Bas, et qui était néerlandaise jusqu'à son mariage avec mon père. Comme tous les petits Hollandais, j'ai donc bu des milliers de litres de lait froid dans mon enfance et mon adolescence. C'était simplement normal pour moi.

Pour mes amis à l'éducation totalement française, le lait froid nature était en revanche imbuvable. Ils ne pouvaient tolérer ce breuvage que s'il était parfumé à la poudre de cacao, ou mélangé à du café chaud. Du café chaud ? Beurk pour moi. Et lorsque je voyais mes camarades plonger leur tartine beurrée dans leur bol, puis la ressortir spongieuse et dégoulinante, avant de la porter à leur bouche, j'éprouvais presque un haut-le-cœur.

Aujourd'hui, mon fruit préféré est la framboise. J'en raffole sous toutes les formes : nature, en sorbet, en yaourt, en gâteau… Je pense que je pourrais manger à peu près n'importe quoi dès lors que ce n'importe quoi est parfumé à la framboise. Je suis aussi fondu (si je puis dire) de chocolat noir. J'apprécie en outre le goût du citron, du cassis, du jus de canneberge, de la cannelle ou encore, dans un autre genre, de la coriandre. En revanche, je n'aime aucun produit aromatisé à la cerise. Je ne comprends pas qu'on puisse trouver le moindre plaisir à mâchonner des salsifis ou de l'artichaut. Je déteste le beurre de cacahuète étalé sur une tartine, et pourtant je me régale d'une sauce à l'arachide accompagnant un plat indonésien ou thaïlandais. Pourquoi ? Aucune idée. Et vous ? Réfléchissez quelques instants : quelles sont les saveurs qui vous transportent ? Et celles que vous ne supportez pas ? Y voyez-vous la moindre logique ?

Le goût est la chose la plus aléatoire qui soit. Certes, il répond à certains principes innés, comme l'attirance pour le sucré ou la méfiance à l'égard de l'amertume. Mais les choix que ces principes généraux nous dictent sont facilement contournés. Il en ressort que le goût est très variable. Il est configuré en fonction de plusieurs critères : notre génétique, notre histoire personnelle, notre environnement social et familial, notre culture. C'est un facteur identitaire qui se construit et évolue. Ce n'est pas pour rien que l'on parle de plus en plus de l'importance de l'éducation au goût pour les enfants. Le vin ou le café, par exemple, ne sont pas des saveurs généralement appréciées des plus jeunes, qui doivent s'y habituer avant de pouvoir y trouver un plaisir. Il est d'ailleurs assez cocasse de constater que, parmi les répulsions naturelles des enfants, il y a justement... la viande ! « Finis ta viande, sinon t'auras pas de dessert ! » Ce dégoût inné devrait faire réfléchir ceux qui sont persuadés que les humains sont naturellement « programmés » pour manger des animaux.

Pour nous aider à façonner notre goût, il existe un certain nombre d'acteurs plus ou moins bien intentionnés : les médias, les médecins, les nutritionnistes, les politiques, les financiers, et bien sûr les firmes agroalimentaires, qui figurent parmi les plus puissantes du monde. Ces sociétés n'ont qu'un seul objectif : gagner des parts de marché.

Une fois que les goûts sont ancrés dans les habitudes, souvent depuis l'enfance, il n'est pas facile de s'en défaire. Il en va des goûts culinaires comme des relations humaines. Il est parfois compliqué d'apprécier à sa juste valeur, et de comprendre, une personne dont les réflexes culturels ne sont pas les nôtres. Il faut un peu de temps pour ouvrir son esprit à l'altérité, accepter de remettre en cause les certitudes qui nous rassurent – et nous endorment. Les papilles gustatives ont les mêmes réflexes de méfiance.

On détermine les « bons » aliments en fonction de critères qui peuvent parfois laisser pantois. Arrêtons-nous un instant sur notre bonne vieille patate. Ce tubercule est aujourd'hui un aliment indispensable dans les pays occidentaux, notamment parce qu'il permet de produire les frites, qui font le bonheur des ados et le malheur des abdos. Cela n'a pas vraiment marqué les esprits, mais je tiens à rappeler ici que 2008 a été l'année internationale de la pomme de terre. Un hommage qui n'a rien d'anodin : les Nations unies entendaient ainsi célébrer un aliment de base qui a permis d'éviter bien des famines.

Pourtant Mme Patate fut au départ complètement délaissée, voire méprisée, par les Européens, et en particulier par les Français. Originaire des Andes, ce légume au rendement calorique imbattable était célébré par les Mayas, qui le cultivaient déjà au cours du premier millénaire avant J.-C. Rapportée en Europe au XVIe siècle par les colons espagnols, elle eut d'abord mauvaise réputation. Un tubercule ? Un truc qui pousse sous terre ? C'était juste bon pour les cochons, pensions nous alors. Elle fut donc essentiellement utilisée pour nourrir le bétail. En 1630, sa culture fut même carrément interdite par le parlement de Besançon, sous prétexte qu'elle donnait la lèpre. La pomme de terre ne fut réhabilitée en France qu'au XVIIIe siècle, lorsque Parmentier entreprit de devenir son VRP. On sait tous les services qu'elle a rendus depuis.

On observe aujourd'hui à l'égard de certains légumes la même méfiance qu'à l'égard de la pomme de terre il y a plusieurs siècles. Une méfiance peu rationnelle qui relève quasiment de la superstition.

Aussi, lorsque certains affirment qu'un repas végétarien « n'a pas de goût », c'est souvent qu'ils n'ont
jamais essayé cette cuisine, ou alors qu'ils sont tombés sur un mauvais cuistot. Pourquoi la nourriture
végétarienne ou végétalienne serait-elle moins savoureuse que l'alimentation carnée ? Même ceux qui
mangent de la viande préfèrent certains morceaux
et certaines préparations à d'autres – bleue, saignante, à point, bien cuite, avec telle ou telle sauce...
Ils n'aiment pas non plus *toutes* les viandes, en
toutes circonstances. Et la hiérarchie du bon goût
en la matière n'a rien de scientifique. Je connais des
gens qui préfèrent un steak-frites à un morceau de
foie gras. D'ailleurs, le foie gras ou le caviar sont-ils
intrinsèquement aussi délicieux qu'on veut bien le
dire ? N'avons-nous pas plutôt appris à en aimer
le goût à cause du symbole social dont ils sont porteurs ?

La cuisine végétale propose autant de saveurs que
la cuisine carnée, pour peu qu'on prenne le temps
de les découvrir et de se laisser surprendre. On
s'habitue à tout, a-t-on coutume de dire. Je n'en suis
pas certain. Je crois plutôt qu'on est capable de se
déshabituer de tout. C'est différent.

Je remplis ma panse donc je suis

Depuis 2010, le repas gastronomique des Français
figure au patrimoine culturel immatériel de l'Unesco.
Il a été honoré au même titre que la cuisine traditionnelle du Mexique, le pain d'épice croate ou la
diète méditerranéenne. La tradition culinaire sous
ses différentes formes côtoie dans cette liste des disciplines ou des activités telles que la calligraphie
chinoise, la musique traditionnelle pour flûte tsuur
de Mongolie, la marche des sonneurs de cloches du

carnaval annuel de la région de Kastav en Croatie, le tango, la tradition du tracé dans la charpente française, le festival de lutte à l'huile de Kirkpinar en Turquie, la danse Mbende Jerusarema du Zimbabwe ou encore la création et la symbolique des croix de Lituanie.

La gastronomie est l'équivalent d'une danse ou d'une finesse architecturale : une fantaisie subjective imprégnée des obsessions et des pathologies de son créateur. Elle n'est pas là pour fournir une réponse unique à notre besoin élémentaire de nous nourrir, contrairement à la respiration, qui n'a que l'oxygène comme moyen de satisfaction.

Pour nous alimenter, nous ne sommes soumis qu'à une contrainte : ingurgiter un carburant quotidien, un cocktail calorique composé de glucides, de lipides, de protides, de vitamines et de sels minéraux. Mais pour puiser ces ressources, nos possibilités sont immenses : la nature est un gigantesque restaurant au menu très varié.

Si manger répond à un impératif physiologique, ce besoin primaire se transforme au moment même où l'on s'interroge sur les moyens de le satisfaire. Il devient alors le socle d'une affirmation culturelle et même politique, comme le confirme le géographe Gilles Fumey : « L'alimentation n'est donc pas l'aboutissement d'une chaîne de production agricole qui aurait transformé des produits. C'est d'abord un système de choix fait par des mangeurs dans deux sphères (publique ou privée) à partir de cultures complexes (religions, diététiques, imaginaires des consommations), qui orientent des types de prises alimentaires individuelles ou collectives chargées de sens[83]. »

Manger ceci plutôt que cela est donc l'affirmation d'une identité, et non simplement une réponse pragmatique à une contrainte physiologique. Affirmation d'autant moins anodine que le mangeur devient symboliquement ce qu'il mange : les qualités nutritives intrinsèques (vitamines, protéines, etc.) de l'aliment sont doublées de qualités imaginaires que nous lui attribuons par la magie de la superstition.

Ainsi, on devient ce qu'on mange et nos repas nous définissent. Au point que les peuples héritent parfois de surnoms dus à leurs habitudes alimentaires : les « rosbifs », les « grenouilles », les « macaronis »...

Brillat-Savarin écrivait il y a deux siècles : « Dis-moi ce que tu manges, je te dirai ce que tu es[84]. » Il aurait pu y ajouter une autre dimension : dis-moi *comment* tu manges, je te dirai encore mieux ce que tu es.

Les repas sont des cérémonies organisées autour de la prise de nourriture. Lors de ces cérémonies, les rites varient, de même que les conventions et les techniques. Faut-il manger avec un couteau et une fourchette ? avec des baguettes ? avec ses doigts ? À quelle heure convient-il de dîner : 18 heures comme un Québécois, 19 heures comme un Néerlandais, 19 h 30 comme un Français de province, 20 heures comme un Parisien, 21 heures ou 22 heures comme un Espagnol ? Doit-on manger dans l'ordre entrée-plat-dessert, ou tous les plats doivent-ils être apportés sur la table en même temps ? Faut-il finir son assiette ou au contraire s'abstenir de toucher à une partie de son contenu ? Toutes les réponses sont bonnes, puisqu'elles ont toutes été apportées ici ou là, au gré des époques et des pays, en fonction d'une religion du repas très personnelle.

ON NE MANGE PAS SEULEMENT POUR SE NOURRIR

Top Chef, Un dîner presque parfait, Masterchef, Masterchef juniors, Repas de famille, Miam, Cauchemar en cuisine, À vos fourchettes, La recette, chef !, Côté cuisine, Fourchette & sac à dos, Bon appétit, bien sûr !, Cuisines des terroirs... Face à l'abondance d'émissions de cuisine à la télévision française, je suis tel le périphérique parisien aux alentours de 18 heures : saturé. Je pourrais même dire, pour employer une expression de circonstance, que je suis gavé. Pas une chaîne de télé qui ne possède son rendez-vous consacré à la nourriture.

Ici, c'est un chef plus ou moins réputé qui nous prodigue ses judicieux conseils pour réussir une recette tellement compliquée qu'il y a peu de chances qu'on l'essaie jamais chez soi. Là, ce sont des amateurs passionnés qui semblent jouer leur vie sur le temps de cuisson d'une viande ou la texture d'une sauce. Face à eux, un jury plus sévère qu'aux assises, à qui ils tentent de prouver qu'ils ont leur place dans le monde merveilleux de la gastronomie. Dans un autre programme encore, des candidats invitent à manger chez eux des gens qu'ils ne connaissent pas. Ils se décarcassent en cuisine pendant des heures afin de leur préparer leurs recettes favorites. En guise de remerciement, les invités quittent la table entre les plats pour se réfugier dans la salle de bains où les attend une caméra : loin du groupe, ils déversent leur fiel et disent tout le mal qu'ils pensent des mets qui leur sont proposés. Ils achèvent la cérémonie en attribuant à leur hôte des notes parfois assorties de commentaires cassants. Mais qui a osé inventer ce concept si peu reluisant ? Et enfin, que dire des innombrables chroniques « cuisine » qui agrémentent nombre d'émissions généralistes ?

Je trouve cette floraison d'odes à la bouffe totalement indigeste. Elle est cependant logique, car la gastronomie a un avantage non négligeable pour les directeurs de programmes : non seulement elle intéresse sincèrement les Français, mais en plus elle est rassembleuse. On s'engueule rarement à propos d'une recette, sauf bien sûr si la conversation oppose un végétarien et un omnivore !

Le repas est une cérémonie sociale fondatrice. Que ce soit dans un contexte de travail ou d'intimité, le déjeuner et le dîner sont les lieux d'une conversation favorisée par le plaisir gustatif. Repas de mariage. Repas de Noël. Repas de famille. Déjeuner de travail. Dîner entre amis. Dîner romantique. C'est un moment où l'on peut prendre le temps de se confier et d'écouter. « Prendre un repas en commun est d'abord un désir d'être ensemble qui est, ensuite seulement, marqué par des plats dont la qualité tente d'être à la hauteur de l'événement[85] », affirme Gilles Fumey. Déjeuner ou dîner avec quelqu'un, c'est affirmer : « Je te reconnais. Nous avons quelque chose en commun. »

Dans tous les cercles qui touchent au pouvoir, les repas jouent un rôle essentiel. Le gotha français (politiques, grands patrons, journalistes, intellectuels, etc.) a par exemple l'habitude de se retrouver dans les très courus dîners du Siècle, club d'élite de notre société.

Toutes sortes de choses se nouent ou se dénouent autour d'une table : des affaires, des décisions politiques, des serments, des retrouvailles ou des au revoir (à commencer par ceux du Christ pendant la Cène), et bien évidemment des amours, puisque le dîner est le test incontournable dans toute relation amoureuse naissante.

Parfois, le repas est tellement déconnecté de sa fonction première (nourrir) qu'il engendre des situations d'une cruelle ironie, comme lorsqu'un dîner de bienfaisance est organisé pour recueillir des fonds… contre la faim dans le monde ! Un exemple au hasard : le 29 novembre 2011, à l'hôtel Pullman à Paris, un dîner de charité était organisé en faveur d'Action contre la faim. Il est particulièrement instructif de lire ce qu'en a retenu le site Internet du magazine *Elle* :

Mardi soir, Roselyne Bachelot est apparue au dîner de charité d'Action contre la faim complètement métamorphosée. Petite robe noire, maquillage de fête et surtout nouvelle ligne, la ministre des Solidarités et de la Cohésion sociale ressemblait plus à une actrice glamour qu'à la ministre qui s'affichait en Crocs roses sur le perron de l'Élysée avant un Conseil des ministres, en 2008. Roselyne Bachelot, 64 ans, avait confié au *Journal du dimanche* suivre un régime « draconien » depuis le début de l'été. Les résultats sont bluffants : la ministre est plus rayonnante que jamais et aurait déjà perdu plus de quinze kilos. Lors de la soirée, elle a épaté l'assistance avec son look d'actrice rétro. Une question nous brûle les lèvres : quel régime a-t-elle suivi ?

Donc, si j'ai bien tout compris, nous avons une ministre qui fait un régime qui lui permet d'arriver « rayonnante » à une soirée où de riches convives partagent dans la bonne humeur un luxueux repas organisé dans le but de déplorer qu'à quelques milliers de kilomètres de là il y a des gens qui ne peuvent pas se procurer suffisamment de nourriture pour survivre. Et face à ce qu'il est convenu de nommer une indécence coupable, le journal *Elle* n'a qu'une seule question à poser : grâce à quel secret de beauté peut-on perdre quinze kilos aussi rapidement que Mme Bachelot ?

Euh, c'est moi ou il y a quelque chose qui cloche ?

Francis Weber, que j'ai eu le plaisir d'interviewer pour Europe 1 à l'occasion de la sortie de son autobiographie en 2010, est un homme très sympathique sur lequel le temps semble n'avoir aucune prise. Mais il est avant tout un auteur de grand talent. Pourquoi l'évoquer ici ? Malgré son titre, *Le Dîner de cons* ne parle pas de nos habitudes culinaires, pas plus que *La Chèvre* ne traite de la condition animale. Si je vous parle de Francis Weber, c'est parce que l'une des répliques de son film *Tais-toi !* est particulièrement instructive.

La scène se déroule dans un hôpital, après que Ruby (Jean Reno) a tenté de se suicider. Quentin (Gérard Depardieu), qui occupe le lit d'à côté, lui lance alors : « Allez, mange ta viande, faut reprendre des forces ! » Cette réplique plutôt anodine ne rend certes pas compte de la puissance comique de l'ensemble du film, mais elle est intéressante parce qu'elle résume à elle seule cette croyance communément partagée à l'égard des produits carnés. Oui, depuis longtemps, notre société est persuadée que seule la viande procure de la force. J'en ai la preuve dans mon entourage. Mon frère, qui a été sportif de haut niveau (il a remporté la coupe de France d'aviron à l'âge de 15 ans), a longtemps refusé de prendre un seul repas sans viande de crainte que cela nuise à ses performances. Lorsque j'étais étudiant et qu'il passait déjeuner chez moi, sachant qu'il ne trouverait aucun bout d'animal mort dans mon frigo, il venait avec ses tranches de jambon. Sans cela, il se serait senti faible pour le reste de la journée. Aujourd'hui, heureusement, il a (un peu) revu sa position.

Cette croyance selon laquelle notre corps ne peut se passer de viande trouve un écho dans l'étymologie française. Le mot « viande » vient du latin *vivenda*, « ce qui sert à la vie ». Il désignait à l'origine les aliments en général. Au Moyen Âge, les livres de cuisine s'appelaient des « viandiers ». Ce n'est qu'au début du XVIIᵉ siècle que le mot « viande » a acquis le sens qu'on lui connaît aujourd'hui. Dans son *Dictionnaire philosophique*, Voltaire écrit : « Viande vient sans doute de *victus*, ce qui nourrit, qui soutient la vie ; de *victus* on fit *viventia*, de *viventia*, viande. Ce mot devrait s'appliquer à tout ce qui se mange ; mais, par la bizarrerie de toutes les langues, l'usage a prévalu de refuser cette dénomination au pain, au laitage, au riz, aux légumes, aux fruits, au poisson, et de ne le donner qu'aux animaux terrestres. Cela semble contre toute raison. »

Il faut noter que cette particularité est propre à la langue française : en anglais, par exemple, « viande » se dit *meat*, un mot qui n'a pas de rapport avec « vie » (*life*). C'est la même chose en allemand, en néerlandais, en espagnol, en chinois ou en russe.

Par quel mystère ou par quel curieux hold-up la chair animale est-elle devenue en France, contre toute logique apparente, « ce qui soutient notre vie » ? La valeur symbolique du sang a bien sûr joué un rôle important : le sang incarne et transporte la vie. Ce n'est pas un hasard si Bram Stoker, l'inventeur de Dracula, a imaginé un héros qui se régénère à l'hémoglobine, et non au jus de navet !

La viande est depuis toujours associée à l'énergie et à la virilité, ce qui entraîne d'ailleurs un profond sexisme alimentaire qui veut que le steak incarne la masculinité et la salade la féminité. Plusieurs travaux universitaires menés aux États-Unis et en Grande Bretagne l'ont confirmé. De la même manière, ceux qui mangent de la viande sont perçus comme plus virils que les végétariens. On

162

pourrait résumer les choses ainsi : steak = mec/muscle/mâle/érection ; salade = gonzesse. Dans l'inconscient collectif occidental, les aliments ont donc un sexe, dont ils nous transmettent les caractéristiques lorsque nous les avalons. J'ai eu la surprise un jour de découvrir dans la revue sportive *Runner's World* un test sur la force mentale, ainsi présenté : « Faites ce test et déterminez quel animal (ou quel légume) vous habite[86]. » Voilà qui confirme la persistance de l'idée reçue selon laquelle un morceau de bœuf donne la puissance (« Être fort comme un bœuf »), tandis qu'ingurgiter des légumes rassasie à peine et ne procure aucune énergie (« Avoir du jus de navet dans les veines », « être comme un légume »...).

Il faut reconnaître que les scientifiques ont une part de responsabilité dans cette imposture. Leur tort a été de sacraliser les protéines et de les associer uniquement à la chair. L'Allemand Carl van Voit (1831-1908), considéré comme le père des nutritionnistes modernes, avait ainsi établi que les besoins protéiniques de notre organisme étaient d'un peu moins de 50 grammes par jour (cela correspond peu ou prou aux recommandations actuelles). Pourtant, il recommandait d'en ingurgiter le maximum. Or, à l'époque, on ne faisait aucun cas des protéines végétales ; on estimait que seule la viande peut apporter des protéines. Par la suite, les nutritionnistes ont continué de véhiculer ce message, à l'image de Max Rubner (1854-1932), allemand lui aussi, qui considérait la viande comme un symbole de la civilisation, et qui affirma un jour : « Tout homme civilisé a droit à sa grande ration de protéines[87]. »

Nutrition et sociologie se rejoignent donc une fois de plus : il est entendu que les populations cultivées et riches mangent de la viande, et le plus possible, tandis que les peuples économiquement sous-développés et les classes sociales moins favorisées se contentent d'une nourriture végétale déconsidérée, à l'image du pain ou des pommes de terre. Dans les faits, il est exact que, pendant des siècles, seules les classes favorisées ont eu un accès régulier à la viande. Les plus modestes ou les habitants des zones les plus déshéritées de la planète n'en consommaient qu'occasionnellement, comme un produit de luxe. Dans l'un de ses spectacles, l'humoriste Gad Elmaleh a cette réplique : « Comment appelle-t-on les gens qui ne mangent pas la viande ? – Les pauvres. » Oui, telle est l'idée simple qui s'est développée au cours des siècles en Occident et dans d'autres régions du monde. La viande est devenue un marqueur social. C'est pourquoi sa consommation explose actuellement dans les pays en développement.

En France, la Seconde Guerre mondiale a occasionné un phénomène du même ordre. Pendant l'Occupation, la population a été soumise au rationnement : 200 grammes de viande par semaine. Et pas du meilleur choix. La viande est donc devenue un objet de convoitise qu'on s'arrachait au marché noir. Semblable à un trésor, à une matière précieuse. Lorsque les Français, à la Libération, ont découvert le corned-beef en boîte venu d'outre-Atlantique, celui-ci s'est retrouvé associé à l'idée de liberté et de progrès. Et il fut entendu qu'on ne manquerait plus de viande dans le futur : les Français auraient eux aussi un accès immédiat et bon marché à une alimentation carnée quotidienne.

Au Moyen Âge, en Europe, la nourriture de base était composée de céréales agrémentées de légumineuses (fèves, pois) et de légumes comme les choux, les betteraves ou les carottes. La viande était trop chère pour les ouvriers et les paysans, qui n'en consommaient qu'en très faible quantité. Les paysans les plus aisés pouvaient parfois agrémenter leurs repas des produits du poulailler ou de morceaux de porc, mais le gibier était réservé à la noblesse. Ce n'est qu'après l'épisode de peste noire, qui tua la moitié de la population européenne au XIVe siècle, que la viande devint abordable pour le plus grand nombre, car la pénurie de main-d'œuvre entraîna une augmentation des salaires.

Au fil des siècles, la différence s'est creusée entre les villes et les campagnes. Au milieu du XIXe siècle, la consommation de viande en France était comprise entre 10 et 20 kilos par an à la campagne, contre 72 kilos à Paris[88]. À l'époque, le ventre rebondi était à la mode, exprimant l'aisance sociale, et la variété des viandes consommées était la marque de l'appartenance à une élite bourgeoise, par opposition au monde paysan, qui se contentait encore le plus souvent de porc.

Notre approche sociologique de la viande repose toujours sur ce schéma économique. De nos jours, l'élévation sociale passe par la voiture, le logement, les vêtements, le choix des vacances et la viande. Il est d'ailleurs assez mal vu de proposer à ses convives un repas exclusivement à base de légumes et de fruits, voire de produits laitiers. Pour beaucoup, la considération à l'égard de ses invités ne peut s'exprimer qu'à travers un magret de canard au miel, une blanquette de veau, un navarin d'agneau, un filet mignon de porc ou, pourquoi pas, un rôti de biche en sauce.

LA FRANCE, BONNE ÉLÈVE DE L'ÉDUCATION
À LA VIANDE

Vous souvenez-vous de ce que vous mangiez à la cantine de l'école, du collège ou du lycée ? Je garde personnellement un souvenir ému de ces plats aux saveurs approximatives que j'ai déposés des milliers de fois sur mon plateau-repas : demi-pamplemousse légèrement rassis, salade d'endives trop amères, macaronis gluants et sans goût, steak haché caoutchouteux dont s'échappe un filet de sang baignant une purée lyophilisée plus liquide que de raison...

Vous l'aurez compris : l'éducation gustative qui me fut proposée tout au long de ma scolarité me laisse aujourd'hui encore assez perplexe, même si les menus étaient élaborés avec l'aide de diététiciens sans doute fort compétents. Ce qui me choque, ce n'est pas tant la qualité parfois discutable de certaines préparations. C'est le fait que, pour l'enfant ou l'adolescent que j'étais, il était impossible à la cantine de faire un repas sans viande. Celle-ci m'était imposée, et si je ne souhaitais pas en manger, aucun plat de substitution ne m'était proposé.

Aujourd'hui, rien n'a vraiment changé. Pire : la loi française rend obligatoire la présence de produits animaliers dans tous les repas servis dans les cantines scolaires ! Il faut dire que l'État s'appuie sur les recommandations du Groupement d'études des marchés en restauration collective et de nutrition (GEMRCN), composé de représentants de l'industrie agroalimentaire qui ne promeuvent pas franchement les produits végétariens (l'Association nationale des industries agroalimentaires, le Centre d'information des viandes, le syndicat des entreprises françaises des viandes SNIV-SNCP, etc.). Le

166

Programme national nutrition santé explique donc que la viande, le poisson ou les œufs doivent être consommés une à deux fois par jour. L'arrêté du 30 septembre 2011 relatif à la qualité nutritionnelle des repas servis dans le cadre scolaire[89] explique, de façon totalement partisane, que le plat protidique est « un plat principal à base de viande, poissons, œufs, abats ou fromages », et que ces aliments sont essentiels pour garantir les apports en fer et en oligoéléments. De la même manière, le texte impose le lait comme source unique de calcium. Et tant pis pour ceux qui ne sont pas d'accord.

L'injonction ministérielle du « tout carné » dans les cantines ne tient aucun compte de la validité diététique des alternatives végétales à la viande, dont nous reparlerons plus loin. Cette injonction est d'autant plus risible que, quelques jours après la parution du décret sur les produits animaux dans les cantines, en octobre 2011, une enquête de la Direction générale de la concurrence, de la consommation et de la répression des fraudes (DGCCRF) révélait que les steaks hachés servis dans les collectivités sont souvent de piètre qualité : sur 35 prélèvements effectués, 12 s'étaient révélés non conformes pour ce qui était des graisses, et 13 non conformes en matière de collagène-protéine, une substance présente dans les tissus bas de gamme.

Au-delà de l'ironie de la coïncidence, il convient de s'interroger sur l'embrigadement à la viande auquel sont soumis les plus jeunes. Si dès son enfance on en consomme à tous les repas, à plus forte raison à l'école, il est évident que l'on développe spontanément la certitude que cette alimentation est la plus saine. Et si jamais on grandit en conservant des doutes sur l'intérêt de la viande, l'État français se charge au cours de notre vie de nous rappeler

167

constamment à l'ordre, par différents biais. Le sport, par exemple. L'Institut national du sport, de l'expertise et de la performance (INSEP) est un organisme public qui gère nos sportifs de haut niveau. En 2009, il a publié, en collaboration avec le ministère de la Santé et des Sports, dont il dépend, une brochure intitulée : *Sportifs, comment couvrir vos besoins en protéines ?* Cette brochure fait partie de la collection « Bien-être du sportif ». À la question : « Où trouve-t-on les protéines ? », elle répond : c'est dans les viandes, les poissons, les œufs et les produits laitiers que l'on trouve les protéines « de haute valeur biologique ». Les recommandations diététiques sont donc les suivantes : une portion de viande, de poisson ou deux œufs au déjeuner et au dîner ; 3 à 4 portions de produits laitiers de bonne qualité par jour. Chaque semaine, 3 à 4 fois de la viande rouge, 3 à 4 fois de la viande blanche, 3 à 4 fois du poisson, 2 fois des œufs. Les féculents et les légumes secs, quant à eux, sont évoqués en tant que pourvoyeurs de protéines « de moindre valeur biologique », pouvant servir à « compléter l'apport protidique de la viande, du poisson et des œufs ».

Cette brochure, rédigée par une sportive diététicienne-nutritionniste de l'INSEP, tord la vérité en présentant la viande comme un élément indispensable de l'alimentation, et en distinguant de bonnes et de mauvaises protéines. Tout cela est absolument faux : de nombreux nutritionnistes et sportifs dans le monde cautionnent l'arrêt de la consommation de produits animaux, comme nous le verrons plus loin.

Les raisons du soutien à la viande aujourd'hui dans notre pays sont certes avant tout culturelles (la France est une vieille nation paysanne), mais elles sont aussi politiques et économiques. Le journaliste Fabrice Nicolino raconte dans son livre *Bidoche* comment, au sortir de la Seconde Guerre mondiale, la France, s'inspirant des États-Unis, a fait le choix délibéré du « tout-viande » industrialisé, alors que jusqu'en 1945 la consommation de viande y était encore faible[90].

Aujourd'hui, les gouvernements français défendent les positions actuelles de leurs agriculteurs, et cela se comprend dans une perspective à court terme. Il est bien plus aisé de pousser au maximum les leviers d'une industrie existante (en l'occurrence celle de la viande et des produits de l'exploitation animale) que de mettre en place une agriculture totalement réformée sur le plan idéologique, qui s'appuierait uniquement sur les végétaux. C'est la même chose dans le domaine de l'énergie, où il est plus simple de continuer à parier sur le nucléaire que de développer les énergies nouvelles. Nos élus nous encouragent donc depuis des décennies à manger de la viande. Quitte à soutenir des publicités mensongères qui induisent en erreur le consommateur.

En février 2011, l'Autorité de régulation professionnelle de la publicité (ARPP) a exigé que le Centre d'information des viandes (CIV) retire sa campagne publicitaire dans laquelle il vantait l'aspect artisanal de l'élevage de porcs en France tout en minimisant l'impact de l'élevage bovin sur l'environnement. Dans le premier spot radio, on pouvait entendre une éleveuse de porcs évoquer son « élevage familial, comme partout en France », et préciser que « les éleveurs de porcs sont comme des artisans ». Dans le second message publicitaire, une éleveuse affirmait : « En broutant, nos vaches maintiennent les prairies, ce qui permet le stockage de carbone dans le sol, comme les forêts. » Pour l'ARPP, ces publicités « [induisaient] le public en erreur » en faisant l'amalgame entre élevage familial et méthodes artisanales et non industrielles, et en affirmant la totale innocuité des élevages sur l'environnement. Comme le rappelait à l'époque Christophe Marie, porte-parole de la Fondation Brigitte Bardot, qui avait porté plainte auprès de l'ARPP, ces publicités étaient financées par les impôts des Français, puisque subventionnées à 80 % par le ministère de l'Agriculture.

Depuis des décennies, les différents gouvernements français se montrent très bienveillants à l'égard de la viande, et complètement sourds aux alternatives ou aux évolutions possibles. Le cas du foie gras l'illustre parfaitement. Le 1er juillet 2012, en Californie, est entrée en vigueur une loi (votée en 2004) qui interdit la production et la vente de foie gras, au nom du bien-être animal. Cette loi a pu aboutir grâce à la pression d'associations et de politiciens américains assimilant le gavage à une torture, preuves scientifiques à l'appui. Quelles furent les réactions en France ? Colère, évidemment, des producteurs. Marie-Pierre Pé, déléguée générale du Comité interprofessionnel du foie gras, s'insurge alors ainsi : « C'est une question de choc culturel. Qui pourrait imaginer qu'en France on interdise le ketchup ou les hamburgers ? » Eh oui, c'est vrai, ça : et la tradition française, alors ? C'est qu'elle a bon dos, la tradition ! Pourtant, il semble assez évident que si une tradition est conne, il faut la changer. Tout simplement.

Mais la classe politique française ne l'entend pas ainsi. Elle aime généralement la tradition – oui, c'est une tradition française que d'aimer la tradition. En ce mois de juillet 2012, lorsque l'interdiction du foie gras en Californie devient effective, nos représentants politiques se mobilisent eux aussi. Une source diplomatique explique avec gravité qu'« il n'y a aucune raison que la Californie fasse exception par rapport au reste du monde. Le foie gras est une partie importante du patrimoine gastronomique français, reconnu par l'Unesco. Il n'y a aucune raison d'accepter cet état de fait ». Le président du conseil général du Gers, le socialiste Philippe Martin, demande aussitôt aux restaurateurs et aux cavistes français de cesser de vendre des vins de Californie en guise de mesure de rétorsion. Et peu importe si de toute façon les exportations françaises de foie gras vers les États-Unis avaient été très faibles l'année précédente en raison des barrières douanières et des contraintes sanitaires ; c'est une question de principe. Quant au ministère français des Affaires étrangères, il déclare lors d'un point presse « regretter la décision de la Californie » et ajoute que, « depuis sept ans, les autorités françaises interviennent auprès des autorités californiennes pour qu'elles renoncent à leur position[91] ». Enfin, le 28 juillet, c'est le président nouvellement élu, François Hollande, qui s'implique en faveur du gavage et adresse un message aux Américains. Lors de la visite d'une exploitation à Monlezun, dans le sud-ouest de la France, il soutient d'abord que les éleveurs français de foie gras ont fait beaucoup d'efforts pour le bien-être animal. Puis il s'engage avec vigueur : « Le foie gras, c'est une grande production française qui honore les éleveurs qui s'y consacrent. Nous consommons pratiquement la production que nous faisons en France, mais nous avons aussi de l'exportation, et je ne laisserai pas mettre en cause les exportations de foie gras, notamment dans certains pays ou certains États en Amérique. » Dans ce dossier, bizarrement, on n'a pas entendu les représentants d'Europe Écologie-Les Verts présents au gouvernement.

Tels des canards aux mains d'un éleveur périgourdin, nous aussi, citoyens, sommes gavés. Non de maïs, mais de ce message martelé chaque jour : « Il faut manger de la viande ! » Tels des morceaux de veau vendus en barquette dans les supermarchés, nous sommes conditionnés dès notre plus jeune âge.

Que la viande soit aussi une affaire politique, on peut le concevoir. Mais la politique ne peut se contenter d'apporter des réponses temporaires à des questions qui engagent l'humanité pour les siècles à venir. Surtout quand ces réponses sont mauvaises.

LA VIANDE, UN GOUFFRE FINANCIER POUR LE CONTRIBUABLE

Économiquement, la viande est une aberration : faire produire à nos paysans des protéines animales plutôt que des protéines végétales revient beaucoup plus cher au contribuable. D'abord parce que le marché de la viande tient largement grâce aux subventions. Subventions de l'Europe en premier lieu. L'association L214, qui lutte en France contre les souffrances infligées aux animaux d'élevage, révèle que le montant des aides de l'Union européenne aux « productions animales » s'élevait en 2009 à plus de 3 milliards d'euros.

Le cas du producteur de volailles Doux est particulièrement explicite. Doux, qui produit notamment la marque Père Dodu, détient le record des subventions européennes. En 2011, l'entreprise française a touché 55 millions d'euros d'aides de la politique agricole commune. Certaines années précédentes, ce fut plus encore. Cela ne l'a pas empêchée d'être placée en redressement judiciaire en 2012. Mais le plus incompréhensible, c'est le système cautionné par Bruxelles. Lisez plutôt : Doux, qui faisait alors travailler en France près de 800 aviculteurs bretons et 3 500 salariés payés au minimum, élève (« fabrique », plutôt) des poulets bas de gamme à la chaîne. L'entreprise exporte sa marchandise congelée vers le marché africain et l'écoule à des prix défiant toute concurrence, au grand dam des petits éleveurs locaux, dont ce système provoque la ruine. Pour que ces prix bas soient possibles tout en permettant à la famille Doux de s'enrichir, les subventions européennes compensent les pertes. Pendant des années, les dirigeants de l'entreprise ont donc été rémunérés grâce à votre argent, à vous lecteurs, pour produire une viande de qualité contestable qui a notamment servi à appauvrir encore plus des paysans démunis dans des pays sous-développés. Hallucinant.

L'Europe subventionne aussi les campagnes de promotion pour la viande : ainsi, en 2008, le CIV – encore lui – a décroché une aide de près de 900 000 euros sur trois ans.

Et puis il y a les subventions nationales. Toujours selon L214, en 2008 la filière cunicole (les élevages de lapins) a bénéficié d'une aide du gouvernement français d'un million d'euros. La filière foie gras a obtenu des aides pour se moderniser. En 2009, les producteurs laitiers se sont vu attribuer une aide exceptionnelle de 15 000 euros par exploitation. Et que dire de la sous-tarification de l'eau à usage agricole ?

Les dégâts causés par les usines à viande sur l'environnement ont également un coût non négligeable, dont la facture est partagée par tous. Prenons l'exemple de l'eau polluée par les élevages intensifs. Selon l'OCDE, la pollution des eaux aux nitrates et aux pesticides coûte entre 1 et 1,5 milliard d'euros à la France chaque année. Payés par le contribuable.

Enfin, il y a l'impact sur la santé. Comme nous le verrons plus en détail, l'alimentation carnée favorise l'émergence de maladies comme le cancer, le diabète ou les affections cardiovasculaires. Et cela coûte de l'argent à la société. Aux États-Unis, le Physicians Committee for Responsible Medicine a évalué que les soins médicaux directement imputables à la consommation de viande dans ce pays sont compris entre 29 et 61 milliards de dollars par an[92].

LE SKI, LA FOURRURE ET LES AMÉRINDIENS

Le thermomètre affiche – 18 °C au pied de la station, mais en montant vers le sommet, avec le vent, la température « ressentie » sur mon télésiège approche les 30 °C au-dessous de zéro. J'ai commis l'imprudence d'enlever mes gants quelques instants : mes mains se sont glacées aussitôt. Le froid se révèle un redoutable ennemi, qui tente de percer le moindre de mes vêtements, et le plus petit bout de peau laissé à l'air libre me fait souffrir.

Pendant que ma chaise s'élève lentement jusqu'en haut des pistes, le fleuve Saint-Laurent, en contrebas, dévoile peu à peu son imposante splendeur figée dans les glaces.

J'ai décidé de découvrir les pistes du massif de Charlevoix, situées à une heure au nord de Québec. Un domaine skiable particulièrement réputé. Avant même de m'être confronté à cette neige lourde et tranquille qui s'offre à moi, je me réjouis de mon choix. Les pistes immaculées, quasi désertes, sont délimitées par des forêts de sapins dont chaque rameau a été soigneusement blanchi par l'hiver. Le silence est caressé par le son des rares skis qui brossent délicatement la poudreuse. Un endroit calme et beau. Mais bon sang, « qu'est-ce qui fait frète icitte ! » comme dirait un Québécois. Quel froid de canard ! Sans mes habits high-tech, je ne tiendrais pas bien longtemps au milieu de cette nature magnifique mais glacialement hostile. Je songe soudain avec admiration aux premiers hommes qui ont su surmonter les mêmes hivers rigoureux sans chauffage électrique, sans murs isolants, et sans Damart Thermolactyl ! J'en conviens alors aisément : je comprends que nos ancêtres aient été obligés de tuer des animaux pour leur piquer leur fourrure. Et je reconnais que j'aurais fait comme eux ! De la même manière, je conçois que, dans des régions peu favorables aux cultures de céréales et de légumes et sans aucune de nos techniques actuelles, la viande ait été le seul moyen de survie à certains moments de notre histoire.

Pendant longtemps, donc, les humains n'ont pas eu le choix. Pour perdurer et progresser, l'espèce humaine a eu besoin d'utiliser d'autres espèces. Mais elle a su parfois le faire avec respect et modestie. Je pense aux Amérindiens qui peuplaient autrefois les terres où je me trouve aujourd'hui. Ils entretenaient une relation au monde animal que l'on ne peut qu'admirer. Ils n'étaient pas végétariens, mais considéraient qu'ils n'avaient le droit de tuer que le gibier qui était absolument nécessaire à la survie de leur communauté. Ils prenaient soin de remercier l'animal sacrifié et évitaient d'insulter sa dépouille en jetant ses restes dans le feu : toutes les parties de la bête se devaient d'être réutilisées, que ce soit pour la nourriture, l'habillement, la fabrication d'outils ou même la décoration.

Les Amérindiens du Nord étaient animistes. Ils pensaient qu'une âme anime les êtres vivants, quels qu'ils soient, mais aussi les éléments. Pour eux, les humains, les non-humains, les arbres, les ruisseaux et l'ensemble de la nature constituaient un tout équilibré sur lequel aucune espèce n'exerçait de suprématie. L'humain était une espèce parmi les autres, non une espèce supérieure. La chasse n'était en rien l'expression d'une domination, mais une activité nécessaire pour la survie d'une population.

Tuer un animal lorsque la nature ne nous laisse pas le choix, parce qu'il n'y a aucun autre moyen de subsistance ; tuer cet animal avec respect, en étant conscient du service qu'il nous rend : cette approche est compréhensible. Mais nous en sommes loin aujourd'hui. Extrêmement loin. Les animaux que l'on tue sont de la chair sur pattes, et leur âme nous importe peu. Mais, surtout, leur mort n'est plus indispensable à notre survie, puisque l'être humain sait désormais se vêtir et se nourrir sans avoir à tuer des créatures sensibles. Interrogé un jour à propos de la chasse, le naturaliste et explorateur Théodore Monod avait répondu ceci : « Que les hommes pré-historiques aient eu besoin de tuer des animaux, c'est évident. Actuellement, les Esquimaux tuent des phoques, les Bushmen des girafes, c'est nécessaire pour eux. Ils n'ont pas le choix. Mais ailleurs, c'est totalement anachronique. On ne chasse plus ici ni pour se défendre, ni pour se nourrir. On chasse pour s'amuser[93]… » J'irai plus loin encore que Théodore Monod. Au XXIe siècle, nous avons les moyens de fournir aux peuples les plus isolés ou tributaires de contrées hostiles des moyens de subsistance qui épargnent les animaux. Il faut bien que la mondia-lisation ait quelques avantages. Alors, même les phoques et les girafes devraient pouvoir dormir tran-quilles.

L'homme aurait-il dû rester cannibale ?

« Ce soir j'ai rendez-vous avec cette fille belle à croquer. Elle pourrait bien passer à la casserole.

– Tu ne parles plus que d'elle depuis des jours. Je crois que t'es en train de te laisser bouffer.

– Tu dis ça pour me mettre en boîte ? »

La langue française aime à jouer sur le registre « cannibale » pour évoquer les relations entre les individus. La métaphore n'est pas anodine : elle illustre un rapport de domination du mangeur sur le mangé. Celui ou celle qui « passe à la casserole » est bien la victime d'un prédateur qui veut rassasier son « appétit », appétit sexuel en l'occurrence. De la même manière, celui qui « se laisse bouffer » par quelqu'un souffre d'être envahi ou dirigé par cette personne. Cela tend à prouver que, lorsque nous, humains, ingurgitons un aliment, nous revendiquons aussi à travers ce geste la domination de notre espèce sur celle qui a fini dans notre assiette.

Mais revenons au cannibalisme, pratique officiellement intolérable, amorale, barbare. De nos jours, le cannibale est un fou que l'on croise dans un roman noir ou dans un film à suspense. Le plus célèbre représentant est sans doute Hannibal Lecter, ce personnage inventé par Thomas Harris et devenu célèbre grâce au film *Le Silence des agneaux*. Toutefois, si Hannibal appartient à la fiction, il possède quelques cousins dans la vraie vie. Moins intelligents et raffinés que lui, mais beaucoup plus dangereux, parce que réels. L'actualité les met régulièrement à l'honneur. Voici quelques cas récents, brièvement résumés.

En mai 2012, à Miami, aux États-Unis, Rudy Eugene, 31 ans, est abattu par la police alors qu'il est en train de dévorer le visage d'un SDF de 65 ans encore en vie. L'agresseur, désormais surnommé « le zombie de Miami », était probablement sous l'emprise de la drogue.

Quelques jours plus tard, Alexander Kinyua, un étudiant de 21 ans, est arrêté à Baltimore : il a tué son colocataire avant de manger son cœur et une partie de son cerveau.

En avril de la même année, un trio de cannibales défraye la chronique au Brésil : ils reconnaissent avoir tué plusieurs femmes, en avoir mangé une partie, puis avoir confectionné avec les restes des beignets qu'ils ont vendus dans la rue. Ils affirment avoir agi avec la permission de Dieu et avoir procédé à des actes de purification.

En août 2011, à Mourmansk, en Russie, un apprenti anthropophage de 21 ans attire chez lui un homme rencontré sur un site Internet réservé aux homosexuels. L'individu est poignardé, découpé en morceaux, et même « transformé en saucisson, en steaks et en croquettes ». Puis il est tranquillement dévoré pendant une semaine.

En janvier 2007, à la maison d'arrêt de Rouen, une querelle entre deux codétenus dégénère. Nicolas Cocaign tue son compagnon de cellule avec une lame de ciseaux et en l'étouffant avec des sacs-poubelle. Au lieu de s'arrêter là, il ouvre le thorax de sa victime, lui prélève un morceau de poumon en pensant qu'il s'agit du cœur, en mange une partie crue et fait revenir le reste dans une poêle avec des oignons. « Je l'ai fait par curiosité, déclarera-t-il lors de son procès. Ce qui est terrible, c'est que c'est bon. C'est tendre. Ça a le goût du cerf. » Au juge d'instruction il expliquera aussi que, s'il a mangé un bout de son codétenu, c'est parce qu'il voulait « prendre son âme ». Il a surtout pris trente ans de prison, dont vingt ans de sûreté.

En mars 2001, à Rotenburg, en Allemagne, Armin Meiwess, un informaticien de 40 ans, passe une annonce dans laquelle il déclare sans ambiguïté rechercher un partenaire qui accepterait de se laisser manger. Si étonnant que cela puisse paraître, il reçoit plusieurs réponses, dont celle d'un ingénieur berlinois. Celui-ci se rend à son domicile puis accepte, après avoir eu des rapports sexuels avec son hôte, de se laisser couper le pénis et d'en partager la dégustation, avant de se faire poignarder à la gorge et étriper.

Manger un pénis humain ? Quelle drôle d'idée ! Et pourtant… Au Japon, en mai 2012, Mao Sugiyama, un jeune homme de 22 ans qui ne supportait plus ses attributs sexuels masculins et avait choisi d'en subir l'ablation, décide, après qu'ils ont été tranchés, de les vendre… cuisinés. Et il a trouvé des clients ! Le 13 mai, dans une salle de Tokyo réquisitionnée pour l'occasion, cinq personnes ont ainsi payé 20 000 yens (200 euros) pour déguster ce mets très particulier (et sans doute bien frugal), assaisonné et agrémenté de champignons.

Comment enfin ne pas évoquer le tristement célèbre Issei Sagawa, surnommé « le Japonais cannibale » ? En juin 1981, à Paris, il a tué une étudiante hollandaise qu'il a ensuite partiellement dévorée, festoyant trois jours durant avant de tenter maladroitement de se débarrasser des restes du cadavre dans le bois de Boulogne. Issei Sagawa vit aujourd'hui en liberté au Japon, sans traitement particulier, et explique qu'il ressent toujours des pulsions cannibales. Il a écrit plusieurs livres et tourné dans des publicités… pour de la viande !

On pourrait continuer longtemps la liste de tels exemples. Régulièrement, les journaux nous livrent une nouvelle histoire. Souvent, le coupable affirme avoir agi par curiosité, pour savoir quel goût ça a – c'est ce que l'on peut appeler le goût de l'inconnu ! Ne s'agit-il que de cas isolés qui n'auraient rien à voir avec la nature profonde de l'homme ? Peut-être. Quoique. Une découverte récente mérite notre attention, même si elle n'a pas été très largement commentée : les premiers Européens étaient cannibales.

Les preuves qui permettent d'affirmer cela ont reposé pendant près d'un million d'années dans les montagnes d'Atapuerca, dans le nord de l'Espagne, l'un des plus importants gisements de restes fossilisés d'Europe, inscrit au Patrimoine mondial de l'Unesco en 2000. À partir de 1994, sur le site appelé Gran Dolina, on a commencé à déterrer des ossements et à les analyser. On y a découvert les restes d'animaux tels que des chevaux, des cerfs ou encore des rhinocéros. Mais aussi des restes humains. De jeunes humains. Leurs ossements, qui datent d'environ 800 000 ans, portaient des traces de découpe et avaient été fracassés comme pour en extraire la moelle.

L'un des codirecteurs du projet, José María Bermúdez de Castro, du Centre national de recherche sur l'évolution humaine de Burgos, est formel : « Ces fossiles avaient aussi, comme les animaux, des marques de couteau en pierre, de dépeçage, réunissant tous les éléments caractéristiques d'une accumulation d'os utilisés par les êtres humains. Cela nous donne une idée de cannibalisme de type gastronomique, et non rituel, car ils n'avaient pas la capacité symbolique qu'a l'être humain d'aujourd'hui. C'est le premier cas de cannibalisme bien documenté de l'histoire de l'humanité, ce qui ne veut pas dire que c'est le plus ancien[94]. »

Ces restes correspondent probablement aux premiers êtres humains qui se sont développés en Europe, appartenant à la famille *Homo antecessor*. Ils se seraient installés dans ces grottes après une migration depuis l'Afrique via le Proche-Orient, le nord de l'Italie puis la France. L'endroit, situé à la confluence de deux rivières, couvert de forêts et de prairies, était riche en gibier. On ne peut donc pas soupçonner que les êtres humains étaient mangés par nécessité. « Ils tuaient leurs rivaux et profitaient de leur viande, poursuit Bermúdez de Castro. Nous avons par ailleurs découvert deux niveaux comportant des restes cannibalisés, ce qui veut dire qu'il ne s'agit pas d'un cannibalisme ponctuel, mais continu dans le temps. Un autre aspect intéressant, mais que nous n'expliquons pas encore très bien, est que la majorité des onze individus identifiés comme victimes sont des enfants ou des adolescents. Nous pensons qu'il y a aussi deux jeunes adultes dont une femme, ce qui signifie qu'ils tuaient la base de la pyramide démographique du groupe. » Pour le chercheur espagnol, tuer les membres jeunes (donc sans défense) de tribus rivales permettait à la fois de limiter la concurrence sur un même territoire et de se nourrir.

Sur le site d'Herxheim, en Allemagne, on a découvert en 1995 les restes d'un hameau datant d'environ 5500 avant J.-C., l'époque où le Néolithique arrive en Europe. À l'intérieur de fosses qui jouxtent les maisons, les restes de plus de 400 individus étaient entassés. Les archéologues ont d'abord pensé à un charnier contenant les victimes d'un massacre ou d'une bataille. Mais une étude plus minutieuse des ossements, entamée en 2005 et conclue en 2008, apporte une explication bien différente : « Les squelettes ont d'abord subi des préparations de boucherie : des traces de découpe sur la plupart des os, la "levée de l'échine", où l'on sépare les côtes de la colonne vertébrale, l'écorchement des crânes depuis la racine du nez jusqu'à la nuque, etc. Ensuite, les os et les crânes ont été fracturés, et ce d'autant plus qu'ils contenaient de la moelle. Certains ont même été rongés, sucés, explique l'anthropologue Bruno Boulestin, du laboratoire d'anthropologie des populations du passé de l'université Bordeaux-I, qui a analysé l'un des dépôts. Cela soulève des questions abyssales, poursuit-il. Par exemple, d'où viennent tous ces gens[95] ? »

Des traces d'anthropophagie pendant la préhistoire ont été retrouvées ailleurs, en Croatie, en Ukraine, dans les Pyrénées-Orientales, en Ardèche ou encore en Afrique du Sud.

Et nous n'avons pas cessé de manger nos congénères lorsque nous sommes sortis des grottes. On trouve de très nombreux exemples de peuples qui ont pratiqué l'anthropophagie de manière régulière, et ce jusqu'à une période récente : les Aztèques, les Tupi du Brésil (parmi lesquels les Tupinamba d'Amazonie), les Maori de Nouvelle-Zélande, les Iroquois d'Amérique du Nord, les tribus d'Afrique équatoriale...

Il existe plusieurs sortes de cannibalisme : celui qui consiste, pour un groupe, à manger ses propres morts ; celui qui tient à des croyances religieuses, à des pratiques de guerre, à des pratiques politiques ; et il y a le cannibalisme de nécessité. On connaît le cas, immortalisé par Géricault, des rescapés de la *Méduse* en 1816. Ces naufragés passèrent deux semaines en mer sur leur radeau avant d'être secourus. Ils étaient cent quarante-neuf au départ, ils ne furent que quinze à survivre, après s'être nourris des cadavres de leurs compagnons morts. Un siècle et demi plus tard, les membres de l'équipe de rugby de l'Uruguay firent de même après que leur avion se fut écrasé dans la cordillère des Andes, en 1972.

Lors des famines, le cannibalisme s'est souvent imposé comme la solution de dernier recours. Ce fut le cas pendant la terrible famine qui frappa une partie de l'Union soviétique en 1921 et 1922. Plus de 30 millions de personnes risquaient alors de mourir de faim, que ce soit en Ukraine, dans le bassin de la Volga, en Crimée ou en Géorgie. L'écrivain Mikhaïl Ossorguine raconte : « Les gens mangeaient [...] leurs proches à mesure qu'ils mouraient. [...] on nourrissait les aînés des enfants, mais les nourrissons qui n'avaient pas encore appris à vivre n'étaient pas épargnés, si maigre que fût le profit. Chacun dévorait dans son coin, personne n'en parlait[96]. » Les autorités de l'époque notèrent que les affamés déterraient même des cadavres pour se nourrir.

De la même manière, le cannibalisme a été pratiqué en Chine à la fin des années 1950, pendant le Grand Bond en avant, qui a entraîné des famines causant des dizaines de millions de morts. La Chine a même connu le « cannibalisme politique » pendant la révolution culturelle dans les années 1960 et 1970 : selon l'écrivain Zheng Yi, au moins dix mille opposants à la révolution communiste ont été tués et mangés.

Ces dernières années, en Corée du Nord, pays en proie aux famines à répétition, des faits de cannibalisme ont été attestés, notamment par une enquête menée en 2011 par un centre de recherches sud-coréen, le KINU, et qui s'est appuyée sur des témoignages de réfugiés nord-coréens. Certains racontent ainsi que de la viande humaine s'est déjà retrouvée sur des étals de marché, vendue comme de la viande de mouton. Le phénomène serait récurrent dans ce pays où, régulièrement, des personnes sont condamnées à mort pour avoir consommé de la chair humaine.

L'anthropophagie choisie ou forcée fait donc partie de notre histoire. Aurait-il fallu, sous prétexte que nous l'avons pratiquée un jour, ne jamais l'abandonner ? Aurions nous dû considérer que, puisque nous sommes « aptes » à manger d'autres hommes et que cela peut même se révéler fort utile, nous n'avions aucune raison de nous en priver ? La question est d'autant plus pertinente que la « viande d'humain » semble bonne pour la santé, si l'on en croit le professeur de biochimie nutritionnelle T. Colin Campbell. Il affirme qu'il serait biologiquement assez logique que nous soyons cannibales. En effet, selon lui, la chair humaine est la nourriture qui nous fournirait les meilleurs composants pour remplacer nos protéines hors d'usage, car ses protéines contiennent la proportion parfaite d'acides aminés[97]...

Malgré cette recommandation diététique (qui ne doit pas faire oublier que, dans les années 1950, de nombreux anthropophages de Nouvelle-Guinée seraient morts du kuru, maladie à prions contractée en mangeant la cervelle des morts), les humains condamnent aujourd'hui de manière quasi unanime l'anthropophagie. Cette pratique, qui n'a donc rien de « naturel » à nos yeux, est soit taboue, soit juridiquement réprimée (cela dépend des pays). De la même manière, le fait que nous ayons un jour mangé d'autres animaux, et que cela nous ait biologiquement réussi, n'implique en rien que cette habitude soit « naturelle » ou immuable. Un jour, nous rejetterons avec fermeté la consommation de tous les êtres vivants sensibles, qu'ils soient humains ou non.

À moins que nous ne remettions l'anthropophagie au goût du jour – si je puis me permettre cette expression. Telle était la prophétie de *Soylent Green* (*Soleil vert*), un film réalisé par Richard Fleischer à partir d'un roman de Harry Harrisson et qui a obtenu le grand prix du festival d'Avoriaz en 1974 – avec Romain Gary parmi les membres du jury ! *Soylent Green* a mal vieilli. Les décors, les costumes, les dialogues, le rythme, l'écriture : tout semble daté, factice, et l'on ne peut plus aujourd'hui se laisser « emporter » par ce qu'on voit à l'écran. Toutefois, si l'on fait fi de ces aspects formels, le film reste étonnamment actuel, car son propos était à l'époque très visionnaire. L'action se déroule en 2022. La planète suffoque à cause du réchauffement climatique. Elle est surpeuplée. New York compte ainsi 40 millions d'habitants (contre 8 millions à l'heure actuelle), dont la moitié sont au chômage et sans logement. Des centres d'euthanasie ont été créés pour inciter à faire de la place. Beaucoup acceptent de s'y rendre, désespérés par leur vie misérable. De plus, la nature a presque complètement disparu. À New York par exemple, seuls quelques arbres survivent sous une tente-musée. On ne connaît plus les animaux, pas plus que le soleil, les ruisseaux, les montagnes verdoyantes, les rivages où s'échoue la marée, les feuilles qui tombent. Mais les anciens en parlent souvent, car ils se souviennent d'avoir vu tout cela. Ils se souviennent de la viande, des fruits et des légumes, ces denrées introuvables et désormais réservées à une petite élite qui se barricade dans des appartements luxueux. Pendant ce temps-là, l'écrasante majorité de la population, privée de ces aliments, se contente de pilules nutritives produites par la société Soylent et fabriquées officiellement à base de plancton. On découvre à la fin du film qu'en réalité les réserves de plancton sont elles aussi épuisées depuis longtemps, et que les pilules sont en fait fabriquées à partir de cadavres humains.

La conclusion du film n'est pas si éloignée que cela des pratiques que nous généralisons sans vergogne dans l'alimentation depuis une cinquantaine d'années. Et les pilules à base de restes humains ne sont pas sans rappeler les farines animales et les scandales qui y sont liés...

ANTIBIOTIQUES, BACTÉRIES, FARINES ANIMALES, ETC.

« Il faut remettre en cause l'ensemble de la filière d'alimentation animale et notre système de contrôle », affirme sans détour au début de l'année 2011 Ilse Aigner, la ministre allemande de l'Agriculture et de la Protection des consommateurs. L'Allemagne est alors confrontée à un scandale alimentaire. Elle est obligée d'abattre des milliers de poules dont les œufs présentent un taux anormalement élevé de dioxine. La viande de cochon est elle aussi contaminée. La Chine, la Corée du Sud, la Russie ou encore la Slovaquie décident de suspendre leurs importations d'œufs et de porc allemands.

À l'origine de cette contamination, sans surprise, une affaire de sous. Les enquêteurs allemands remontent rapidement jusqu'à la société Harles und Jentzsch, installée au nord de Hambourg et spécialisée dans la production de graisses que l'on retrouve dans la nourriture des animaux d'élevage. Des problèmes d'endettement auraient poussé l'entreprise à vendre 3 000 tonnes de graisses animales mélangées à des huiles industrielles. « Le commerce de détail et les abattoirs exercent une pression difficilement tenable, explique un producteur de Basse Saxe dans une interview à *Libération*. Il faut toujours produire plus, et moins cher. Je suis passé de 500 à 2 000 porcs. Cela me permet de livrer 100 cochons tous les quinze jours. En dessous, je n'intéresse pas les grands abattoirs, qui ont baissé leur prix d'achat[98]. »

Ce cas d'escroquerie généralisée et de contamination à la dioxine n'est qu'un exemple parmi d'autres des scandales qui touchent désormais régulièrement le secteur agroalimentaire. Aujourd'hui, l'« ordre naturel » qu'invoquent les défenseurs du régime carné a bon dos. S'ils tiennent tant à se référer à la nature, ils devraient au contraire cesser immédiatement de manger de la viande. Ou alors ne se fournir que dans les quelques fermes à taille familiale qui subsistent encore.

En effet, que reste-t-il de naturel dans la plupart des élevages ? Il est bien loin, le temps de l'herbe et du fourrage. Les animaux sont désormais nourris avec du maïs, du soja, des graines riches en acides gras oméga 6, le plus souvent des OGM, mais aussi des farines animales. Si celles-ci sont aujourd'hui interdites en Europe, elles sont tolérées dans des pays qui exportent notamment vers la France, comme les États-Unis ou l'Argentine.

Cependant, la plus grande inquiétude concerne les médicaments dont on bourre les animaux d'élevage industriel. Au total dans le monde, la moitié des antibiotiques fabriqués le sont pour les élevages : ils sont destinés soit à soigner les animaux, soit à leur faire supporter leurs très pénibles conditions de « détention », soit à favoriser leur croissance. Depuis 2006, l'Union européenne a interdit cette dernière catégorie d'antibiotiques. Mais c'est insuffisant. En France, en 2009, plus de 1 000 tonnes[99] d'antibiotiques ont été vendues pour les animaux ; 44 % étaient destinés aux élevages porcins, 22 % aux volailles, 16 % aux bovins et 8 % aux lapins. Selon l'association de protection animale L214, l'exposition des animaux aux antibiotiques a augmenté de 12 % entre 1999 et 2009. Voilà pour les chiffres officiels. Mais la réalité est sans doute pire. Une note adressée le 7 février 2012 aux préfets par la Direction générale de l'alimentation (DGAL), qui dépend du ministère de l'Agriculture, révèle que des médicaments sont parfois fournis aux agriculteurs sans ordonnance ni diagnostic vétérinaire préalables. La note pointe des pratiques opaques entre certains éleveurs, vétérinaires et industriels de l'agroalimentaire.

Problème : administrés en grande quantité, les antibiotiques favorisent le développement de bactéries résistantes... aux antibiotiques – salmonelles, staphylocoques dorés et autres. Celles-ci peuvent être transmises aux humains à travers la consommation de la viande si la température de cuisson est insuffisante, ou par contact pendant la préparation. Exemple : la bactérie *E. coli*, qui a fait près de quatre-vingts morts en Europe en 2011. Selon le Centre européen de prévention et de contrôle des maladies, 25 000 décès par an en Europe sont causés par des agents infectieux devenus résistants.

L'antibiorésistance n'est que l'une des nombreuses conséquences sanitaires inquiétantes des conditions d'élevage modernes. Le premier grand scandale alimentaire autour de la viande remonte aux années 1970 : il s'agit de l'affaire du veau aux hormones. Pour accélérer la croissance des veaux en élevage intensif, on a trouvé cette idée extraordinaire : des hormones qui doublent la prise de poids quotidienne de l'animal. Chez les sportifs, on appelle ça du dopage ; celui qui est pris la main dans le sac est immédiatement déchu de son éventuel titre et privé de compétition officielle pendant un temps donné, voire à vie. Il est estampillé « tricheur » car il n'a pas respecté les règles « naturelles ». D'ailleurs, la nature règle souvent elle-même ses comptes. Combien de sportifs « chargés » ont fini leur vie prématurément ? Athlétisme, cyclisme, football, pour ne parler que de ces disciplines, fournissent régulièrement leur lot de victimes. Car c'est là l'un des inconvénients des produits dopants : s'ils permettent une amélioration sensible des performances, ils provoquent aussi des dégâts sur la santé de celui qui les absorbe. D'où cette question : si les produits dopants sont néfastes pour l'homme, pourquoi ne le seraient-ils pas pour l'animal, surtout lorsque les doses sont démultipliées ?

En 1980, l'association UFC-Que choisir appelle au boycott de la viande aux hormones, accusée d'être dangereuse pour la santé et de développer la stérilité masculine. En France comme dans toute l'Europe, l'usage des hormones dans l'élevage de veaux est désormais interdit, mais aujourd'hui encore certains éleveurs trichent, et des trafics d'anabolisants sont parfois découverts. Les coupables se justifient en citant en exemple les États-Unis et le Canada, où ces hormones de croissance sont autorisées.

Après la viande aux hormones, il y eut la maladie de la vache folle. L'encéphalopathie spongiforme bovine (ESB) est apparue dès la fin des années 1980, lorsqu'on commença à nourrir le bétail avec des farines animales fabriquées à partir de cadavres d'animaux et de parties non consommées des carcasses bovines. Non seulement on a fait manger de la viande à des herbivores, mais qui plus est de la viande de leur propre espèce. On a donc rendu des vaches cannibales. Et l'idée n'est pas née chez un illuminé seul dans son laboratoire. Elle planait déjà dans les années 1970. À l'époque, l'INRA en faisait la promotion. Aucun « ordre naturel » derrière tout cela, simplement un ordre financier : l'impératif de produire au moindre coût.

Tant que l'ESB ne touchait que les bovins, tout allait bien. Mais lorsqu'en 1996 des cas de transmission à l'homme furent révélés en Grande-Bretagne, on commença enfin à s'interroger sérieusement sur l'opportunité de ce mode d'alimentation. Les farines animales furent donc interdites en Europe. Toutefois, à l'heure où j'écris ces lignes, il est envisagé de les autoriser à nouveau. En tout cas, le Conseil national de l'alimentation a donné son aval.

Belle démonstration, une fois de plus, de l'implacable logique humaine : ceux qui arguent que nous devons continuer à manger de la viande au prétexte que nous serions naturellement programmés pour cela sont les mêmes qui transforment des herbivores en carnivores ! Pourtant, pendant longtemps, nous nous sommes interdit ce genre de dérive. Dans son *Histoire des peurs alimentaires*, Madeleine Ferrières rapporte que, vers la fin du Moyen Âge en France, la question de la qualité de la nourriture du bétail, « elle-même garante de la qualité de l'alimentation humaine », était très rigoureusement réglementée : à l'époque, « il est indécent, par exemple, que les omnivores se nourrissent de chair animale. Pas question d'élever des porcs dans le voisinage de la tuerie, où ils pourraient ingérer les restes de l'équarrissage[100] ». Des principes que nous bafouons aujourd'hui quotidiennement. Mais on peut faire pire encore : ajouter à cette nourriture… des excréments ! Dans son livre *Bidoche*, Fabrice Nicolino explique en effet que les poulets industriels sont nourris avec des déchets de plumes, de crottes et de litières, transformés en une farine qui sert à l'engraissement. Or le virus H5N1 peut survivre trente cinq jours dans les excréments de poulet.

Voilà qui nous amène à la grippe aviaire, dont nous avons beaucoup entendu parler au milieu des années 2000 lorsqu'une épizootie a provoqué la mort de centaines d'hommes et de femmes dans le monde. Encore une maladie qui ne touchait que les animaux (en l'occurrence les oiseaux, donc ce n'était pas grave) et qui tout à coup s'est transmise à l'homme. Officiellement, on a rapidement identifié les coupables : les oiseaux migrateurs et les poulets de basse-cour, ceux qui avaient encore le bonheur de respirer un peu d'air frais. La solution fut donc immédiatement trouvée : finie la volaille en liberté, tous à l'abri, dans de grands hangars surpeuplés. Sauf que, explique Nicolino, les analyses réalisées sur des centaines de milliers d'oiseaux migrateurs n'ont quasiment jamais permis de trouver la trace d'un agent pathogène de H5N1. Par ailleurs, on s'est rendu compte que la géographie de la propagation de l'épizootie ne correspondait pas aux grandes routes migratoires. Dans le même temps, pointe le journaliste, personne ne s'est réellement interrogé sur le rôle joué par la « nourriture » distribuée dans certains grands élevages industriels ou de pisciculture, composée notamment de fientes de poulets de batterie.

Je n'ai pas l'intention de lister ici toutes les affections et maladies que nous avons provoquées sur des animaux d'élevage ces vingt dernières années, ni toutes les infections et morts dues à l'ingestion de ces animaux. Mais on ne saurait omettre de citer les poulets et les porcs à la dioxine en 1999 (nourris aux huiles industrielles), ou encore l'épidémie de fièvre aphteuse au début des années 2000 (dont l'origine réside probablement dans les déchets de nourriture provenant de repas d'avion distribués aux animaux).

Que du bon, quoi ! Il y a des jours où je suis particulièrement heureux d'être végétarien.

Raison n° 5

Parce que nous n'avons pas besoin de viande pour vivre

Je suis la preuve vivante que tu peux courir vite, t'entraîner durement et donner de sérieux coups de poing sans manger d'animaux.

Jake Shields,
champion de combat libre, végétarien

Végétarisme, sport et sexe

Depuis une vingtaine d'années, j'entends de la part d'esprits sceptiques toutes sortes de remarques sur les incidences de mon régime végétarien sur ma santé. Je pourrais les résumer ainsi :

« Mais tu dois avoir plein de carences ! »

« C'est curieux, t'es pas maigre ! »

« Et t'arrives à faire du sport ? »

« Végétarien, pour les adultes, pourquoi pas ? Mais pas pour les enfants ! »

Sans oublier celle-ci, de la part d'un Italien viril très poilu et très dépité :

« Pas de viande ? Mais comment tu fais au lit ? »

L'idée reçue est tenace : dans l'esprit d'une majorité de personnes, la viande est indispensable à notre croissance et à notre énergie quotidienne. C'est pourtant entièrement faux.

En 1991, lorsque débutent les championnats du monde d'athlétisme à Tokyo, Carl Lewis a 30 ans et déjà beaucoup de titres et de records à son actif. C'est une star planétaire qui se dirige doucement vers la fin de sa carrière. Vers son tout dernier sprint. Et pourtant... Dans la finale du 100 mètres, qu'il remporte, il bat le record du monde : 9 secondes 86 centièmes. Dans la finale du saut en longueur, bien qu'il ne décroche pas le titre, il réalise la meilleure série de sauts de l'histoire, avec notamment un saut à 8,91 mètres (non homologué à cause d'un vent trop favorable) et un autre à 8,87 mètres (homologué, nouveau record personnel en conditions autorisées). Dans le relais 4 × 100 mètres, il décroche la médaille d'or en tant que relayeur finisseur, avec à la clé un nouveau record du monde pour l'équipe américaine : 37 secondes 50 centièmes.

Carl Lewis le confirme encore aujourd'hui : il n'a jamais été aussi en forme que cette année-là, en 1991, à 30 ans. L'année précédente, alors qu'il cherchait le régime alimentaire le mieux adapté aux exigences de son sport, il avait décidé de supprimer la viande et les produits laitiers. Et pour lui cela ne fait aucun doute : ses performances en ont été améliorées. Aujourd'hui, Carl Lewis, « le plus grand athlète du XXe siècle » (titre décerné par le CIO), vainqueur de neuf médailles d'or aux Jeux olympiques et de huit titres de champion du monde, continue à promouvoir les bienfaits du végétarisme et du végétalisme.

Carl Lewis n'est pas le seul champion à avoir choisi de cesser de manger de la viande. Les sportifs végétariens ou végétaliens sont nombreux, et beaucoup viennent des États-Unis. Parmi eux on trouve le champion américain de ski alpin Bode Miller (champion olympique à Vancouver en 2010), l'athlète américain Edwin Moses (double champion olympique du 400 mètres haies, en 1976 et 1984, et invaincu pendant cent vingt-deux courses consécutives entre 1977 et 1987), la tenniswoman tchéco-américaine Martina Navratilova (l'une des plus grandes championnes de l'histoire, avec entre autres neuf titres à Wimbledon), ou encore le triathlète canadien Brendan Brazier, auteur d'un best-seller où il explique pourquoi et comment il se nourrit uniquement de végétaux. Autre triathlète végan (aujourd'hui retraité) : l'Américain Dave Scott, sextuple vainqueur de l'Ironman Triathlon d'Hawaï. L'ultramarathonien américain Scott Jurek a également écrit un livre dans lequel il explique le lien entre l'alimentation et la performance sportive. Il est lui-même devenu végétarien en 1997, puis végan deux ans plus tard, pour améliorer ses performances. Jurek est l'un des plus grands athlètes de sa catégorie : en 2010, il a établi un record en parcourant 165,7 milles (plus de 266 kilomètres !) en vingt-quatre heures ; le magazine *Ultrarunning* l'a désigné trois fois ultra-runner de l'année. Signalons encore que lors des Jeux olympiques de Londres, en 2012, la cycliste anglaise Lizzie Armitstead, végétarienne depuis l'âge de 10 ans, a remporté la médaille d'argent lors de l'épreuve sur route.

Dans un autre genre, en octobre 2011, Fauja Singh est devenu le premier centenaire à finir un marathon, celui de Toronto en l'occurrence. Certes, il a mis huit heures et vingt-cinq minutes pour parcourir les 42,195 kilomètres, mais à 100 ans la performance vaut tout de même d'être soulignée. Précisons que Fauja Singh, d'origine indienne, est végétarien. Ses repas se composent essentiellement de curry au gingembre et de thé. Et il n'en était pas à son coup d'essai : huit ans plus tôt, à l'âge de 92 ans, il avait réussi à boucler la même épreuve en cinq heures et quarante minutes. Un temps franchement impressionnant pour un nonagénaire.

Tant que j'y suis, je profite de l'occasion pour rendre ici hommage à ma propre mère, oui, ma courageuse maman, 63 ans au moment où j'écris ces lignes, et neuf marathons au compteur sur ces quinze dernières années, avec un meilleur temps personnel de 3 h 45 (mieux que moi) et une alimentation... sans viande (après m'avoir élevé au jambon et au steak haché, elle a finalement elle aussi renoncé aux produits carnés il y a quelques années).

Inutile de continuer la liste de ces sportifs qui ont choisi d'arrêter la viande ou les produits animaux. On pourrait y consacrer un livre entier. Intéressons-nous plutôt un instant à l'objet de quelques fantasmes de la part des carnivores : la vie sexuelle des végétariens.

La question est la suivante : un homme peut-il avoir une vie intime épanouie sans puiser son énergie dans le sang et la chair de créatures mastiquées puis digérées ? Je ne m'étendrai pas ici sur les très nombreuses croyances qui entourent certains aliments censés assurer de torrides et interminables nuits d'amour – aileron de requin, corne de rhinocéros, pénis de tigre, bois bandé, ginseng, gingembre, etc. S'il est évident que les vertus de certains d'entre eux sont purement imaginaires, je ne me risquerai pas à commenter les qualités réelles des autres, qu'ils soient d'origine animale ou végétale. Mais je ne peux que dénoncer les massacres d'animaux, protégés ou pas, qui alimentent toujours le trafic de ces substances. Tout ça pour rassurer ou rallumer la libido de superstitieux amants qui auraient tout intérêt à préférer une alimentation équilibrée, un peu de sport ou un bon psy : l'efficacité érectile serait immanquablement meilleure.

En janvier 2012, le jeune chanteur américain Jason Mraz expliquait sur son site Internet qu'il constatait, quatre mois après avoir opté pour une alimentation végane, une amélioration de ses performances sexuelles. Son cas ne saurait à lui seul, j'en conviens, faire office de preuve. Il contribue néanmoins à apporter un ferme démenti à l'idée selon laquelle la légendaire tristesse du végétarien et son prétendu manque d'appétit pour la vie s'expriment également sous la couette. Une étude menée en 2011 par des étudiants de Harvard semble d'ailleurs l'attester : après avoir interrogé différents groupes de population sur leurs pratiques sexuelles, ils ont conclu que les végétariens sont plus nombreux que les autres à pratiquer le sexe oral ! Vous doutez de la valeur scientifique de cette publication ? Alors regardez du côté de l'association Peta qui a, de son côté, lancé une campagne de publicité mettant en scène des femmes extrêmement sexy maniant lascivement différents légumes pour illustrer le slogan suivant : « Les études montrent que les végétariens ont une meilleure vie sexuelle. Devenez végétarien. »

Les végétariens sont-ils vraiment de meilleurs amants ? Je l'ignore. En tout cas, parfois ils ne manquent pas d'humour.

MOINS JE MANGE DE VIANDE, PLUS JE VIS VIEUX

Il fait bon prendre sa retraite sous le soleil de Loma Linda, en Californie. Pas seulement parce que cela permet d'aller flâner sur les plages de Los Angeles, où se font bronzer des starlettes siliconées rêvant de Hollywood et des bellâtres musculeux nostalgiques d'*Alerte à Malibu*. La petite ville de Loma Linda, qui compte un peu moins de 20 000 habitants, a la particularité d'être l'un des endroits au monde où l'on vit le plus longtemps. Une étude réalisée par l'Institut national de santé américain montre que ses habitants vivent cinq à huit ans de plus que les autres Californiens.

En plus, on y vieillit en forme. À l'image de Marge Jetton, devenue une star locale à plus de 100 ans. Elle est passée sur CNN, chez Oprah Winfrey, et même sur France 2. Partout, elle a offert la démonstration de ses activités sportives quotidiennes : vélo d'appartement et séance d'haltères. Avec ses cheveux blancs, son chemisier rose et son sourire communicatif, elle incarnait la grand-mère idéale. Marge est décédée en 2011 à 106 ans. Mais elle n'est pas un cas unique. Tous les reportages consacrés à cette rayonnante bourgade mettent à l'honneur des quasi-centenaires fringants qui fanfaronnent devant la caméra.

Leur secret ? Ils sont végétariens. Ils appartiennent, comme la moitié de la population de Loma Linda, à l'Église adventiste du septième jour, un groupe protestant qui prône une rigueur aussi bien spirituelle qu'alimentaire. L'un des préceptes adventistes est le refus de la viande et de l'alcool. Cette abstinence à l'égard des produits carnés n'est pas anecdotique. Elle occupe même une telle place dans la vie quotidienne de Loma Linda que la municipalité a accueilli plusieurs fois depuis 1988 le Congrès international sur la nutrition végétarienne.

L'auteur-explorateur américain Dan Buettner est le premier à s'être intéressé aux centenaires de Loma Linda. Il leur a consacré un article dans l'édition de novembre 2005 de *National Geographic*, avant de publier quelques années plus tard un livre pour le compte du National Geographic, en association avec le National Institute of Aging, chargé d'étudier la problématique du vieillissement. La mission qui lui avait été confiée était de trouver les endroits où l'on vit le plus longtemps sur la planète. Des endroits baptisés « zones bleues ». Buettner a ainsi défini en 2008 plusieurs zones où le nombre de centenaires est particulièrement élevé. Loma Linda fait partie de ces endroits, avec la province de Nuoro, en Sardaigne, la partie nord de l'île principale de l'archipel d'Okinawa, au Japon, la péninsule de Nicoya, au Costa Rica, et, récemment entrée au palmarès, l'île d'Icarie, en Grèce.

Selon Buettner, 90 % de nos maladies sont déterminées par notre mode de vie. Or il a observé que tous ces endroits où l'on trouve de nombreux centenaires ont des points communs. Ainsi, les relations sociales et la vie spirituelle y jouent un rôle important : prière, culte des ancêtres, optimisme quotidien. L'exercice physique est un autre facteur favorable à la longévité. Nul besoin de fréquenter une salle de sport branchée : il suffit de privilégier la marche pour se rendre au travail ou visiter des amis, faire du vélo, du jardinage, etc. *Last but not least*, le régime alimentaire est essentiel. Buettner a noté que, dans les zones bleues, les habitants ne mangent pas de viande, ou très peu. Conclusion : le boycott de la viande permettrait de vivre plus longtemps.

Que la nature du régime alimentaire puisse améliorer (ou détériorer) la santé, plus aucun médecin sérieux ne saurait le nier. Le docteur David Servan-Schreiber l'a très bien expliqué dans son best-seller *Anticancer*. Ainsi, certains cancers, comme le cancer de la prostate ou celui du sein, très fréquents en Occident, n'existent pas dans des pays où l'alimentation est fort différente de la nôtre, comme des pays d'Afrique du Nord ou d'Asie. Il relevait aussi que les cancers ont considérablement augmenté en Occident depuis la Seconde Guerre mondiale, c'est-à-dire depuis que notre alimentation a profondément changé : forte augmentation de la consommation de sucre, modification des graisses animales (viande, lait, fromages, œufs), qui sont désormais trop riches en oméga 6, et développement des produits chimiques avec l'utilisation généralisée des pesticides. Dans une interview vidéo visible sur un site Internet dédié à la santé, David Servan-Schreiber détaillait ses conclusions :

La plupart des molécules anticancer contenues dans les aliments sont dans les légumes et les fruits, et pas dans la viande, le lait, le beurre, le fromage et les œufs, il n'y a aucun doute. Les légumes et les fruits contiennent non seulement des antioxydants, mais bien plus que ça, ils contiennent des molécules spécifiques qui ont une action anticancer. Par exemple le thé vert. Quand on donne du thé vert à des souris à qui on a greffé un cancer, les tumeurs ne se propagent pas autant que si elles ne boivent pas de thé vert. Et les populations qui boivent du thé vert ont moins de cancers que nous. Autre exemple : l'anti-inflammatoire le plus puissant naturel que l'on connaisse est le curcuma, c'est-à-dire cette poudre jaune à la base du curry qu'on mange tous les jours en Inde. Ça limite aussi les problèmes d'arthrite, le développement du cancer et le développement d'alzheimer[101].

David Servan-Schreiber recommandait, pour améliorer sa santé ou en tout cas éviter de la dégrader, de ne pas manger trop de produits animaux. Ce point de vue est largement partagé aujourd'hui. De nombreuses études montrent que, sur le plan nutritionnel, les régimes végétariens ou extrêmement peu carnés sont meilleurs pour l'organisme. La plus célèbre d'entre elles est celle du biochimiste américain T. Colin Campbell, exposée dans son best-seller *The China Study*, publié en 2005 et traduit en français sous le titre *Le Rapport Campbell* – une traduction que l'on doit à une maison d'édition québécoise. En France, l'ouvrage de ce nutritionniste renommé est passé complètement inaperçu. Compte tenu de la thèse qu'il défend, ce n'est pas tellement surprenant. T. Colin Campbell démontre qu'il existe un rapport direct entre la consommation de produits d'origine animale, y compris laitiers, et l'apparition d'une série de maladies telles que le cancer du sein, celui de la prostate et celui du côlon, les maladies coronariennes et la sclérose en plaques. « Chaque jour de la semaine, nous mangeons comme des rois, écrit-il en parlant des Occidentaux, et cela finira par nous tuer. » Pour lui, les cancers, l'obésité ou le diabète sont majoritairement des « maladies de la prospérité ».

The China Study est le fruit d'un travail colossal : vingt ans de travaux menés conjointement par l'université Cornell, à Ithaca, dans l'État de New York, l'université d'Oxford, en Grande-Bretagne, et la Chinese Academy of Preventive Medecine. Il s'agit de la plus vaste étude nutritionnelle jamais conduite. Le principe était de comparer les conséquences sur la santé d'un régime à base de viande et d'un régime à base de plantes. Pour cela, Campbell a étudié l'alimentation dans des dizaines de cantons chinois (où l'alimentation carnée est souvent très limitée) et l'a mise en parallèle avec l'alimentation américaine.

Les conclusions de Campbell, qui s'appuient sur une multitude d'exemples et de données impossibles à résumer ici, sont sans appel : le régime végétarien permet d'éviter ou de faire reculer les maladies chroniques :

J'ai réalisé à quel point les bienfaits d'une alimentation végétarienne étaient nombreux et bien plus impressionnants que toute la panoplie médicamenteuse et chirurgicale de la médecine traditionnelle. Nous pouvons éviter dans une large mesure les maladies cardiaques, le cancer, le diabète, les attaques vasculaires cérébrales, l'hypertension, l'arthrite, les cataractes, la maladie d'Alzheimer, l'invalidité et d'autres désordres chroniques. [...] Des preuves supplémentaires impressionnantes existent aujourd'hui pour étayer la thèse selon laquelle les maladies cardiaques à un stade avancé, certains types de cancers avancés, le diabète et plusieurs autres maladies cardiaques peuvent être résorbés grâce à l'alimentation[102].

Campbell tient à préciser que sa position ne repose sur aucun fondement philosophique ou moral. Pour ses travaux, il a d'ailleurs effectué des recherches expérimentales sur des rats et des souris, ce que ne pourraient que lui reprocher les plus farouches défenseurs des animaux ! Lui qui a grandi dans une ferme a longtemps cru à la pertinence du régime alimentaire occidental classique. À tel point que, dans les premiers cours de biochimie nutritionnelle qu'il donnait à ses étudiants, il avait l'habitude de se moquer des végétariens. Mais les résultats de ses recherches l'ont progressivement convaincu qu'il était jusqu'alors dans l'erreur. Il a commencé par supprimer la viande de son alimentation, puis, quelques années plus tard, les produits d'origine animale, dont le lait, qui est, selon lui, cancérigène. Il est devenu végétalien.

LA VIANDE TUE DEUX FOIS

La viande tue donc deux fois : d'abord l'animal, et ensuite, prématurément, l'homme qui l'ingère. Tel est, on vient de le voir, l'avis du docteur David Servan-Schreiber et celui du biochimiste T. Colin Campbell. Du côté des diététiciens, si tous ne poussent pas aussi loin l'analyse, ils sont de plus en plus nombreux à reconnaître que les produits animaux ne sont pas indispensables dans l'alimentation.

« Peut-on se passer de viande ? La réponse est clairement oui[103] », écrit ainsi le docteur Laurent Chevallier dans son livre *Je maigris sain, je mange bien*. Ce médecin nutritionniste, praticien en clinique et à l'hôpital CHU de Montpellier, n'est pourtant pas un militant végétarien. Farouche adversaire des régimes hyperprotéinés, il ne prône pas pour autant l'arrêt de la viande. Il explique simplement qu'elle n'est pas indispensable : « Tous les éléments (protéines, vitamines du groupe B, fer) présents dans la viande peuvent être apportés par l'association d'autres aliments comme les œufs, le poisson et la combinaison judicieuse de végétaux (légumes secs et quelques graminées). »

Vous me direz qu'il ne s'agit pas là d'un scoop extraordinaire. Il y a actuellement dans le monde des centaines de millions de végétariens ; c'est bien la preuve que la vie sans viande est possible. La question est plutôt : le végétarien ne souffre-t-il pas de carences ? La réponse du docteur Chevallier est très claire : non, à partir du moment où il suit par ailleurs un régime équilibré.

Pour en être définitivement convaincu, il suffit de lire l'avis de l'Association nationale des industries alimentaires (ANIA), qu'on ne peut guère soupçonner d'accointance avec un quelconque lobby pro-animaux. L'ANIA regroupe en France plus de dix mille entreprises et se présente comme le porte-parole de l'industrie alimentaire. Pourtant, l'analyse qu'elle fournit va elle aussi à l'encontre de l'idée du caractère indispensable des produits carnés. Dans *La Lettre de l'ANIA* de novembre-décembre 2008, on peut lire ce diagnostic, inspiré d'un rapport de l'Agence française de sécurité sanitaire des aliments (AFSSA) : « Dans nos sociétés, les régimes végétariens

203

non stricts (n'excluant pas les produits laitiers et les œufs) permettent d'assurer un apport protéique en quantité et en qualité satisfaisantes pour l'enfant et l'adulte. » Ce sont les industriels de l'alimentaire qui le reconnaissent !

Vous aurez noté que ces deux avis « distanciés » et modérés préconisent, parallèlement à l'arrêt de la viande, une compensation par des produits laitiers et des œufs, voire du poisson. Or les vrais végétariens ne mangent pas de poisson, et les végétaliens aucun produit d'origine animale (ni œufs ni lait). Alors, faut-il craindre pour leur santé ? Selon le pays où la question est posée, la réponse diffère.

En Amérique du Nord, très clairement, le végétarisme comme le végétalisme sont soutenus par les autorités officielles. L'Association américaine de diététique revendique près de soixante-sept mille membres. C'est la plus grande organisation professionnelle du monde consacrée à la nourriture et à la nutrition. En juillet 2009, elle a publié un rapport sur l'alimentation végétarienne dont voici la conclusion : « Il est démontré que les régimes végétariens soigneusement organisés, tout comme les régimes végétaliens, sont sains, nutritionnellement adaptés, et peuvent être bénéfiques dans la prévention et le traitement de certaines maladies. Les régimes végétariens sont appropriés pour toutes les étapes du cycle de vie, y compris pendant la grossesse, l'allaitement, l'enfance et l'adolescence, et pour les athlètes. »

Le rapport liste les bienfaits du végétarisme : moins de problèmes cardiovasculaires, de cholestérol, d'hypertension, de diabète, de cancers de la prostate et du côlon. Bien évidemment, certaines situations particulières (comme la grossesse) exigent un suivi spécifique pour s'assurer que les apports en fer, par exemple, sont bien respectés. Mais ce rapport est on ne peut plus clair : adultes, enfants, femmes enceintes, tout le monde peut être végétarien ou végétalien, à partir du moment où l'alimentation est équilibrée. Il est certain que si quelqu'un arrête la viande et se contente, par exemple, de se nourrir de frites et de pains au chocolat, sa santé risque d'en prendre un coup.

Il est donc possible de vivre sans viande, voire sans produits laitiers, tout en se maintenant en parfaite santé. Mais faut-il le crier sur tous les toits ?

Apparemment, cette vérité peut être embarrassante. Ainsi, alors qu'au Québec le ministère de la Santé et des Services sociaux relaye la position de l'Association des diététistes du Canada – qui défendent, comme leurs homologues américains, les bienfaits nutritionnels du régime végétarien[104] –, en France le ministère de la Santé ne communique aucunement sur la possibilité de vivre sans produits carnés et laitiers. Au contraire, comme on l'a vu, les directives officielles prévoient de la viande à tous les repas dans les cantines scolaires. De là à dire que nous avons un métro de retard, il n'y a qu'un pas que franchit l'Association de professionnels de santé pour une alimentation responsable (APSARES). L'APSARES est née en France en 2008 et regroupe des médecins, des nutritionnistes et des infirmiers qui prônent le végétarisme. Voici sa position telle qu'affichée sur son site Internet :

Les alimentations végétariennes, y compris végétaliennes, bien équilibrées présentent des avantages significatifs pour la santé humaine. Il importe donc que les professionnels de santé confortent dans leur choix les personnes végétariennes ou souhaitant le devenir, et soient en mesure de leur donner des conseils nutritionnels appropriés et adaptés à chaque cas particulier afin d'optimiser les avantages pouvant être retirés de ce mode alimentaire. Il importe également que les professionnels de santé informent les personnes non végétariennes des dangers potentiels pour la santé d'une consommation régulière d'aliments d'origine animale, et les encouragent à rééquilibrer leur alimentation en consommant davantage d'aliments végétaux et en réduisant significativement leur consommation d'aliments d'origine animale. L'application de ces recommandations constitue un enjeu majeur pour l'amélioration de la santé publique en France et notamment la lutte contre les maladies dites « de civilisation » que sont les cancers (première cause de mortalité en France), les maladies cardiovasculaires (deuxième cause de mortalité), le diabète (quatrième cause) et l'obésité (facteur favorisant et/ou aggravant de très nombreuses maladies).

PLUS DE PROTÉINES DANS LE SOJA QUE DANS LA VIANDE

Pas de viande = pas de protéines. Voilà une idée reçue qu'il faut démentir une bonne fois pour toutes. D'ailleurs l'aliment qui fournit le plus de protéines n'est pas d'origine animale : il s'agit du soja. Il en contient environ 40 %, soit deux fois plus que la viande (de 15 à 20 %).

Le soja fait partie de la famille des légumineuses, ces graines séchées qui proviennent de plantes à gousse également appelées « légumes secs ». D'autres légumineuses sont des sources importantes de protéines : les haricots secs, les lentilles et les pois chiches (autour de 20 %), ou encore l'arachide (près de 30 %).

En ce qui concerne les céréales, on compte entre 10 et 15 % de protéines dans le riz, le blé, l'orge, le millet, le seigle, le sarrasin, l'avoine, le quinoa, le maïs, le kamut et l'épeautre. On en trouve environ 25 % dans le germe de blé et 30 % dans le seitan, qui est produit à partir du gluten de blé.

Les graines oléagineuses telles que les graines de lin, de sésame, de tournesol et de pavot contiennent environ 20 % de protéines. Les épinards, les brocolis ou les algues sont également particulièrement riches en protéines. Enfin, n'oublions pas que même les fruits contiennent des protéines – certes en faible quantité.

On trouve donc des protéines à foison dans l'alimentation végétale. Les aliments à protéines végétales ont de surcroît un avantage : ils contiennent des glucides – absents de la viande – et des fibres alimentaires.

Les sceptiques avancent néanmoins une autre critique : les protéines des légumineuses et des céréales seraient de « mauvaise qualité », car elles ne procureraient pas les acides aminés essentiels. Là encore, il convient de rétablir la vérité. Pour cela, je vous propose un cours accéléré de biochimie.

Les acides aminés sont les constituants élémentaires des protéines. Parmi eux, huit sont considérés comme essentiels car ils ne peuvent être synthétisés par l'homme, qui doit donc les trouver dans son alimentation. Ces huit acides aminés essentiels sont bien présents dans tous les aliments qui contiennent des protéines, qu'ils soient d'origine animale ou végétale. En revanche, dans la plupart des protéines végétales, l'un d'entre eux n'apparaît qu'en faible proportion. On l'appelle l'acide aminé limitant. Il s'agit de la lysine pour les céréales, et de la méthionine pour les légumineuses[105]. Pour résoudre ce (petit) problème, il suffit de privilégier les associations du type légumineuses + céréales. Cela n'a pas à être fait au cours d'un même repas, mais sur une journée complète. Les alimentations traditionnelles ont compris l'intérêt de telles associations depuis longtemps : riz et lentilles en Inde, riz et soja en Asie, maïs et haricots rouges dans les Andes, millet et haricots en Afrique, etc.

Enfin, dernier argument des ardents défenseurs de la viande, lâché telle une bombe thermonucléaire dont elle porterait le nom : la B12. La vitamine B12 sert à la formation des globules rouges dans le sang. Or cette vitamine dont nous n'avons besoin qu'en très faibles quantités ne se trouve quasiment pas dans les plantes. Serait-ce enfin la preuve qu'on ne peut se passer de viande ? Eh bien non. Car la B12 est présente dans le lait et dans les œufs. Les végétariens n'ont donc pas d'inquiétude à avoir. Quant aux végétaliens, ils peuvent s'en procurer sous forme de compléments alimentaires, fabriqués à partir de cultures de bactéries. Cette vitamine est aussi intégrée à certains plats végétaliens commercialisés, comme des céréales, des jus de fruits ou de la viande de substitution. Ironie de l'histoire : dans un article publié dans *Les Cahiers antispécistes*, David Olivier explique que les animaux d'élevage intensif reçoivent eux aussi des suppléments de B12, car leurs conditions de vie ne leur permettent pas de l'assimiler naturellement[106] !

ANNE-MARIE ROY, DIÉTÉTICIENNE SANS VIANDE

Dans son bureau (« clinique de consultation » en québécois), Anne-Marie Roy expose les produits qu'elle conseille à ses patients. Sur ses étagères se côtoient céréales, légumineuses, substituts d'œuf, huiles, soupes, pâtes de riz brun, d'épeautre ou au blé entier, pots de tahini (c'est une crème de sésame), beurre de noisettes, fèves de soja, flocons d'avoine roulés, laits de soja ou d'amande, falafels, burgers de champignons et riz, fromages sans lait, flocons d'érable biologiques, cassonade intégrale, sucre de stévia, croustillant de poulet sans poulet, biscottes multigrains, etc.

Anne-Marie Roy est diététicienne (il faut dire « diététiste » au Québec) et vice-présidente de l'Association végétarienne de Montréal. Elle est elle-même végétalienne depuis de nombreuses années, et prône donc un régime sans viande ni produits ani-maux, même si elle ne porte pas ses convictions comme une bannière. Son site Internet, par exemple, recommande simplement une « alimentation respon-sable ». Anne-Marie Roy est pourtant une référence à Montréal, et lorsque le hockeyeur vedette Georges Laraque a décidé de devenir végétalien après avoir vu le documentaire *Earthlings* (« Terriens »)[107], c'est vers elle qu'il s'est tourné pour qu'elle lui concocte un régime sur mesure.

Anne-Marie est devenue végétarienne à 22 ans, alors qu'elle venait de finir ses études de diététique. C'est un livre qui a tout changé : *Diet for a New Ame-rica*, de John Robbins. « Ce fut pour moi une révé-lation, m'explique-t-elle. C'est comme si on m'ouvrait les yeux. Jusqu'à présent, je n'avais jamais imaginé qu'il n'était pas éthique de manger de la viande. » Après onze ans de végétarisme, elle est devenue végé-talienne. Elle s'inspire aujourd'hui de deux nutrition-nistes, eux aussi végétaliens : la Canadienne Brenda Davis, de Vancouver (« Mon idole », confie-t-elle), et le docteur américain Michael Greger, de Washington, qui chaque année compile les milliers d'études paraissant sur la nutrition pour en proposer une analyse à travers des conférences très courues.

« Certains prétendent que c'est dangereux d'être végétalien, mais il est à mes yeux bien plus dange-reux d'être omnivore ! » s'insurge Anne-Marie. Elle ouvre un tiroir de son bureau et en sort des feuilles couvertes de graphiques. Les posant devant moi, elle commence sa démonstration : « Les gens s'imaginent qu'il faut manger en priorité des protéines, or c'est entièrement faux. Ce que l'on doit consommer en priorité, ce sont les glucides. Ils doivent composer 65 à 75 % de l'alimentation. Viennent ensuite les lipides, pour 10 à 20 %, et en dernier seulement les protéines, pour 10 à 15 %. En réalité, nos besoins en protéines sont faibles. Quelqu'un dont l'aliment central est la viande ne peut avoir la répartition juste, d'autant que, dans la viande, il n'y a pas de glucides. Et quand on dit que le poisson est un aliment extra-ordinaire, c'est faux : il contient beaucoup trop de protéines ! » Les chiffres qu'avance Anne-Marie sont justes : ils sont confirmés par l'Organisation mondiale de la santé.

Anne-Marie passe ensuite en revue toutes les maladies provoquées ou favorisées par l'alimentation carnée. Pour elle, il est déplorable que la dangerosité de la viande soit cachée : « Je fais souvent l'analogie avec la cigarette. Quand on a compris que le tabac était dangereux pour la santé, un gros effort a été fait pour éduquer les jeunes. Les publicités pour le tabac ont été interdites, les cigarettes ont été mises à l'abri des regards dans les magasins, et cela a porté ses fruits : aujourd'hui, au Québec, très peu de gens fument, ce n'est plus du tout la mode. En ce qui concerne l'alimentation, c'est exactement l'inverse. Il n'y a aucune éducation aux dangers de tel ou tel aliment. Pas de cours de nutrition, nulle part. Et on autorise la publicité à outrance. Les Jeux olympiques sont subventionnés par deux champions de la malbouffe : McDonald's et Coca-Cola. Et tout le monde laisse faire. Or nous devrions initier avec la viande et ses dérivés le même processus qu'avec le tabac. Il faudrait par exemple transformer notre industrie laitière, et à la place du lait faire pousser du sarrasin, des légumineuses ou des noix. Au lieu de ça, on préfère garder la population ignorante pour pouvoir la manipuler. Du coup, tout le monde pense encore qu'on a besoin de viande pour vivre ! Et alors qu'autour de nous beaucoup de choses évoluent très vite, c'est le contraire avec l'alimentation. Il suffit de se rendre dans un supermarché pour constater que les produits proposés sont à peu près les mêmes depuis très longtemps. »

Pour la diététicienne montréalaise, ce sont les différents lobbies de l'industrie agroalimentaire qui nous induisent délibérément en erreur : « Les gens pensent encore que sans viande ils vont manquer de protéines, de fer et de calcium. Mais aucune de ces peurs n'est valable. Elles ont toutes été fabriquées par l'industrie. C'est l'industrie laitière qui nous a fait croire que le calcium est important pour les os. Or, pour l'os, le magnésium est très important aussi, tout comme la vitamine K. Mais qui parle de vitamine K ? Personne. Le calcium, lui, est présent dans beaucoup d'aliments autres que le lait : le chou, le soja, les algues, le tahini, les graines de sésame... Quant au fer, ce sont les producteurs de viande qui en font la promotion ! Pourquoi ne se soucie-t-on pas plutôt de notre apport en iode ? En zinc ? Et en magnésium ? Il y a des omnivores qui sont très carencés en magnésium. Mais on ne fait pas la promotion du magnésium. Quant au lait, dont les mérites sont vantés depuis des années par la publicité, il pose de nombreux problèmes : il bloque la moitié de l'absorption du fer, il y a donc risque d'anémie, et en plus il favorise certains cancers. »

Une objection parfois opposée aux régimes végétalien et végétarien consiste à souligner qu'ils reposent en grande partie sur le soja. Que faire si l'on y est allergique ? Une fois de plus, Anne-Marie Roy a la réponse : « Les allergies au soja sont rares. Il y en a beaucoup moins que des cas d'allergie au poisson ou au lait. Il m'est même déjà arrivé d'avoir des clients non végétariens allergiques aux antibiotiques qu'on donne aux animaux. Il est vrai néanmoins qu'une allergie, quelle qu'elle soit, est très restrictive. Si l'on est végétarien et allergique au soja, il faut se rabattre sur d'autres légumineuses ou sur les noix, par exemple. Il faut passer au lait d'amande, de coco ou de chanvre. Il y a toujours des solutions. »

FABRIQUER DE LA VIANDE... SANS ANIMAUX

La qualité n'est pas toujours garante de succès (et inversement). La série américaine *Better Off Ted* a ainsi été interrompue après seulement deux saisons par la chaîne ABC, alors qu'il s'agit à mes yeux de l'une des meilleures sitcoms des dix dernières années. Un joyau d'humour noir qui, sous ses airs débonnaires, dénonce avec férocité la déshumanisation de notre système économique et industriel.

Ce feuilleton raconte le quotidien de Ted, un quadra dynamique et sympathique qui dirige le service Recherche et Développement de l'entreprise Veridian Dynamics. Cette société, qui ne se soucie ni de la morale, ni du bien-être de ses employés, crée tout et n'importe quoi dès lors que cela peut rapporter de l'argent. Et dans ce n'importe quoi, on trouve de la bouffe artificielle.

Le deuxième épisode de la première saison s'ouvre sur cette fausse publicité récitée d'une voix suave :

Veridian Dynamics. Nous sommes le futur de la nourriture. Nous développons la nouvelle génération d'aliments et de produits qui ressemblent à des aliments. Des tomates de la taille d'un bébé, du poisson au goût citron, des poules qui pondent seize œufs par jour, ce qui est beaucoup pour une poule, des légumes bio bourrés d'antidépresseurs. Chez Veridian Dynamics, on peut même faire des radis si épicés que les gens ne peuvent pas les manger, mais on ne les fait pas, puisque les gens ne peuvent pas les manger. Veridian Dynamics. Les aliments. Miam.

Puis l'épisode détaille le nouveau projet de la société : fabriquer de la viande – à savoir du bœuf – mais sans tuer de vache, simplement à partir de cellules de bovins. Après des manipulations peu ragoûtantes, les chercheurs de l'entreprise présentent le « fruit » de leur travail : une masse informe brunâtre dont le goût et la texture rappellent parfaitement le bœuf. Mission accomplie ! Sauf que cette fausse viande coûte 20 000 dollars le kilo ; donc, nous explique Ted, il faudra attendre des années avant qu'elle ne soit produite.

Il est désormais entendu que la fiction et la réalité ne sont jamais bien éloignées. En août 2011, soit deux ans après la diffusion de cet épisode, des chercheurs de l'université de Maastricht, aux Pays-Bas, ont annoncé qu'ils étaient sur le point de réussir à créer des saucisses à partir de cellules de cochon. Ils auraient déjà fabriqué des petites bandes de chair de couleur blanche ou grisâtre, et non rosée, car dépourvues de la moindre goutte de sang.

Fabriquer de la viande en laboratoire aurait bien évidemment de multiples avantages : finie la pollution due aux différents rejets des animaux ou à leur transport, finis les immenses territoires nécessaires pour les parquer et les nourrir, et, bien évidemment, finies les souffrances animales liées à ces élevages. Mais on n'en est pas encore là. Pour commencer, on ignore encore quel goût aurait cette viande *in vitro*. *A priori*, aucun, puisqu'elle ne contient ni sang ni graisse, ce qui pose quand même un petit problème pour les amoureux de la bidoche. Mais, surtout, selon le responsable des recherches à l'université de Maastricht, la production du premier hamburger coûterait environ 250 000 euros, ce qui n'est évidemment pas très rentable. Pour ce prix, je préconise plutôt un voyage dans l'espace. Agrémenté d'un sandwich végétarien.

Malgré tout, la spécialiste de l'agriculture Jocelyne Porcher estime que la viande sans animaux pourrait voir le jour prochainement, car elle serait l'aboutissement d'un système commercial enclenché depuis des décennies. Selon elle, « les animaux dérangent les industriels – il faut s'en occuper, les nourrir, prendre en compte leur "bien-être", etc., et puis les travailleurs sont attachés à leurs animaux de manière stupide, du point de vue de l'organisation du travail. La logique industrielle est donc de se passer des animaux. C'est ce qui nous attend et c'est pour demain[108] ».

Étonnamment, les industriels et certains défenseurs des animaux pourraient pour une fois se rejoindre. Ce projet de vraie-fausse viande a en effet attiré l'attention de l'organisation Peta, qui a offert un million de dollars au chercheur qui réussirait à créer de la viande de poulet *in vitro* avant la fin de l'année 2013.

La perspective de faire cesser les souffrances animales est séduisante. Mais celle-ci ne répond pourtant pas à la question essentielle : pourquoi s'acharner à vouloir manger de la chair, artificielle ou pas ?

LE PLAISIR DE MANGER VÉGÉTARIEN

Je viens de recevoir un message de Stéphane, l'un de mes meilleurs amis de lycée. Le temps et la distance kilométrique nous ont progressivement séparés, mais pas les souvenirs. Internet nous a remis en contact, et plus de vingt ans après le bac,

Stéphane a entrepris d'organiser une soirée de retrouvailles avec d'autres potes et copines de cette époque. La date a été fixée. Il ne reste plus qu'à trouver le restaurant.

Dans son mail, Stéphane m'écrit ceci : « Comme tu es végétarien, j'ai pensé à un resto qui pourrait contenter tout le monde : des pâtes ! Un bon p'tit resto italien avec des pâtes fraîches serait une bonne idée, non ? »

Deux lectures possibles. La première : l'attention de Stéphane est charmante. Il n'a pas oublié que je suis végétarien, et je ne peux qu'être touché par son effort pour dénicher un endroit où je trouverai mon bonheur.

Mais, sans doute par mauvais esprit, je choisis une seconde lecture qui soulève en moi cette question : pourquoi n'a-t-il pas tout simplement suggéré qu'on se retrouve dans un restaurant… végétarien ? En proposant un établissement « qui pourrait contenter tout le monde », il sous-entend qu'un restaurant végétarien ne saurait remplir cet office. Comme si se priver de viande pendant un repas lorsqu'on est non végétarien était forcément un sacrifice.

Bien curieux réflexe. Vous pourriez m'objecter qu'en tant que seul végétarien du groupe, il est normal que je n'impose pas mon régime alimentaire aux autres. Mais, à mes yeux, cet argument n'est pas valide. Imaginons une bande d'amis composée de plusieurs Français et d'un étranger originaire, disons, de Shanghai ou de Bombay. Les Français percevront-ils comme une concession le fait de se rendre dans un restaurant chinois ou indien, sous prétexte qu'ils sont majoritaires dans le groupe ?

La nuance, et elle est de taille, c'est que la cuisine chinoise et indienne, comme la cuisine japonaise ou mexicaine, sont aujourd'hui considérées en France comme exotiques et attrayantes. La cuisine végétarienne, elle, n'est associée dans l'inconscient collectif à aucune culture ni aucune saveur particulières. Elle est perçue comme la gastronomie de la contrainte, et non du plaisir. Impossible pour beaucoup de l'associer à une soirée sympa entre copains.

« J'aime trop la cuisine pour devenir végétarien ! » : cet aveu – ou cette excuse –, je l'ai entendu d'innombrables fois de la part de gastronomes amateurs ou éclairés, persuadés que l'art culinaire se dévalorise si l'on retire la chair animale du menu. Cette remarque est même parfois la réponse ultime de ceux qui reconnaissent la validité des arguments du végétarisme, mais refusent de les appliquer de peur d'être frustrés : « Pourquoi me priver de la satisfaction jouissive d'une bavette à l'échalote ? Aucun substitut ne saurait me procurer une telle salivation extatique, un tel nirvana du palais, une pareille bouchée orgasmique... »

Je reconnais bien volontiers que nourriture et plaisir sont intimement liés. Un repas où les papilles gustatives s'ennuient n'a pas totalement rempli sa fonction. Mais qu'on se rassure : le végétarien ou le végétalien n'ont pas choisi de renoncer à la bonne chère. Seulement à la mauvaise chair.

Je n'ai moi-même jamais aussi bien mangé que depuis que j'ai arrêté de manger des animaux. Ma décision m'a forcé à rechercher des aliments et des goûts nouveaux. L'alimentation végétarienne fait en effet partie de nombreuses cultures à travers le monde, et si l'on fait preuve d'un minimum de curiosité, on est assuré de découvrir des saveurs qui ne sauraient laisser indifférents les carnivores les plus fervents. Le tofu, à base de lait de soja fermenté, le tempeh, à base de graines de soja fermentées, ou le seitan, à base de protéines de blé, sont des substituts à la viande qui peuvent être accommodés de mille manières. Le boulgour, le millet ou le quinoa sont des céréales qui représentent des alternatives délicieuses au riz ou aux pâtes de blé. Si l'on s'en donne la peine, on peut découvrir ou redécouvrir des dizaines de légumes oubliés, comme le pourpier, le topinambour ou le paksoi. Les falafels ou le houmous, à base de pois chiches, sont des classiques de la cuisine moyen-orientale totalement négligés en Occident. Les algues, longtemps moquées, sont non seulement très intéressantes d'un point de vue nutritionnel, mais également fort savoureuses dès lors qu'on sait les cuisiner.

L'un de mes restaurants préférés à Montréal est le Chuchai, rue Saint-Denis, dans le centre de la ville. On y déguste de la cuisine thaïe. La carte propose plusieurs choix de préparation pour le poulet : aux champignons et au petit maïs, aux noix de cajou, à la sauce aigre-douce, à la sauce arachide, au gingembre frais, au cari vert, lait de coco et basilic... Pour le bœuf, vous pouvez opter pour la recette à la sauce trois saveurs, celle au cari jaune et lait de coco, celle aux pommes de terre et carottes, celle aux piments frais et basilic, celle au cari panang, lait de coco et basilic, celle au brocoli, ou encore celle à la sauce épicée et pousses de bambou. Mais mon plat préféré au Chuchai reste le canard croustillant accompagné d'une sauce soja et d'épinards. Un délice que j'aime compléter par des algues de mer panées croustillantes.

Malgré leur nom, aucun de ces plats ne comporte de viande. Le Chuchai est un restaurant végétarien. Les saveurs et les textures du bœuf, du poulet, du poisson ou des crevettes sont recréées à base de soja et de seitan. J'y ai dîné avec des omnivores qui se sont laissé surprendre : ils croyaient vraiment manger de la viande d'animaux. Profitant de son succès, le Chuchai a malheureusement largement augmenté ses prix dernièrement et il est aujourd'hui un peu cher, mais il reste une adresse intéressante pour qui souhaite découvrir les subtilités de la fausse viande.

À Paris, un établissement intéressant pour avoir un aperçu des saveurs de la cuisine végétarienne est L'Aquarius, dans le XIVᵉ arrondissement. Je le fréquente régulièrement depuis quinze ans. Je ne suis jamais déçu ni même surpris : la carte et le décor ne varient pas d'un pouce d'une année sur l'autre. Il faut dire que L'Aquarius est une institution. Il a ouvert en 1980, à une époque où le végétarisme était largement perçu comme une pratique sectaire qui ne concernait que quelques illuminés. Cette cantine végétarienne ne cherche donc pas à suivre une quelconque mode. D'ailleurs, elle est située bien loin des quartiers branchés, et elle est simplement tenue par des passionnés.

On peut notamment y déguster des lasagnes au seitan, courgettes et coulis de tomates, des quenelles de soja, du chili sin carne (le seitan remplaçant la viande), un excellent feuilleté de pleurotes (sans doute mon choix favori), de la tartiflette au jambon végétal fumé, un rôti de noix à la gelée de cassis, des feuilles de chou farcies au seitan ou aux céréales, une salade du pêcheur composée de plusieurs variétés d'algues, de tofu, de pamplemousse et d'avocat, ou encore un « mixed grill » composé de différents succédanés de viande accompagnés d'un œuf poché et d'un gratin dauphinois.

Il existe en France bien d'autres restaurants végétariens ou végétaliens proposant des plats de qualité, divertissants et complexes. Il y en a d'ailleurs de plus en plus. Aujourd'hui, les légumes ne sont plus seulement les faire-valoir anecdotiques de viandes ou de poissons ; ils sont parfois la source d'inspiration même du plat. Le chef étoilé français Alain Passard s'est ainsi pris de passion il y a quelques années pour les radis, les carottes, les tomates et autres topinambours. Même si sa cuisine n'est pas devenue totalement végétarienne, il fait désormais l'apologie du légume. Il a instauré la cuisine « légumière » au sein de son restaurant L'Arpège, dans le VIIe arrondissement de Paris. Dans une interview au journal *Télérama*, il explique comment, au début des années 2000, il est passé de la viande aux végétaux :

> Peu à peu, j'ai réalisé que j'avais rendez-vous avec le légume. J'ouvre les yeux sur le monde végétal. Je me remets au travail. Je travaille les découpes, je décortique, je cuis, j'assaisonne, je braise, je flambe : tout mon savoir se reporte sur les légumes. J'entre en vibration avec eux. Je suis dans une ivresse totale de couleurs, de parfums. Mais je ne pouvais me contenter de travailler avec des maraîchers de qualité. Comme dans toute histoire d'amour, vous avez envie de tout connaître, de maîtriser la totalité de ce qui se passe, sans tricher. Je voulais être capable de parler intimement de la moindre racine proposée au restaurant. Alors j'ai acheté un potager à l'abandon, à Fillé-sur-Sarthe, près du Mans [...] avec un projet simple : « Je veux faire du légume un grand cru. Je veux qu'on parle de la carotte comme du chardonnay[109]. »

Soyons honnêtes : en France, hormis Alain Passard, les grands chefs qui privilégient la cuisine des légumes ne courent pas les rues. Le bœuf, le lapin, la volaille ou le poisson sont encore considérés par beaucoup des représentants officiels de notre gastronomie comme les fondamentaux d'un plat digne d'intérêt.

Et pour être honnête jusqu'au bout, il me faut aussi reconnaître que certains restaurants végétariens ou végétaliens m'ont beaucoup déçu, proposant des plats dont l'austérité correspondait parfaitement au cliché généralement véhiculé à propos de la cuisine végétale. Si cela vous arrive un jour, ne vous laissez pas décourager par cette mauvaise expérience : si vous êtes omnivore, je suis sûr que vous avez déjà connu aussi des restaurants « classiques » aux plats immangeables. Eh bien, la cuisine végé, comme toutes les autres formes de cuisine, peut elle aussi être ratée. Mais cela n'enlève rien au fait qu'elle présente d'extraordinaires potentialités.

Bien sûr, à moins d'être très fainéant, très riche ou les deux, il est difficilement envisageable de manger chaque jour au restaurant pour y déguster des plats sans viande quelque peu élaborés. Mais ce n'est plus un souci aujourd'hui, car les choix de « fausse viande » dans les supermarchés deviennent de plus en plus nombreux. Et dans ce domaine, une fois encore, l'Amérique du Nord a une longueur d'avance sur la France.

La marque canadienne Gardein est spécialisée dans les plats cuisinés à base de végé-poulet ou de végé-bœuf : poitrine de végé-poulet à la toscane, ailes de végé-poulet sauce barbecue, escalope ou filet de végé-poulet, végé-poulet massala, brochettes barbecue, suprêmes à la dijonnaise, lanières de végé-poulet ou de végé-bœuf, burgers au végé-bœuf, etc.

La marque Yves Veggie, qui appartient au groupe américain Hain Celestial Group, ne commercialise elle aussi que de la viande végétale : tranches de dinde veggie, fausse viande hachée, chili veggie, brochettes et saucisses veggie (notamment d'excellentes saucisses à hot-dog), charcuterie veggie (pepperoni, salami, jambon, bacon, bacon fumé), burgers veggie aux différentes saveurs, etc.

Une autre marque canadienne, President's Choice, propose, en plus de sa gamme classique, une série de produits non carnés, comme un hachis, un chili, des cubes de fausse viande, de la sauce bolognaise, des ailes de faux poulet, de la poitrine de faux poulet, des boulettes de faux bœuf, etc.

Cette liste non exhaustive suffit à prouver que l'alternative facile à la viande existe déjà dans les magasins, même si certains pays sont plus en avance que d'autres sur ce terrain-là. Pour avoir fait tester beaucoup de ces plats par ma charmante assistante omnivore, je peux confirmer que certains ont vraiment la consistance et le goût de morceaux de viande.

RAISON N° 6

Parce que les animaux que nous mangeons nous ressemblent

C'est la pure vérité que nous sommes cousins des chimpanzés, cousins un peu plus lointains des petits singes, et encore plus lointains des bananes et des navets. [...] On le sait parce qu'un afflux de plus en plus important de données l'accrédite. L'évolution est un fait.

Richard Dawkins, biologiste, éthologue, spécialiste de l'évolution

« CE N'EST QUE DES BÊTES »

Mes voisines ont souvent été vaches. Ou plutôt, les vaches ont souvent été mes voisines. La maison où j'ai passé mon adolescence, et où habitent toujours mes parents, est située en bordure des champs. Au fond du jardin, de l'autre côté d'une fine clôture, un troupeau a l'habitude de venir paître. Avant même que ma famille emménage à la campagne, j'avais déjà expérimenté la proximité de bovins lors des vacances d'été quand j'étais enfant. Plusieurs années de suite, mes parents ont loué une maison dans la campagne vosgienne, près de la petite ville de Remiremont. Il s'agissait d'une ancienne étable rénovée. Le long de notre terrasse de gravier se dressait une petite claie de canisses nous séparant d'un enclos à vaches, lesquelles nous rendaient visite tous les soirs.

Les propriétaires de cette maison étaient des agriculteurs dont la ferme se situait à un quart d'heure de marche. Chaque jour, en fin d'après midi, nous faisions le chemin pour y acheter du lait frais, tout juste sorti des pis d'une vingtaine de vaches dont nous admirions, mon frère et moi, la traite mécanique : loin de la vie rurale rustique décrite dans l'un de nos feuilletons cultes, *La Petite Maison dans la prairie*, nous découvrions la magie du gobelet trayeur, dont les ventouses et les impulsions électriques remplacent avec efficacité les mains lasses du fermier.

Un soir, alors que nous venions chercher notre lait, nous eûmes droit à une surprise. Nos hôtes nous firent entrer dans un petit local où se reposait une brebis qui venait de mettre bas. Contre ses flancs se blottissaient de petites boules laineuses aux mouvements maladroits, telles des peluches bien vivantes. Toute ma famille fut émerveillée devant le spectacle de douceur et d'innocence qu'offraient ces agneaux encore tout étonnés d'être là – une vraie image d'Épinal, ville distante de seulement quelques kilomètres. Je pris l'un des agneaux dans mes bras et, tout attendri, demandai naïvement au fermier : « Qu'est-ce qu'il va devenir ? – Ben il va grandir un peu, et puis il partira à l'abattoir », me répondit-il avec détachement.

Mes parents m'adressèrent un sourire un peu gêné. Un monde venait de s'écrouler en moi. Évidemment, je savais que le gigot que je mangeais de temps en temps le dimanche chez ma grand-mère était une partie d'un animal dont on avait écourté la vie. Je le savais, mais je ne réalisais pas vraiment ce que ça signifiait. Comme lorsqu'on apprend un jour que le Père Noël n'existe pas alors qu'on l'avait déjà vaguement deviné, je venais soudain de rencontrer une réalité à laquelle j'étais plus ou moins sciemment resté étranger. Désormais, je ne pourrais plus feindre l'ignorance. Comme le fermier remarquait mon malaise, il me lança alors ces mots exacts qui ont longtemps résonné dans ma tête : « Bah ! Ce n'est que des bêtes ! »

Mais qu'est-ce qu'une bête, au juste ? Officiellement, le terme désigne tout être vivant à l'exception de l'homme. Autrement dit, cela va de l'éléphant à la punaise de lit, en passant par la moule ou le corail. Au pluriel, « les bêtes » évoquent le bétail. Jusque-là, rien de choquant. Ce qui l'est, en revanche, c'est la charge négative que porte ce mot.

Il est vrai que le terme a pu un temps, par un effet de mode qui s'est quelque peu atténué depuis, revêtir un caractère laudatif. « C'est une bête ! » s'exclame-t-on ainsi pour vanter les mérites d'un premier de la classe. On parle aussi d'une « bête à concours ». Mais cette acception est minoritaire. Lorsque le mot « bête » est utilisé en tant que substantif pour qualifier un homme, c'est généralement pour le déprécier en lui déniant sa part d'éducation et ses repères sociaux : « Il s'est comporté comme une bête », dira-t-on pour parler d'un assassin ou d'un violeur. La bête est alors une brute épaisse qui ne mérite pas sa place parmi les hommes. L'adjectif « bête » renvoie quant à lui au manque d'intelligence. « Qu'il est bête ! » chantait ainsi Dorothée en 1984, dans un hymne aussi stupide que le garçon qui en était le sujet.

Si « ce ne sont que des bêtes », alors nous sommes autre chose. Voilà le sous-entendu. Problème : cette proposition est fausse. Malgré ses dénégations, l'homme doit admettre depuis Carl von Linné et Charles Darwin qu'il est un animal. La grande famille des animaux s'étend aujourd'hui officiellement de l'homme à l'éponge, en passant par les insectes. Le grand écart. Parmi toutes ces espèces, évidemment, il y a différents degrés de sensibilité, de conscience et d'intelligence.

Rappelons une évidence : il y a mille fois plus de points communs entre l'homme et le singe qu'entre le singe et la méduse. Et ce pour une bonne raison : l'homme fait partie des singes. Il n'en descend pas, comme le discours en vogue depuis le XIXe siècle a pu le laisser penser, mais il en est un lui-même. C'est un primate.

L'homme appartient à la catégorie des grands singes, les hominoïdes. Dans cette catégorie, on trouve également les gorilles, les orangs-outans, les chimpanzés, les bonobos et, dans une autre sous-famille, les gibbons. Ces singes sont physiquement beaucoup plus proches de nous qu'ils ne le sont des autres singes comme les babouins ou les macaques. Le singe le plus proche de nous est le chimpanzé : 98,5 % d'ADN commun. Selon le généticien de l'évolution Pierre Darlu, l'écart génétique entre l'homme et le chimpanzé est bien moins grand que celui qui sépare les deux espèces d'orang-outan. Dans l'histoire de l'évolution, le chimpanzé est notre frère, pour reprendre l'expression du paléoanthropologue Pascal Picq :

> Nous avons un dernier ancêtre commun à partir duquel nous nous sommes séparés en Afrique vers 6 ou 7 millions d'années. Si on fait le bilan de ce que l'on a observé depuis trente ans chez les chimpanzés, on s'aperçoit que tout ce que l'on avait cru voir se manifester en termes d'adaptation uniquement chez les hommes, c'est-à-dire la bipédie, l'outil, la chasse, le par-

tage de la nourriture, la sexualité, les systèmes sociaux, le rire, la conscience, l'empathie, la sympathie, les chimpanzés le font aussi. Donc, soit ils ont tout acquis indépendamment, soit cela vient du dernier ancêtre commun, ce qui est plus plausible. Cela veut dire que déjà dans le monde des forêts, il y a 6 à 7 millions d'années, toutes ces caractéristiques que l'on a crues propres à l'homme existaient et font partie d'un bagage ancestral commun[110].

Pour nous obliger à un peu d'humilité et pour mieux relativiser le rapport que nous entretenons avec les autres espèces, il n'est pas inintéressant de se replonger quelques instants dans l'histoire de l'évolution. Rappelons que les premiers animaux, nos précurseurs en quelque sorte, furent... des vers, apparus pour la première fois il y a 3,5 milliards d'années. À l'époque, ce sont des organismes sans nerfs ni cerveau, mais qui pourtant se nourrissent – ils possèdent pour cela une bouche et un anus – et sont capables de se déplacer et de réagir à l'environnement extérieur (toucher, lumière, température...)[111]. Apparaissent ensuite des vers munis d'une tête et d'une queue. Au Cambrien (– 540 millions d'années), les corps jusqu'alors mous commencent à être protégés par des carapaces ou des coquilles composées de carbone et de phosphate, soit du calcium et de la silice, comme nos os et nos dents aujourd'hui. L'apparition de ces squelettes externes débouchera sur celle des membres articulés. Les arthropodes possèdent un cœur, un système nerveux, un cerveau et une capacité sensitive. Il y a 430 millions d'années, voici les premiers poissons vertébrés, avec un squelette interne. Pascal Picq explique que les fosses que nous avons aujourd'hui au niveau des joues sont les restes du squelette de nos ancêtres les poissons. Il y a 350 millions d'années, les poissons sortent de l'eau : les insectes, les amphibiens et les reptiles apparaissent. Naissance des tortues, des grenouilles et des serpents. Les mammifères voient le jour à partir de – 320 millions d'années. Il y a 245 millions d'années, arrivent les dinosaures, qui se sont éteints il y a 65 millions d'années, à la fin du Crétacé. Les australopithèques apparaissent il y a environ 5 millions d'années, l'*Homo habilis* vers – 2,5 millions d'années, l'*Homo erectus* il y a 1,9 million d'années (c'est lui qui maîtrisera le feu), l'*Homo sapiens* vers – 200 000 ans, et l'homme de Cro-Magnon arrive en Europe vers – 40000.

L'homme étant un singe, il fait partie lui-même des animaux. C'est pourquoi il est sémantiquement faux de distinguer les humains et les animaux. Il est beaucoup plus juste de parler d'animaux non humains, par opposition aux humains.

Mais alors, si nous sommes des animaux, pourquoi nous embarrasser de scrupules ? Dans le monde des animaux, la règle est simple : manger ou être mangé. La vie est cruelle, c'est comme ça ! Voilà encore l'un des arguments de ceux qui s'accrochent à leur steak comme Harpagon à sa cassette : l'homme ne fait-il pas partie d'une vaste chaîne alimentaire où tout le monde mange tout le monde ? L'argument est toutefois inexact. Tous les animaux n'en mangent pas forcément d'autres. De nombreux mammifères sont herbivores, notamment ceux que nous prenons pour nourriture (à l'exception du porc). Les vaches, les poules ou les lapins ne tuent pas grand-chose d'autre que de l'herbe et des grains. Les animaux que nous exploitons sont les plus inoffensifs, et on ne pourra faire croire à personne que nous les tuons pour nous protéger d'un danger. Si nous détruisons aussi les animaux féroces, c'est dans un contexte complètement différent – celui d'une chasse mercantile et d'une réduction de leur habitat que nous leur imposons.

Par ailleurs, dans la grande chaîne alimentaire qui nous enchaîne, où est-il dit que l'être humain, pour être à sa place, se doit de manger d'autres animaux ? Voilà bien l'une des contradictions fondamentales des défenseurs de notre régime carné : pour expliquer pourquoi ils n'imaginent pas renoncer à manger d'autres êtres vivants, ils sont obligés de revendiquer leur plus profonde animalité, c'est-à-dire leur appartenance à la famille des espèces qui se bouffent entre elles pour ne pas être bouffées. Sauf que, dans le même temps, ils justifient la barbarie et le mépris avec lesquels ils exploitent certains animaux non humains par le fait que ces derniers ne sont, eux, « que » des animaux (« Ce n'est que des bêtes ! »), sous-entendant ainsi que les humains n'appartiennent pas à cette catégorie. Les défenseurs de la viande utilisent donc deux arguments inverses pour justifier la même chose : s'ils sont autorisés à manger de la viande, c'est à la fois parce qu'ils sont des animaux et parce qu'ils n'en sont pas ! Il faudrait savoir...

Enfin, pour relativiser la pertinence de la théorie du chasseur/chassé, précisons que notre plus grand « prédateur » n'est pas un animal que nous mangeons, pas même occasionnellement. Ce n'est pas le requin, qui tue régulièrement des surfeurs sur les côtes australiennes, ni le crocodile, ni l'ours, ni le lion. C'est un tout petit insecte de 5 millimètres : le moustique. Il tue chaque année entre 1,5 et 2 millions de personnes dans le monde en leur transmettant le paludisme, la dengue et la fièvre jaune.

L'ILLUSION DU PROPRE DE L'HOMME

La Ligue française des droits de l'animal (LFDA) – devenue aujourd'hui Fondation Droit animal, éthique et sciences – a été fondée en 1977 pour défendre les droits de l'animal en s'appuyant sur des réflexions scientifiques, philosophiques et juridiques. Parmi ses succès, on compte, en 1984, le premier règlement européen permettant de mentionner le mode d'élevage des poules sur les boîtes d'œufs pour valoriser les élevages de poules en liberté, ou encore, vingt ans plus tard, la modification du Code pénal pour qu'il intègre les sévices sexuels sur les animaux dans la catégorie des actes de cruauté et sévices graves. La LFDA a également été associée à la rédaction de la Déclaration universelle des droits de l'animal en 1977.

La fondation est aujourd'hui dirigée par Thierry Auffret Van der Kemp. Ancien directeur scientifique et pédagogique de l'Espace des sciences de Rennes, ce zoobiologiste marin a longtemps travaillé au palais de la Découverte, à Paris. C'est un spécialiste du monde animal. Il me reçoit au siège de la LFDA, dans le Ve arrondissement de la capitale. Cet homme d'une soixantaine d'années aux rondeurs sympathiques est un passionné capable de parler pendant des heures d'une faune et d'une flore qu'il a longuement étudiées et qu'il connaît par cœur. À la différence d'autres défenseurs des animaux, il préfère à une approche sentimentaliste de la question animale une approche exclusivement scientifique. Pour lui, c'est l'état de nos connaissances qui doit faire avancer les droits accordés aux animaux, et non l'attendrissement que beaucoup d'entre eux provoquent chez nous assez naturellement.

Le premier point qu'il tient à soulever, c'est que l'homme est une espèce en continuité avec le reste du monde animal : « Il n'y a pas entre les autres animaux et nous de différence de nature, mais seulement de degré. Et, parmi ces degrés, le degré culturel de l'homme est amplifié par la mémoire extracorporelle. Je m'explique. Avec les autres animaux, nous partageons deux mémoires : la mémoire génétique et la mémoire neurobiologique. Mais nous, humains, avons également inventé une mémoire qui est en dehors du corps et qui nous permet de partager avec l'ensemble de l'humanité, y compris l'humanité passée. Il s'agit de nos représentations sous forme d'images, de symboles, et sur différents supports (marbre, édifices, papier, pellicule papier, support numérique…). Nous avons donc la faculté de parler avec les morts ! En lisant Platon, je partage son expérience et je peux me l'approprier. Notre cerveau n'a pas beaucoup évolué depuis cinq cent mille ans, mais chaque individu accumule les expériences de tous les individus passés et du monde entier. C'est cela, la mémoire extracorporelle. Les autres animaux, en revanche, ne peuvent transmettre que directement, lorsque des individus sont dans leur voisinage pour les imiter. C'est aussi la fragilité des peuples qui n'ont pas de langage écrit et qui se reposent seulement sur la langue parlée. »

Thierry Auffret Van der Kemp refuse pourtant de parler d'une « faiblesse » des autres espèces animales par rapport à l'homme. En tant que biologiste, il se méfie énormément des critères utilisés pour juger du succès d'une espèce. Selon lui, si le critère retenu est la capacité à peupler l'ensemble de la planète, et même l'espace, alors oui, on peut dire que les humains sont très forts. Mais si l'on retient par exemple le critère de la durée de vie sur terre, alors certaines bactéries qui sont là depuis 3 milliards d'années ont fait beaucoup mieux que nous !

« Quant à l'homme, qui est une espèce très jeune, combien de temps va-t-il encore durer ? poursuit-il. Vu le chemin qu'il prend, sûrement pas un milliard d'années ! En fait, je vois l'homme comme le fruit de l'évolution. Dire que nous représentons l'espèce supérieure parce que nous avons un cerveau hyper-puissant, le langage articulé et que nous sommes très culturels, c'est un jugement de valeur, pas un constat scientifique. »

Ces propos me rappellent une étude publiée dans la revue britannique *Veterinary Record*. Selon le professeur Craig Sharp, son auteur, les capacités physiques de l'homme sont dépassées par les autres espèces animales dans de nombreux domaines. Le sprint, par exemple. Usain Bolt, recordman du monde sur 100 mètres avec un temps de 9,58 secondes, ne court en réalité pas plus vite... qu'un dromadaire. Et il est totalement largué face au guépard, qui peut courir la même distance en moins de 6 secondes, puisqu'il dépasse les 100 km/h (contre 37,6 km/h pour le champion jamaïcain). L'humain court aussi moins vite que l'antilope, l'autruche, le lévrier de course ou encore le cheval, qui peut courir un marathon presque deux fois plus vite que le meilleur d'entre nous[112].

Le directeur de la LFDA reconnaît à l'homme une autre faiblesse par rapport au reste des animaux : « Peut-être que notre péché originel est de ne pas vivre dans l'instant, contrairement aux autres espèces. L'homme est sans cesse en train d'imaginer et d'espérer autre chose, de vivre dans l'imaginaire. Dans l'imaginaire passé, dans l'imaginaire futur, mais jamais dans le présent. C'est sa force et sa faiblesse, parce que cette attitude occasionne beaucoup d'angoisse, et elle fait qu'on oublie de vivre. »

Depuis trente ans, on connaît beaucoup mieux les animaux grâce aux progrès réalisés en éthologie et en neurobiologie, et notamment aux travaux de chercheurs comme Jane Goodall, Dian Fossey, Biruté Galdikas, Frans de Waal, Konrad Lorenz et bien d'autres. Selon Thierry Auffret Van der Kemp, ces avancées obligent aujourd'hui à abandonner la notion si sensible de « propre de l'homme » : « L'éthologie, qui est la science du comportement animal, est une discipline très récente. Elle révolutionne les sciences biologiques au même titre que la génétique, mais avec probablement plus de répercussions philosophiques que l'ADN. L'éthologie et la neurobiologie ont montré que des comportements qui pouvaient passer pour proprement humains ne le sont pas du tout. On a d'abord cru que le propre de l'homme, c'étaient les outils. Puis on a découvert qu'il y a beaucoup d'animaux qui en fabriquent : les chimpanzés, les orangs-outans, certains oiseaux, etc. Le propre de l'homme est alors devenu la culture. Mais là encore on a trouvé des exemples de proto-culture chez d'autres animaux. On a alors dit que seul l'homme possédait la conscience de soi. On sait désormais que c'est faux grâce au test du miroir : certains animaux se reconnaissent dans une glace. Puis on a cherché du côté de la métaconscience (avoir conscience que les autres ont une conscience). Mais, là encore, on a trouvé des animaux, comme des geais américains, qui ont prouvé qu'ils possédaient cette caractéristique. L'éthologie conduit aujourd'hui, d'un point de vue philosophique, à renoncer à l'idée de "propre de l'homme". Il y a encore beaucoup de choses que l'on ignore, mais ce qui semble sûr, c'est que la spécificité humaine, c'est de se demander, justement, quel est le propre de l'homme ! »

Carnage bestial

Penelope et Michael forment un couple bourgeois
bien-pensant installé à New York. Penelope ne travaille pas, mais elle conforte ses discours humanistes
et altruistes en écrivant un livre sur le Darfour dont
on ignore s'il sera terminé un jour. Elle clame qu'elle
voue une passion à l'Afrique, ce continent si injustement oublié. Les « valeurs » sont pour elle la base
d'une éducation qu'elle veut rigide et sans faille. Bien
que plus effacé, son mari Michael partage avec elle,
en apparence, sa vision d'un monde plus solidaire
d'où la violence sous toutes ses formes devrait être
proscrite. Mais, comme les idéaux ne paient pas les
factures, Michael dirige aussi une entreprise de
plomberie et sanitaires qui rapporte bien, comme
l'atteste le luxueux appartement où vit la famille, et
où les livres d'art sont placés en évidence.

Nancy et Alan forment eux aussi un couple bourgeois, mais d'un autre genre. Alan est un avocat
cynique et antipathique pour qui la bienséance n'a
qu'un but utilitaire. Nancy lui est soumise. Elle multiplie les efforts pour compenser l'arrogance de son
mari et projeter l'image d'une personne conciliante,
hautement attachée à la moralité et à la justice.

Ces deux couples se font face afin de régler un dif-
férend qui a opposé leurs enfants : le fils de l'un a
frappé celui de l'autre. Penelope est jouée par Jodie
Foster, Nancy par Kate Winslet. Michael et Alan sont
interprétés respectivement par John C. Reilly et
Christoph Waltz. Le film s'intitule *Carnage*, il est
signé Roman Polanski, et il est sorti en France en
décembre 2011. Il est inspiré de la pièce de Yasmina
Reza *Le Dieu du carnage*.

Au-delà de la performance des acteurs et du talent du cinéaste, l'intérêt de *Carnage* réside dans l'analyse très fine du jeu social qui régit les relations humaines. Un jeu où chacun tient un rôle en fonction de la place qu'il a décidé ou accepté d'occuper. La politesse, l'amabilité, la prévenance ou la sollicitude sont au service de ce jeu de rôles. Mais il suffit d'un rien pour que le vernis craque et que le jeu tourne au « carnage ».

Progressivement, le rendez-vous de conciliation entre bonnes familles glisse vers le règlement de comptes où chacun apparaît finalement dans sa vérité la plus animale, libérée de toute convention sociale. Les torses se bombent, les cris retentissent, les reproches fusent. L'appartement se transforme en une cage où chacun se bat pour survivre, distribuant les coups avec férocité. La violence s'installe comme mode privilégié de communication. Et les quatre bourgeois redeviennent ce qu'ils sont en réalité tout en s'évertuant à le cacher : des bêtes guidées par leurs instincts et leurs besoins primaires. L'avocat arrogant finit en slip dans la salle de bains et la mère de famille apprêtée vomit devant tout le monde. Tandis que les odeurs pestilentielles se diffusent, on tente de les masquer en répandant un parfum qui n'est autre que la métaphore des convenances censées masquer nos laideurs.

Ce que montre Polanski dans *Carnage*, comme il a cherché à le faire dans plusieurs autres de ses films, c'est que, malgré notre souci constant de le cacher, nous ne sommes que des animaux qui réagissent en fonction de besoins plus ou moins primaires. Lui qui a joué sur scène le rôle de Gregor Samsa, le héros de Kafka qui se transforme en cafard dans *La Métamorphose*, observe ses personnages à la manière d'un entomologiste.

Notre animalité nous fait peur. Nous faisons tout pour la dissimuler. Mais elle est pourtant là, indépassable. Pire, les barrières que nous avons dressées pour nous en protéger, et que nous appelons civilités, n'attendent que la première occasion pour tomber. C'est le doigt d'honneur d'un automobiliste à un autre qui a eu la mauvaise idée de lui faire une queue de poisson. C'est le coup de poing qu'un homme envoie à celui qui a échangé quelques mots avec sa petite copine dans un bar. C'est la bagarre qui se déclare pour un regard de travers. C'est le supporter de football massacré parce qu'il ne soutenait pas la bonne équipe. C'est la file d'attente que l'on essaie de griller, l'air de rien, ou encore la place de parking que l'on subtilise parce qu'un autre automobiliste a pris un peu trop de recul pour faire son créneau.

Une fois que les lois ne nous restreignent plus (et ne nous protègent plus), qui redevenons-nous vraiment ? « L'homme est un loup pour l'homme », disait Hobbes. Théorie reprise par La Fontaine dans la fable intitulée *Les Compagnons d'Ulysse*, lorsqu'un des compagnons d'Ulysse, transformé en loup, refuse de redevenir un homme.

> Tu t'en viens me traiter de bête carnassière :
> Toi qui parles, qu'es-tu ? N'auriez-vous pas sans moi
> Mangé ces animaux que plaint tout le Village ?
> Si j'étais Homme, par ta foi,
> Aimerais-je moins le carnage ?
> Pour un mot quelquefois vous vous étranglez tous :
> Ne vous êtes-vous pas l'un à l'autre des Loups ?

Il y a plus de quarante ans, en 1971, une expérience particulièrement instructive a été menée à l'université Stanford, à Palo Alto, en Californie.

Conduite par le professeur Philip Zimbardo, elle est connue aujourd'hui sous le nom d'« expérience de Stanford ».

Des volontaires recrutés par annonce pour jouer un jeu de rôles ont été enfermés dans une fausse prison. Les vingt-quatre « cobayes » retenus étaient des étudiants dont l'équilibre mental et physique avait auparavant été évalué. Précisons aussi qu'ils étaient rémunérés (15 dollars par jour). De manière aléatoire et en ne tenant compte d'aucun critère psychologique particulier, neuf participants ont été désignés comme « gardiens », neuf autres comme « prisonniers », et les six derniers comme remplaçants.

Les prisonniers ont été regroupés par trois dans des cellules au confort minimal aménagées dans le sous-sol du bâtiment de psychologie de l'université. D'emblée, tout a été fait pour les déposséder de leur identité et les plonger dans une profonde incertitude morale : on les a privés de leurs habits en leur faisant revêtir une chemise de nuit avec un numéro de matricule, ce numéro devenant leur nouveau « nom ». Pas de sous-vêtements, pas de chaussures non plus, juste des sandales sommaires. On leur a également mis un bas sur la tête pour simuler le cheveu rasé. Les gardiens, eux, se sont vu remettre un uniforme et des matraques en bois dont ils n'étaient pas censés faire usage, toute violence étant proscrite.

L'expérience aurait dû durer deux semaines ; elle s'est terminée au bout de six jours. Dès le deuxième jour, les choses ont mal tourné. Les cobayes transformés en matons, investis de leur tout nouveau pouvoir de domination, ont rapidement dérapé. Confrontés aux premiers mouvements d'humeur des prisonniers, ils ont choisi la manière forte : après les avoir aspergés de neige carbonique avec les extincteurs de sécurité, ils leur ont ordonné de se mettre nus et ont placé en isolement celui qu'ils considéraient comme le leader de la protestation. Ils ont ensuite décidé de créer des tensions entre les détenus en les classant en « bons » et « mauvais », les premiers ayant droit à un traitement privilégié. Les humiliations se sont multipliées : toilettes à nettoyer à mains nues, privation de sommeil, séances de pompes, sac en papier sur la tête, entraves, discours méprisants, démonstration de position dominante... Certains cobayes-prisonniers, épuisés ou traumatisés, ont très rapidement souhaité arrêter l'expérience. Les responsables ont refusé. Aucun des faux prisonniers n'a protesté à ce moment-là, oubliant tous qu'ils avaient parfaitement le droit d'exiger de rentrer chez eux. Ils étaient désormais soumis.

Au final, l'expérience montra qu'un tiers des gardiens avait eu un comportement sadique. Il n'aura donc fallu que quelques heures pour que des êtres humains sociabilisés oublient leurs repères habituels et se placent sans broncher dans la position de tortionnaires sans remords ou dans celle de victimes résignées. Cela prouverait, d'une part, que l'autorité (celle des coordinateurs de l'expérience en l'occurrence) a plus de poids que les prédestinations génétiques ou le bagage culturel et social, et, d'autre part, que l'être humain a une tendance naturelle à oublier la compassion et l'empathie vis-à-vis de ses congénères dès qu'il est en position de force. Pire : la cruauté et le sadisme émergent dans de telles conditions.

Même si les conclusions de Zimbardo, comme il est de coutume en pareil cas, ont donné matière à polémique, on ne peut les occulter tant elles ont de résonances dans notre histoire.

Violence humaine

Le réalisateur Steven Spielberg a consacré plusieurs films à la guerre : *Empire du soleil*, *Il faut sauver le soldat Ryan*, *La Liste de Schindler* ou encore *Cheval de guerre*, auxquels il faut ajouter la production des séries *Frères d'armes* et *The Pacific*. Pourquoi un tel intérêt pour le sujet ? Parce que selon lui la guerre est un révélateur de la nature humaine. Il l'a compris en écoutant les histoires de son père Arnold et de tous ses amis vétérans de la Seconde Guerre mondiale[113].

De mon côté, en sortant de l'école de journalisme, j'ai choisi de devenir grand reporter et de couvrir en priorité des conflits pour la même raison : parce qu'il m'est toujours apparu que seules ces situations extrêmes permettent de comprendre qui sont vraiment les hommes et les femmes. Parce que, dans ces mondes en crise où la bienséance cède la place à la survie, les cœurs se révèlent dans leur plus brute réalité. Je suis parti en reportage dans les Balkans, en Afghanistan, en Irak, en Côte d'Ivoire, en République démocratique du Congo, en Tchétchénie ou dans les territoires palestiniens, pour découvrir le vrai visage de l'humanité. Ou de l'inhumanité.

Quel genre d'homme suis-je vraiment ? Courageux ou pleutre ? Généreux ou égoïste ? Idéaliste ou profiteur ? Quelle réaction aurais-je face à la griserie du pouvoir ? Et face à l'angoisse de la chute ? Suis-je capable de trahir ? Suis-je capable d'être un bourreau ? Suis-je capable de m'en abstenir ? Suis-je un tyran ou un héros ? Comme la plupart d'entre nous, je ne connais pas les réponses à ces questions. Sans doute avons-nous une idée de celui que nous aimerions être, mais comment savoir celui que nous sommes réellement sans avoir été mis au pied du mur ? Les petits ou grands tracas de notre vie quotidienne dans une société où la violence n'est majoritairement que sociale ou culturelle ne permettent pas d'en juger avec acuité. Les guerres sont les vrais laboratoires de nos âmes. Elles révèlent les hommes dans ce qu'ils ont de meilleur ou de pire.

Au cours du seul XXe siècle, les guerres et les conflits ont causé la mort de 231 millions de personnes, selon l'étude publiée en 2006 par Milton Leitenberg, de l'université du Maryland, aux États-Unis. Des millions d'hommes et de femmes qui ont été tués ou qu'on a laissés mourir à cause de décisions prises par quelques-uns de leurs congénères. On compte entre 13 et 15 millions de morts pour la Première Guerre mondiale, plus de 12,5 millions pour la guerre civile en Russie (1918-1922), entre 65 et 75 millions de morts pour la Seconde Guerre mondiale, plus de 40 millions de morts pour les conflits postérieurs à 1945 : Vietnam, Corée, Indonésie, Chine, Cambodge, Laos, Inde, Bangladesh, Turquie, Yémen, Israël/Palestine, Égypte, Pérou, Nicaragua, Guatemala, Salvador, Colombie, Bolivie, Argentine, Algérie, Zaïre/Congo, Ouganda, Soudan, Somalie, Sierra Leone, Nigeria, Mozambique, Liberia, Kenya, Éthiopie, Burundi, Angola, Irlande du Nord, Yougoslavie, Tchétchénie, Kosovo, Afghanistan, Irak... la liste n'est pas exhaustive.

En 1983, Milton Leitenberg livrait déjà au *Monde diplomatique* une analyse très pessimiste sur la nature humaine :

> Les autorités politiques d'un nombre considérable de pays préfèrent la guerre et les conflits. Et ce en toute connaissance de cause, et non parce qu'elles ne sont pas capables de les éviter. Elles désirent certaines choses qu'elles ne peuvent obtenir, ou pensent ne pouvoir obtenir, par d'autres moyens, plus qu'elles n'aspirent à la paix. De l'Afrique australe à l'Afghanistan, du Tchad à l'Indonésie, de l'Amérique centrale à l'Europe

de l'Est, la liste serait longue s'il fallait énumérer toutes les guerres et tous les conflits internes qui témoignent de cette disposition d'esprit[114].

L'homme est violent. Bien plus que la grande majorité des autres animaux qui l'entourent. Ce n'est pas une vision simpliste ou caricaturale ; c'est simplement la vérité. Et le dernier conflit à avoir touché le cœur de l'Europe, à savoir les guerres dans les Balkans, et notamment en Croatie et en Bosnie, dans les années 1990, l'atteste de façon indiscutable : des massacres, des viols et des génocides, perpétrés par des « monsieur Tout-le-Monde », du jour au lendemain.

EMPATHIE

L'empathie est la capacité à ressentir les émotions d'un autre, à se mettre à sa place pour imaginer ce qu'il éprouve. Longtemps nous avons considéré que cette aptitude était propre à l'humain, que lui seul parmi les espèces animales était capable d'altruisme, d'entraide gratuite, voire de sacrifice. Grâce au travail des éthologues, ces scientifiques qui étudient le comportement des espèces animales dans leur milieu, on sait aujourd'hui que c'est faux. Depuis quelques dizaines d'années, cette discipline qui n'en est encore qu'à ses balbutiements a permis d'établir que les autres animaux ont beaucoup plus de points communs avec l'homme qu'on ne l'avait soupçonné pendant des millénaires. L'empathie fait partie de ces points communs.

La très récente démocratisation des techniques vidéo (ainsi que l'inquiétante multiplication des caméras de surveillance dans l'espace public !) permet de recueillir de plus en plus de preuves. En décembre 2008, une vidéo postée sur Internet montre un chien risquant sa vie pour en sauver un autre[115]. L'imprudent s'est aventuré sur les voies d'une autoroute où les véhicules passent à toute allure et a été percuté. Inconscient, peut-être même mort, il gît sur l'asphalte au milieu des voitures et des camions qui le frôlent. Surgit alors un autre chien qui zigzague entre les véhicules pour rejoindre son compagnon inanimé. L'agrippant avec ses pattes avant, il le tire lentement jusqu'au bas-côté de la route, risquant dix fois de se faire heurter à son tour et de perdre la vie.

Ce genre de scène est plus courant qu'on ne le croit. En mars 2011, peu de temps après le tsunami qui a dévasté la côte est du Japon, une équipe de reporters japonais filme un chien retrouvé vivant au milieu des décombres. Sur les images, on le voit aller à la rencontre des humains qui le découvrent, puis essayer de les attirer vers un endroit où repose un autre chien, gravement blessé. L'animal n'acceptera de suivre les sauveteurs qu'au bout de deux heures, une fois qu'il se sera assuré que son compagnon a bien été pris en charge[116].

L'empathie chez les animaux a été de nombreuses fois démontrée, chez les singes, les dauphins et même les rats. Le rat, parce qu'il est associé aux égouts ou à la peste, a mauvaise réputation. Il est pourtant devenu un animal domestique comme le hamster ou le cochon d'Inde, preuve qu'il peut se montrer sympathique. On sait désormais qu'il peut aussi être empathique, notamment grâce à des expériences réalisées à l'université de Chicago en 2011, au cours desquelles des rats ont été amenés à libérer de leur cage des congénères emprisonnés, sans aucune récompense à la clé.

La solidarité entre représentants d'une même espèce est donc classique chez les animaux. Mais le plus surprenant, c'est qu'elle existe parfois entre les membres d'espèces différentes. Dans ce domaine, les hippopotames semblent particulièrement ouverts d'esprit. Ainsi, une scène filmée dans les années 1970 par un reporter du magazine *Life*, Dick Reucassel, est aujourd'hui régulièrement reprise par les sites qui militent pour une redéfinition du statut de l'animal[117]. Elle se déroule dans le parc national Kruger, en Afrique du Sud, une très vaste étendue de plus de 20 000 kilomètres carrés abritant toutes sortes d'espèces, des lions aux hippopotames en passant par les impalas – de gracieuses antilopes africaines. Sur ces images, une de ces antilopes tente de traverser un point d'eau lorsqu'elle est attaquée par un crocodile dissimulé sous la surface boueuse. Le prédateur referme ses crocs sur sa victime et s'agrippe fermement. Pendant de longues minutes, l'impala lutte pour garder la tête hors de l'eau, tandis que son prédateur cherche à le noyer. Soudain, un hippopotame qui se trouvait à proximité se précipite à son secours : il fonce sur le crocodile, qui prend aussitôt peur, lâche son gibier et s'enfuit.

Ce qui suit est peut-être encore plus incroyable que le sauvetage en lui-même. Ignorant sans doute que l'hippopotame est végétarien, l'impala rassemble ses dernières forces pour sauter sur le rivage, craignant qu'il ne s'attaque à lui à son tour. Bien au contraire, le lourd animal s'approche pour prendre soin de l'animal blessé. Il frotte son museau contre lui, puis lèche ses blessures. Avec sa mâchoire, il se saisit délicatement de sa petite tête et la place dans sa large bouche. Pas pour le manger, mais comme pour essayer de lui réinsuffler la vie. Peine perdue. Les plaies de l'impala sont trop profondes. Au bout d'un quart d'heure, l'hippopotame constate qu'il est mort. Ce n'est qu'alors qu'il se résout à l'abandonner.

Cette histoire a particulièrement marqué les esprits parce qu'elle a été capturée en vidéo, mais elle n'est pas un cas unique. D'autres exemples similaires ont été rapportés.

METTRE LES POULES SUR UN DIVAN

« Puisque nous ne savons pas ce que nous sommes, que savons-nous des animaux ? » s'interrogeait Montaigne. Près de cinq siècles plus tard, la question reste valide. Nous avons longtemps considéré le cerveau comme un organe mineur, réservant toute notre attention au cœur. Le fonctionnement du cerveau humain et de ses milliards de cellules, les processus tels que la mémoire, le rêve, l'apprentissage ou les sentiments nous sont encore très mystérieux. La science n'en a pas exploré plus de 10 %.

Puisque nous ignorons encore tant du psychisme humain, n'est-il pas hautement arrogant de prétendre savoir ce qui se passe dans la tête des animaux non humains ? Si nous nous autorisons à faire vivre à une poule ou à un porc des choses qu'aucun être humain ne saurait endurer, c'est parce que, justement, nous prétendons que, n'étant pas des humains, ils n'ont pas la même sensibilité que nous, et que la leur est de moindre importance. Mais qu'en savons-nous au juste ?

Le premier doute repose sur une évidence biologique. Les vertébrés sont apparus il y a 500 millions d'années et, depuis, le cerveau n'a cessé de grossir et de se complexifier. Bien sûr, cet organe n'est pas identique chez toutes les espèces : le cortex cérébral permet de faire une distinction nette entre les mammifères et les autres vertébrés, et au sein même des mammifères ce cortex présente d'importantes variations entre les humains, les autres primates et les autres espèces. Le cerveau du chien, de l'orang-outan, de la souris, de l'éléphant ou du dauphin ne sont donc pas identiques au cerveau humain. Il n'en reste pas moins que la structure du cerveau, où sont centralisées les informations relatives à notre sensibilité physique et émotionnelle, est commune à tous les vertébrés. Se pourrait-il vraiment que l'être humain soit la seule espèce à éprouver le plaisir, la joie, la souffrance, l'angoisse ? Même si cette théorie a prévalu jusqu'il y a peu, il ne serait pas sérieux de continuer à la défendre aujourd'hui.

Sous prétexte d'éviter le piège de l'anthropomorphisme (cette tendance à prêter à d'autres animaux des intentions ou des réactions qui ne seraient propres qu'aux humains), nous avons dénié aux autres espèces le droit à posséder une sensibilité proche de la nôtre. Quelle erreur ! Que l'univers mental d'une vache ne soit pas aussi complexe que celui d'un humain, cela se conçoit aisément : passer sa journée à brouter de l'herbe est moins compliqué que rédiger la *Critique de la raison pure* ou découvrir la théorie de la relativité. Pour autant, une vache n'a-t-elle pas le droit qu'on reconnaisse sa souffrance lorsqu'on lui retire son veau pour l'envoyer à l'abattoir ?

Imaginons la même scène chez nous : une femme vient d'accoucher, elle est étendue sur un lit d'hôpital. Sur son sein, son enfant, ce petit être devenu le centre de son univers, qu'elle serre contre elle, caresse et admire. Soudain, un commando fait irruption dans la chambre et lui arrache le nouveau-né, le faisant disparaître à jamais. Acte criminel. Barbare. La mère sombre dans la dépression ou la folie.

Imaginons maintenant que, pour cette femme, la scène se répète sans cesse. Que chaque fois qu'elle donne naissance à un nouveau bébé, celui-ci lui soit presque immédiatement confisqué. Non, justement, on ne peut pas l'imaginer. C'est pourtant bien ce que l'on fait subir aux vaches laitières que l'on engrosse à tour de bras jusqu'à ce qu'elles soient usées. Leur « vie » consiste à se faire ensemencer, à porter un veau qu'on leur enlève au bout d'un ou deux jours, et à subir ce traitement répété pendant cinq ans, jusqu'à ce qu'elles soient envoyées à l'abattoir pour finir « réformées » en steaks.

Mais, attendez un instant... Ça y est, me voilà pris en flagrant délit d'anthropomorphisme ! Comment osé-je comparer la douleur d'une vache et celle d'une mère humaine ? N'est-ce pas indécent, voire insultant ? Aurais-je dérapé ? Dépassé une limite ? Pourtant, c'est plus fort que moi, je ne peux chasser cette interrogation de mon esprit : sur quoi nous fondons-nous pour affirmer que les émotions humaines ont plus de valeur que celles des autres animaux ? Près de dix millions de Français auraient déjà consulté un psy. Il faudrait aussi pouvoir allonger les vaches ou les poules sur un divan. Elles diraient peut-être des choses étonnantes. Mais nul besoin d'aller jusque-là pour poser cette question simple : comment expliquer qu'une vache à laquelle on enlève son veau crie et le réclame pendant deux jours ?

J'ai été élevé comme tout le monde dans l'idée que les autres espèces « ne fonctionnent pas comme nous », qu'elles « ne s'attachent pas à leurs petits comme nous le faisons », qu'elles « ne ressentent pas les mêmes besoins et les mêmes manques affectifs que nous », etc. J'ai commencé à douter de ces principes en voyant un reportage à la télévision, dans le journal de 20 heures sur la chaîne qui s'appelait encore Antenne 2. Nous étions au début des années 1980, je n'avais qu'une dizaine d'années. Et ce soir-là je vis une scène que je n'ai jamais oubliée. Le reportage parlait de la reprise de la chasse au phoque. Cette pratique créait à l'époque la polémique grâce au coup de projecteur donné par Brigitte Bardot, qui s'était à juste titre émue des conditions atroces d'abattage des blanchons, ces bébés au poil blanc semblables à des peluches. Les images montraient un bébé phoque sanguinolent qui venait d'être tué à coups de bâton crocheté et que le chasseur traînait vers son bateau. La mère, elle, remontait la traînée de sang que le corps abîmé avait dessinée sur la glace. Elle ne voulait pas quitter son petit et, au risque de se faire elle-même massacrer, elle rampait derrière lui, au milieu des chasseurs. Surtout, on pouvait entendre ses longs cris résonner dans ce désert glacé, une plainte interminable que l'on ne pouvait interpréter que comme l'expression d'une douleur infinie.

Je n'ai pas inventé les pleurs de cet animal. Je n'ai pas transposé ma propre peine sur celle, hypothétique, de cette maman phoque. Je l'ai simplement vue et entendue. L'argument de la sensiblerie n'aurait pas sa place ici. Nier le sens de ces images ne serait pas seulement malhonnête, ce serait aussi profondément stupide.

L'ANIMAL EST UNE PERSONNE INTELLIGENTE

Sur de nombreux plans, l'espèce humaine a démontré depuis des millénaires une intelligence – ou, si vous préférez, des « capacités cognitives » – supérieure aux autres espèces présentes sur terre. En effet, elle est la seule à avoir su inventer la fusée pour rejoindre la Lune, le télescope capable d'observer les étoiles à des milliards d'années-lumière, le vaccin contre la rage, la télévision, l'ordinateur et le téléphone portables, le MP3, la PS3, le cinéma 3D, le chauffage central, le micro-ondes ou encore, dans un autre genre, la bombe nucléaire. La seule à avoir imaginé à des fins de divertissement des jeux aussi compliqués que le rugby ou le bridge. Elle est la seule espèce dont des représentants vouent leur vie à des activités comme la danse, la peinture ou l'écriture. Nous sommes aussi les seuls animaux à pouvoir gloser pendant des heures sur la beauté d'un trait de pinceau ou la profondeur d'un vers de poésie. Bref, nous sommes capables de nous exprimer par des biais assez variés, de percer quelques-uns des secrets de l'univers, et même d'en maîtriser une infime partie. Mieux, nous progressons jour après jour dans l'exploration des différents champs scientifiques.

Le « nous » que j'emploie ici, et qui désigne l'ensemble des humains, est en réalité bien trompeur. En effet, seule une petite minorité de nos congénères possède des connaissances et des talents qui font progresser l'humanité. Soyons honnêtes : les Einstein ou les Pasteur sont des exceptions qui surclassent l'ordinaire. En tant qu'individus, nous nous contentons pour la plupart de recevoir et d'utiliser comme nous le pouvons le fruit de connaissances qui ont été réunies par de plus fortiches que nous. Que maîtrisons-nous réellement des subtilités techniques des objets que nous utilisons, du réveille-matin à l'écran LCD, en passant par la voiture ou la wifi ? Personnellement, je serais bien incapable de fabriquer un seul de ces objets, ou même d'expliquer précisément son fonctionnement. Avec les outils de notre quotidien, nous agissons grosso modo comme les représentants des autres espèces animales : nous reproduisons quasi mécaniquement des comportements qui nous ont été transmis par d'autres.

Il ne faut pas non plus faire preuve d'extraordinaires qualités d'imagination ou d'adaptation pour emprunter chaque matin un métro bondé, passer huit ou neuf heures dans un bureau en y accomplissant tous les jours des tâches identiques, arpenter les rayons d'un supermarché pour remplir son réfrigérateur ou encore s'avachir dans un canapé pour regarder une boîte à images. Alors, par lesquels de ses actes la très grande majorité d'entre nous démontre-t-elle son appartenance à la race animale supérieure ?

Nous sommes chanceux : le talent de quelques génies rejaillit sur les moins doués et suffit à nous laisser croire que nous avons tous notre part dans la progression de notre espèce. C'est donc un fait : que nous soyons chercheur en physique quantique ou candidat d'une émission de téléréalité, nous appartenons à une espèce animale intellectuellement douée, sans doute plus que les autres. Mais cela ne fait pas pour autant de l'homme l'espèce supérieure. Et cela ne signifie pas non plus que les autres animaux sont absolument dénués de raison et de sensibilité.

Longtemps, cette théorie a prévalu. Mais elle n'a plus le moindre sens aujourd'hui, et pas un seul scientifique crédible n'accepterait encore de la défendre. Les Anglo-Saxons ont un terme pour désigner l'ensemble de ces caractéristiques – sensibilité, conscience, esprit : *sentience*. Sans équivalent en français, il désigne le fait d'avoir une vie mentale subjective, de ressentir des émotions, des perceptions, d'avoir des buts et des désirs[118]. Les animaux sont *sentients*, on le sait désormais. La question est de savoir jusqu'à quel point : quel est le *degré* d'intelligence des autres espèces animales, et quel est le degré de la douleur ou du plaisir qu'elles sont capables de ressentir ?

Cette question est d'autant plus compliquée que les ressorts de la douleur humaine, qu'elle soit physique ou psychologique, ne sont pas complètement connus, alors même que nous pouvons entendre le témoignage de patients que nous comprenons. Dans le cas d'un singe, d'un chien, d'un porc ou d'une poule, il nous faut décrypter des sentiments sans connaître leur langage. L'absence de la parole articulée est sans doute le plus grand drame des animaux non humains. Ils poussent des cris (nos oreilles ne les captent pas tous), développent une gestuelle, dégagent des odeurs, mais ces signes nous restent incompréhensibles. Les animaux se parlent, *nous* parlent, mais pour dire quoi ?

Certains scientifiques ont poursuivi le rêve d'apprendre à des primates à parler notre langue. C'est en réalité impossible, car l'appareil vocal des grands singes n'est pas adapté à une parole semblable à la nôtre. En revanche, différents singes (chimpanzé, orang-outan, gorille) ont appris des centaines de mots en langage des signes et ont été capables de tenir des conversations avec des humains. Les critiques émises consistent à dire que ces animaux ne peuvent évoquer que des choses concrètes. Mais Francine Patterson, professeur de psychologie à l'université de Santa Clara, en Californie, a toujours soutenu qu'elle dialoguait avec son gorille Koko de sujets métaphysiques tels que la vie et la mort[119].

La mort, justement. Comment les animaux l'envisagent-ils ? Les angoisse-t-elle comme nous ? Sont-ils capables de la conceptualiser ? Des études publiées en avril 2010 dans la revue américaine *Current Biology* attestent que les singes ont conscience de la mort. Et que certains d'entre eux ont un comportement semblable à celui des humains face au décès d'un de leurs proches.

« Chaque animal est un individu à part entière, un être social unique, complexe, et par là même un sujet de droit[120] », confirme le biologiste Yves Christen. Les animaux, explique-t-il, possèdent un univers mental. On a ainsi découvert que certains oiseaux voyagent mentalement, c'est-à-dire qu'ils peuvent se représenter un passé et un futur. Certains singes et certains dauphins expriment même une conscience de leur savoir, la métacognition (le fait de savoir que l'on sait). Et quid des éléphants ? « Le jour où l'on saura tout de ces géants, soyez-en sûrs, l'homme tombera de son piédestal, prédit Yves Christen. Car les éléphants nous révèlent un monde d'une sensibilité et d'une intelligence à peine imaginables. »

L'éthologue Karen McComb a remarqué que les éléphants se parlent grâce à des sons que l'oreille humaine ne peut pas toujours percevoir. C'est ainsi qu'ils s'identifient et se reconnaissent. Ils peuvent garder en mémoire une centaine de voix dont ils connaissent le propriétaire. Ils se souviennent même de la voix d'un éléphant mort deux ans plus tôt. Les éléphants gardent également en mémoire le mal qu'on a pu leur faire, et ils sont capables de se venger bien plus tard, lorsque l'occasion se présente. Ils développent des liens familiaux très forts, et les relations entre groupes sont faites de respect et de politesse.

Chez les primates, les relations peuvent être carrément politiques. Cela n'exclut pas le sens de l'humour. Les chimpanzés rient quand ils jouent, a ainsi noté la primatologue Jane Goodall. Le rire a aussi été identifié chez des animaux beaucoup moins proches de nous, comme les rats. Quant à l'amour, il existe bien aussi chez les animaux. Yves Christen cite les travaux de Bernd Heinrich sur les corbeaux, qui ont montré que ces oiseaux gardent leur partenaire longtemps, ce qui pourrait signifier qu'ils tombent amoureux. Chez les baleines, des cas d'amour passionnel ont été observés.

Nous ignorons encore beaucoup sur les animaux que nous côtoyons ou manipulons. Tout simplement parce que nous ne prenons pas la peine de réellement les observer. Ou encore parce que, malgré nos efforts, nous ne sommes pas capables de comprendre ce qu'ils ressentent, ce qu'ils disent ou ce qu'ils font. Nous savons tous par exemple que les chiens communiquent et qu'ils sont intelligents. Ils répondent à leur prénom et à de nombreux ordres, pour peu qu'on ait pris le temps de les leur apprendre. Ils connaissent donc des mots de notre langue, et comprennent la plupart de nos humeurs et de nos intentions. Mais nous, que comprenons-nous d'eux ? Quand notre chien aboie, ne commençons-nous pas par lui dire, énervés : « Mais qu'est-ce que tu veux ? »

POURQUOI L'HOMME A INVENTÉ L'ANIMAL

Différencier l'humain des autres animaux, comme nous avons longtemps tenté de le faire, n'a jamais été qu'une imposture au service de la tyrannie. Et celle-ci ne s'est pas uniquement exercée sur les autres espèces. Ce mensonge a en effet permis, à différentes périodes, de rejeter une partie de l'humanité en lui déniant ses droits les plus élémentaires. Noirs, juifs, Tziganes, Slaves, Indiens, populations colonisées : combien de peuples ont été traités d'« animaux », de « sous-hommes » indignes de posséder les mêmes droits que les autres ? Combien de groupes, au nom d'une prétendue non-humanité, ont été maltraités, réduits en esclavage ou exterminés ?

Le journaliste et historien Jacques Julliard a été mobilisé pour la guerre en Algérie, où il a été confronté à la torture, qu'il a refusé de pratiquer. Il le raconte dans un article paru dans *Marianne* et intitulé « On ne torture jamais son semblable ». Il explique que la torture ne peut s'exercer que sur un être à qui l'on dénie son statut d'humain : « [...] pour se donner le courage de torturer quelqu'un, il faut d'abord l'avilir, l'exclure en quelque sorte de l'espèce humaine. Tous les tortionnaires, qu'ils soient nazis, khmers rouges, français, algériens, américains, sont racistes, pour se donner le courage de commettre l'abominable[121]. »

Le paléoanthropologue Pascal Picq complète les propos de Jacques Julliard en relevant que « l'animalité justifie deux desseins aux conséquences funestes : le premier nous fait sombrer dans une névrose en donnant l'illusion de s'approcher de Dieu par l'avilissement des animaux ; le second en créant un concept diabolique au service de toutes les exclusions et de bien trop d'exterminations. [...] Tous les massacres perpétrés contre d'autres hommes commencent par le principe d'exclusion de l'animalité : on dénie à l'autre son humanité pour mieux l'éliminer, des guerres tribales aux camps d'extermination. Déshumaniser pour mieux exterminer. L'industrie de la mort mise en place par les nazis se fonde sur ces deux caractéristiques fondamentales de la pensée occidentale : l'animalité et la technique[122] ».

Rappelons-nous que même Voltaire, philosophe emblématique des Lumières et auteur du *Traité sur la tolérance*, était antisémite, pas si antiesclavagiste que ça, et croyait à la hiérarchie des races : « Finalement je vois des hommes qui me semblent supérieurs aux nègres, tout comme les nègres sont supérieurs aux singes et les singes supérieurs aux huîtres et aux autres animaux de la même espèce[123]. » Au siècle suivant, sous la IIIe République, Jules Ferry était un fervent partisan de la colonisation et un raciste patenté. L'histoire a choisi de ne retenir que son rôle pour rendre l'école gratuite, laïque et obligatoire, mais il faut se souvenir qu'il a aussi établi les protectorats français sur la Tunisie et l'Annam (qui deviendra le Vietnam). Ses propos devant l'Assemblée nationale en 1885 l'enverraient aujourd'hui directement devant un tribunal : « Il faut dire ouvertement que les races supérieures ont un droit vis-à-vis des races inférieures. Je répète qu'il y a pour les races supérieures un droit parce qu'il y a un devoir pour elles. Elles ont le devoir de civiliser les races inférieures[124]. »

Qu'il y ait des races humaines différentes et que l'une d'entre elles – la race blanche, évidemment – domine toutes les autres en intelligence et en culture a été pendant plusieurs siècles un axiome accepté par le plus grand nombre. La colonisation et l'esclavagisme pratiqués par les puissances occidentales n'en étaient que plus acceptables. Bien que la Déclaration des droits de l'homme et du citoyen ait été proclamée en France en 1789, ce n'est que depuis la fin de la Seconde Guerre mondiale, depuis les crimes immondes du nazisme, depuis l'accès à l'indépendance de la plupart des pays colonisés, que l'égalité de tous les êtres humains sur terre est posée comme un principe moral inaliénable des sociétés de progrès. Cela ne fait donc qu'un demi-siècle environ. Une goutte d'eau.

Les femmes ont, elles aussi, longtemps souffert d'une inégalité entre les sexes présentée comme une réalité intellectuelle et biologique, et ce pour le plus grand confort de la gent masculine. Sans que cela choque grand monde, elles ont été exclues de la vie politique, privées de droits civiques accordés aux hommes, soumises à l'autorité du père puis du mari, et bien sûr moins rémunérées pour des tâches identiques.

Racisme, esclavagisme, sexisme : chaque fois, la victime a d'abord été dépouillée de sa pleine humanité pour être mieux avilie.

L'animalité nous a ainsi autorisés à infliger les pires traitements à certains hommes et aux autres espèces. Puisque la vache, le cochon ou le chien appartiennent à cette catégorie inférieure, alors il est normal que nous puissions les utiliser à notre guise, fût-ce au mépris total de leur bien-être. Pascal Picq voit donc l'animalité comme « la pire invention d'une partie de l'humanité », car elle est « un sacrifice de la raison dédié à l'Humanité. Les animaux en seront les victimes expiatoires, de plus en plus expiatoires alors que s'affirmera ce qu'on appelle la modernité[125] ».

DOULEUR ET SOUFFRANCE

« Respirez très fort. Voilà. Tout va bien ? »

L'infirmière a prononcé ces mots avec douceur au moment où elle enfonçait la fine aiguille dans mon bras. Un contrôle de routine. Un filet de sang s'enfuit de ma veine, se laisse glisser dans un étroit tunnel de plastique transparent et s'écoule quelques dizaines de centimètres plus bas dans un tube. L'opération est parfaitement indolore. Pourtant, la jeune femme chargée de l'opération redouble de précautions et me regarde presque tendrement. Elle n'a qu'une crainte : me faire mal.

Je le reconnais, cette sollicitude n'est pas pour me déplaire. Elle me rappelle aussi que nous, humains, n'acceptons plus de supporter la douleur. Il est fini, le temps où les médecins répugnaient à administrer de la morphine. Fini le temps où il était admis qu'un rendez-vous chez le dentiste puisse se concrétiser par la brutale rencontre entre une roulette et un nerf à vif. La douleur n'est plus une fatalité assumée ou sublimée, ni une épreuve formatrice ou rédemptrice. Elle est désormais au centre de programmes publics qui visent à l'annihiler de la façon la plus radicale possible. Le XXIe siècle est celui de l'anesthésie, de l'insensibilité sensorielle.

En tant que patient, on ne peut que s'en féliciter. Pourtant, la douleur que nous n'admettons plus pour les humains fait toujours partie du quotidien de millions d'animaux sans que cela nous empêche de dormir. Plusieurs raisons possibles : certains d'entre nous ignorent totalement ce qu'endurent les animaux d'élevage ; d'autres le savent mais ont choisi de s'en foutre ; d'autres encore connaissent les conditions de vie des dizaines de milliards de bêtes qui meurent chaque année dans les abattoirs, mais ne comprennent pas ce qu'elles endurent. Ces personnes ne veulent pas croire que les cris que poussent les animaux puissent exprimer la douleur ou la peur. Les sons qu'ils émettent ne signifieraient rien de plus que les couinements d'une porte mal huilée. Cela permet d'oublier que chacun de ces animaux se différencie par son caractère, ses humeurs, son intelligence et, pour le dire clairement, sa sensibilité. Ces mots n'existent pas dans l'élevage industriel, lequel ne reconnaît aucune existence propre aux animaux qui y sont traités.

Or on sait aujourd'hui que presque tous les animaux éprouvent douleur et souffrance. La distinction est importante : la douleur et la souffrance expriment deux réalités différentes. La douleur est une situation désagréable ou insupportable en un point du corps. On sait de manière certaine qu'elle est ressentie par tous les animaux dotés d'un système nerveux central au niveau de la tête. Cela inclut l'ensemble des vertébrés, ainsi que certains invertébrés comme les mollusques céphalopodes, tels la pieuvre et le calmar, ou les crustacés décapodes (cinq paires de pattes), tels la langouste, le crabe, la crevette ou l'écrevisse. Il faut donc noter que, contrairement à certaines croyances, les poissons et de nombreux autres animaux des mers ont mal si on attente à leur intégrité physique.

La souffrance, quant à elle, désigne une douleur qui peut être aussi bien physique que morale. On peut souffrir sans agression physique, à cause de la frustration, de la peur, du manque, de l'angoisse, etc. Bref, la souffrance est le contraire du bien-être. On sait que tous les mammifères et les oiseaux peuvent souffrir. Mais on commence à identifier le phénomène chez d'autres vertébrés, et même chez les invertébrés céphalopodes.

Voilà pour les certitudes. Mais nous sommes loin d'avoir percé tous les secrets de la sensibilité, notion d'autant plus difficile à cerner qu'elle est subjective. Ma douleur n'est pas la tienne, et vice versa. Comment puis-je réellement savoir ce que tu endures ? Je ne peux que l'imaginer en fonction de ma propre expérience, c'est tout.

Nous avons donc encore de nombreuses interrogations sur la nature et le degré d'une douleur ou d'une souffrance, en fonction de celui qui l'expérimente. Il y a des cas qui alimentent le doute des scientifiques et les conversations des végétariens. On sait désormais que le homard souffre lorsqu'on l'ébouillante. Que les poissons ressentent la douleur de l'hameçon ou du harpon qui les transperce. Mais la moule et l'huître peuvent-elles avoir mal ? Apparemment non, mais pour certains le doute persiste.

La prudence est donc de mise. N'oublions pas qu'il y a quelques dizaines d'années seulement, on pensait sérieusement que les bébés ne ressentaient pas la douleur, au prétexte que leur système nerveux était inachevé. Les études menées notamment sur l'activité cérébrale ont démontré depuis que c'était entièrement faux. Il n'en reste pas moins vrai que la signification des pleurs du nourrisson demeure parfois un mystère. Comme les animaux, les bébés ne peuvent nous dire ce qu'ils ressentent avec notre langage.

Par ailleurs, lorsqu'une bête ne pousse aucun cri et que son calvaire est silencieux, alors notre conscience n'est pas même bousculée. À tort. L'absence d'expression sonore n'est en rien la preuve d'une absence de sensation douloureuse aiguë. Deux exemples chez les humains l'attestent : d'une part, les muets n'ont pas les moyens d'exprimer de façon sonore qu'ils ont mal ; d'autre part, des patients se réveillant après un coma racontent avoir, pendant leur « absence », éprouvé de la douleur lorsqu'ils ont été manipulés sans ménagement, alors qu'ils ne pouvaient, ni par les yeux, ni par la bouche, dire qu'ils ressentaient chacun des gestes pratiqués sur leur corps.

LES ANIMAUX QUE NOUS MANGEONS SONT-ILS MOINS SENSIBLES QUE LES AUTRES ?

Si nous osons imposer aux poules, aux cochons, aux moutons ou aux bovins des souffrances dont nous devrions avoir honte, c'est que nous connaissons en réalité très mal ces animaux que nous avons réduits en esclavage. Sont-ils tellement inférieurs aux chiens, chats et chevaux pour mériter cela ? Absolument pas. Les animaux d'élevage ont juste la malchance de n'inspirer qu'une indifférence bien commode, contrairement aux singes, aux dauphins ou même aux baleines, dont on étudie depuis plusieurs années les comportements culturels et sociaux. Du coup, on sait très peu de choses d'eux et il nous est facile de décréter qu'ils sont simplement stupides ou en tout cas, peu intéressants.

L'éthologue et philosophe belge Vinciane Despret fait partie, avec Jocelyne Porcher, des rares chercheurs qui tentent de rendre justice aux animaux de ferme en apprenant à mieux les connaître. Ensemble, les deux femmes ont écrit *Être bête*[126], un livre qui fourmille d'exemples attestant l'intelligence et le caractère de ceux que nous réduisons à l'état de bétail. Oui, les animaux de ferme ont de la personnalité, c'est incontestable ! Ici, ce sont des cochons particulièrement joueurs, là des vaches discrètes qui cohabitent avec des comparses « grandes gueules » qui la ramènent à la première occasion, à un autre endroit c'est une vache qui refuse de retourner brouter là où on l'a emmenée la veille car elle ne veut pas manger deux fois la même herbe. Il peut s'agir aussi d'un verrat qui ne choisit que les truies qui lui plaisent vraiment, d'une génisse qui hésite entre l'affection des hommes et l'autorité du troupeau, ou encore de truies qui réorganisent le paillage aménagé par l'éleveur parce que l'arrangement de ce dernier ne leur convient pas... Alors comment en douter ? Non, ces animaux ne sont pas que du muscle et de la graisse sur pattes. D'ailleurs, ils nouent des relations sociales complexes avec leurs congénères. Ils se fâchent, se réconcilient, et gèrent la vie de leur groupe grâce à un système hiérarchique précis. Chez les vaches par exemple, une meneuse, souvent plus âgée et plus curieuse que les autres, conduit le troupeau et décide des déplacements. Elle rassure ses copines s'il y a lieu. Elle sert aussi d'intermédiaire entre le groupe et l'éleveur, car elle jouit de la confiance des deux. Elle est donc en quelque sorte la négociatrice.

Thelma Rowell a décidé de prendre le temps d'observer les moutons en constituant un troupeau et en le regardant évoluer avec patience, à la manière de ce qu'a fait la primatologue Jane Goodall avec ses chimpanzés. Ses études lui ont permis de découvrir que les moutons manifestent des préférences, ou encore qu'ils règlent les conflits de manière pacifique en se frottant mutuellement les joues. Thelma Rowell propose ainsi de prêter au mouton cette capacité que Frans de Waal a observée chez les chimpanzés : l'art de se réconcilier. D'autre part, elle a constaté que, pour mener le troupeau, les mâles discutent entre eux grâce à des gestes du museau qui indiquent la direction[127]. Combien de centaines de signes ou d'autres éléments de langage de ce genre sommes-nous totalement incapables d'appréhender pour chacune des espèces que nous côtoyons ? Mystère. Mais ce témoignage d'un éleveur en dit long : « L'animal nous comprend mieux que nous, nous comprenons les animaux[128]. »

Loin d'être tous identiques les uns aux autres, les animaux de ferme sont des individus, sensibles de surcroît : une vache peut répondre à son prénom, obéir à des ordres et communiquer avec les hommes. L'un des éleveurs rencontrés par Jocelyne Porcher raconte comment ses vaches l'ont un jour alerté et guidé à la rencontre de l'une des leurs qui était souffrante dans un champ.

Pourtant, cette subtilité des animaux est entièrement niée dans les systèmes de production industriels, où on les prive de tout ce qui ressemble de près ou de loin à une existence. Dans la nature, les animaux ont leurs prédateurs et risquent aussi d'être mangés (même si cette règle est fortement discutable pour les bovins et les cochons). Mais si effectivement leur destin fait d'eux un jour le repas d'un plus fort, au moins auront-ils vécu jusqu'alors une vie à laquelle tous les animaux ont le droit d'aspirer, qu'ils soient humains ou non, c'est-à-dire une vie faite d'émotions, de jeux, de joies et de plaisirs à la hauteur des possibilités de leur espèce.

RAISON Nº 7

Parce que la morale nous commande d'arrêter la viande

Quant à notre façon de traiter les animaux, dont nous nous nourrissons, c'est à la fois délirant et ignominieux. Depuis que je sais par exemple comment sont élevés les poulets en batterie, je suis devenu incapable d'en manger. Une vaste prise de conscience est en train d'avancer à grands pas, et j'ai la conviction que l'industrie agro-alimentaire va devoir assez rapidement remettre en cause son système destructeur.

David Servan-Schreiber

« LA VIANDE EST UN MEURTRE »

Paul McCartney fut le premier militant végétarien rock'n'roll. Moby, lui, fut le premier militant végétalien clubber. En 2008, l'artiste, qui a ouvert un café végan à New York (le Teany), a mis en images ses convictions dans le clip de sa chanson « Disco Lies ». On y voit un poussin se rebeller contre le sort des poulets de batterie : devenu (très très) grand, il se

263

venge du propriétaire d'une grande chaîne de magasins qui ressemble à s'y méprendre à Kentucky Fried Chicken.

La musique, dit-on, adoucit les mœurs. Peut-être est-ce la raison pour laquelle on compte de nombreux musiciens végétariens ou végétaliens, dont Bryan Adams, Joss Stone, Kate Bush, Shania Twain, Chrissie Hynde des Pretenders, Jared Leto du groupe 30 Seconds to Mars, ou encore Thom Yorke, le chanteur de Radiohead. Ce dernier raconte qu'il a lui-même été sensibilisé à la souffrance des animaux d'élevage par une chanson : « Meat Is Murder » (« La viande est un meurtre »). Ce titre est extrait du deuxième album du groupe britannique The Smiths, qui s'est classé en tête des ventes en Grande-Bretagne en 1985.

La chanson « Meat Is Murder » a pour décor un abattoir et s'ouvre sur des bruits de scie et des cris d'animaux. Les paroles sont un plaidoyer en faveur du végétarisme. Traduites en français, ça donne ça :

Les gémissements de cette génisse pourraient être des pleurs humains
La lame qui crisse se rapproche
La belle créature doit mourir
Une mort sans raison
Et une mort sans raison est un meurtre
Et cette chair que vous goûtez par caprice
N'est ni succulente, ni savoureuse, ni belle
Et le veau que vous découpez
C'est du meurtre
Et la dinde que vous coupez en tranches pendant les fêtes
C'est un meurtre
Savez-vous comment meurent les animaux ?
Les odeurs dans la cuisine ne sont pas très agréables
Ce n'est ni « réconfortant », ni « joyeux », ni sympa

C'est le sang qui grésille sous le feu, et cette puanteur
satanique
C'est celle du meurtre
Ce n'est ni « naturel », ni « normal », ni sympa
C'est de la viande dans votre bouche
Et le goût que vous savourez
Est celui du meurtre

La tête pensante de The Smiths était son chanteur,
Morrissey. Aujourd'hui, cet intellectuel végétarien
poursuit une carrière solo. Le 24 juillet 2011, il se
produisait en concert à Varsovie. Deux jours plus tôt,
la Norvège venait de connaître un drame sans pré-
cédent dans son histoire moderne : près de quatre-
vingts personnes avaient été froidement assassinées
par un homme proche des milieux d'extrême droite
et des catholiques intégristes, Anders Behring Breivik.
Celui-ci avait d'abord fait exploser une bombe dans le
centre d'Oslo (huit morts), puis, quelques heures plus
tard, avait ouvert le feu sur des jeunes militants du
Parti travailliste qui assistaient à un rassemblement
politique sur l'île d'Utoya (soixante-neuf morts).

Sur la scène de Varsovie, Morrissey choisit de revenir
sur ce massacre, qui est alors à la une de tous les
journaux. Vingt-six ans après « Meat Is Murder », il
est plus que jamais végétarien et militant. Il introduit
l'une de ses chansons par ces mots : « Nous vivons
tous dans un monde meurtrier, comme les événements en Norvège l'ont montré, avec quatre-vingt-
dix-sept morts [bilan revu à la baisse par la suite].
Mais ça n'est rien comparé à ce qui se passe chaque
jour dans les McDonald's et les Kentucky Fried Shit
[*sic*]. »

Un dérapage ? Les jours suivants, la presse se
déchaîne, dénonçant les propos du chanteur de
manière virulente. *Les Inrocks* publient un article
intitulé « Morrissey pète-t-il les plombs ? ». L'hebdomadaire français est particulièrement sévère avec

l'artiste : « Les médias britanniques rapportent le dernier dérapage en date de Morrissey : coutumier du fait, il semble pourtant cette fois être allé très loin. Trop loin, sans doute. [...] le bonhomme semble ne plus connaître de bornes [...]. En cause : son végétarisme absolu, combatif depuis les premières années des Smiths mais devenu quasi terroriste depuis quelques mois[129]. »

Les Inrocks sont traditionnellement ouverts aux discours non consensuels. Quelques mois après avoir fustigé Morrissey, ils consacreront d'ailleurs leur une à l'écrivain Jonathan Safran Foer et à son livre *Faut-il manger les animaux ?*. Mais les propos de Morrissey semblent insupportables à la majorité des médias, même à ce magazine qui dit combattre les préjugés.

Pourtant, si l'on y réfléchit bien, Morrissey n'a rien dit d'inexact. Lorsqu'on sait que seulement en France 3 millions d'animaux sont tués chaque jour dans les abattoirs, l'assertion de Morrissey n'est pas une contre-vérité dans les termes : le bilan pourtant très lourd des attentats norvégiens n'est rien comparé au bilan quotidien des abattoirs. En réalité, le grand tort de l'artiste, aux yeux de beaucoup, est d'avoir osé comparer le prix d'une vie humaine à celui d'une vie d'animal d'élevage. Sous-entendu : la vie d'un seul homme vaudra toujours plus que la vie de milliers d'autres animaux.

La gêne provoquée par les mots du chanteur a été décuplée par l'émotion particulière qui a entouré les événements de Norvège. L'opinion a été très choquée par l'âge des victimes (des adolescents pour la plupart) et par la manière dont elles ont été exécutées. Sur l'île d'Utoya, Breivik les a tranquillement et méticuleusement éliminées une par une, alors que les malheureux tentaient de se protéger derrière des rochers, des buissons, sous des tentes ou en se jetant dans l'eau glacée. Ce qui a tant bouleversé le monde entier, c'est que tous ces innocents ont été tirés comme du gibier de chasse. Ou plutôt tués à la chaîne, comme des bêtes dans un abattoir. Morrissey voulait-il dire autre chose ?

MALTRAITER UN ANIMAL EST (PARFOIS) ILLÉGAL

Québec-Montréal. Je roule sur l'A20. Flash de 15 heures à la radio. La présentatrice choisit de mettre en une un procès qui se déroule en ce moment : celui d'un homme accusé de cruauté envers des animaux. Un an auparavant, il a tenté de se débarrasser d'une chienne et de ses huit chiots en leur enfonçant des clous dans la tête au moyen d'une cloueuse pneumatique, puis les a abandonnés dans un fossé. Les animaux ont été retrouvés par des promeneurs. Deux chiots sont morts, mais les autres et la mère ont pu être sauvés. Le procureur de la couronne, invoquant la préméditation, a requis une peine de quatre mois de prison assortie d'une probation de deux ans.

Dans de nombreux pays, l'actualité regorge de cas de maltraitance d'animaux dont le coupable finit derrière les barreaux. En France, en janvier 2011, un homme a été condamné par le tribunal de Cambrai à treize mois de prison ferme et trois ans de mise à l'épreuve pour actes de cruauté sur un animal domestique. Il avait été jugé en comparution immédiate pour avoir tué sa chienne à coups de massue et de tournevis. L'homme apparemment ivre voulait, selon ses dires, punir l'animal, un berger malinois, pour avoir essayé de le mordre et pour avoir voulu manger ses poules.

La cruauté reconnue par la justice n'est pas forcément celle qui s'exprime par les coups ou la torture physique. Une Anglaise de 45 ans, Mary Bale, l'a appris à ses dépens. Son nom est aujourd'hui honni par des milliers de personnes.

En août 2010, cette employée de la Royal Bank of Scotland marche sur un trottoir de sa ville, Coventry, lorsqu'elle aperçoit un chat sur le muret d'une maison. Elle s'arrête un instant, caresse l'animal, puis le saisit, le jette dans la poubelle située juste derrière le muret et referme le couvercle avant de repartir tranquillement. Comment expliquer ce geste stupide qui aurait pu avoir des conséquences dramatiques pour le chat ? La femme racontera plus tard qu'elle voulait simplement faire une blague. Difficile à croire, ou alors cette Mary Bale est dotée d'un sens de l'humour très discutable, que n'apprécient aucunement Darryl et Stephanie Mann, les propriétaires du chat. Ils retrouveront l'animal coincé dans sa prison de plastique au bout de quinze heures seulement, après avoir été attirés par ses faibles miaulements.

Darryl et Stephanie se doutent qu'il s'est passé quelque chose de bizarre. Ils ont les moyens d'en avoir le cœur net : des caméras de vidéosurveillance sont placées devant chez eux. Et ces caméras ont bien filmé toute la scène. Scandalisés en découvrant les images, ils mettent en ligne la vidéo sur YouTube. Ils ouvrent également une page Facebook, *Aidez-nous à retrouver la dame qui a jeté notre chat à la poubelle*, où ils sont bientôt rejoints par des dizaines de milliers de membres. La Société royale britannique de protection des animaux s'empare de l'affaire. La coupable est vite identifiée.

Mary Bale ne comprend pas la haine dont elle fait l'objet et trouve que les réactions d'indignation sont exagérées. Il n'empêche que sa vie va devenir un vrai cauchemar : menacée de mort, elle devra se cacher le temps que l'agitation retombe. Surtout, elle va avoir affaire à la justice : inculpée pour avoir infligé des souffrances à un animal, elle écope de 250 livres d'amende.

Ces cas de mauvais traitements ou de meurtres d'animaux ne soulèvent pas uniquement l'indignation de quelques âmes trop sensibles, ils sont réprouvés par la loi, et donc jugés contraires aux normes morales acceptables dans les sociétés où ils se produisent. Ils sont d'ailleurs relayés par la presse généraliste (et non seulement par la presse militante), qui considère à juste titre qu'on ne peut rester indifférent face à ces faits divers.

Ce qui est incompréhensible, en revanche, c'est que la justice est plutôt stricte dès qu'il s'agit des animaux de compagnie, mais beaucoup moins sévère en ce qui concerne les autres animaux, et notamment les animaux d'élevage, ceux qui finissent dans notre assiette. Un peu comme si leur destination finale justifiait qu'on soit moins soucieux du respect de leur intégrité physique et psychologique. Les animaux d'élevage sont donc victimes de la double peine : une vie passablement écourtée et, pendant ce bref laps de temps, une existence au mieux inconfortable. Pourtant, eux aussi ont légalement des droits. Mais pas tout à fait les mêmes. Nos règles vis-à-vis des animaux sont à géométrie variable et, encore une fois, totalement contradictoires.

L'ANIMAL, UN BIEN AUQUEL ON FAIT DU MAL

Au XIXᵉ siècle, les enfants et les chevaux sont les principales victimes de la révolution industrielle et des bouleversements capitalistes. Un enfant de moins de 10 ans peut travailler jusqu'à seize heures par jour dans une usine. Quant aux chevaux, ils tirent des chariots surchargés ou des fiacres pendant une vingtaine d'heures d'affilée, encaissent les coups, manquent de nourriture, et meurent souvent dans la rue au bout de quelques années, épuisés par les trop lourdes charges et les mauvais traitements.

La première loi pour encadrer la durée du travail des enfants est votée en 1841. La première loi pour protéger les chevaux apparaît quelques années plus tard. Il s'agit de la loi Grammont, du nom de son initiateur, Jacques Delmas, comte de Grammont. En 1845, ce député a fondé la Société protectrice des animaux, suivant l'exemple de la première société de défense des animaux créée à Londres en 1824. Votée le 2 juillet 1850, la loi Grammont punit ceux qui infligent publiquement et abusivement des mauvais traitements à un animal de compagnie.

Première loi française de défense des animaux, ce texte suscite déjà des railleries. Pourtant, s'il est important d'un point de vue symbolique, il est d'une portée limitée. Pour être répréhensible, la maltraitance doit avoir eu lieu en public – le but initial de la loi étant de faire cesser la maltraitance des chevaux. Sans témoins ou à la maison, on peut donc continuer à faire ce qu'on veut d'un animal. La loi Grammont sera complétée un siècle plus tard, en 1951, puis abrogée en 1959 par un décret qui sanctionne la cruauté envers les animaux quel que soit le cadre dans lequel elle s'inscrit – public ou privé.

L'étape suivante est la loi du 10 juillet 1976 sur la protection des animaux, et notamment son article 9, qui reconnaît que les animaux sont des êtres sensibles qui méritent de l'attention. Cette loi figure aujourd'hui dans le Code rural[130].

Pourtant, d'après le Code civil, les animaux sont des biens, meubles ou immeubles ! Il y a néanmoins un progrès, puisque pendant longtemps ce même Code civil rangeait carrément les animaux avec les choses, jusqu'à ce qu'une distinction soit opérée en

1999. Un progrès largement insuffisant : de plus en plus de personnes souhaitent une réforme du statut de l'animal dans le Code civil – aussi bien des militants pro-animaux que des élus de droite ou de gauche. Une proposition de loi a même été déposée le 3 avril 2012 par le député Jacques Remiller (UMP), demandant à ce que les animaux soient reconnus dans le Code civil comme des « êtres vivants doués de sensibilité ».

Le Code pénal, quant à lui, prévoit des sanctions en cas de mauvais traitements. Les associations ont d'ailleurs le droit de se constituer partie civile afin de représenter les animaux victimes de violences[131].

Code rural, Code civil, Code pénal : les différentes dispositions légales françaises n'ont pas peur de se contredire. Mais ce n'est pas tout. La réglementation du Code rural et du Code pénal présente plusieurs défauts. D'abord, elle ne s'applique qu'à certains animaux : ceux qui sont domestiques, apprivoisés ou tenus en captivité. Les animaux sauvages vivant en liberté ne sont donc pas concernés. Ils peuvent tout de même être protégés s'ils appartiennent à une espèce menacée, mais ils relèvent dans ce cas d'une législation différente : le droit de l'environnement. Les animaux sauvages en liberté ne sont donc pas protégés contre les mauvais traitements et la cruauté.

Ensuite, même dans les catégories auxquelles elle s'applique, cette réglementation prévoit des exceptions. Au nom de la tradition locale, les combats de coqs ou la corrida sont autorisés dans certaines régions. Et la douleur de l'animal ? Dans ce cas elle ne compte plus.

De la même manière, nous avons déjà évoqué les insuffisances des dispositions du Code rural (article R214-70) sur l'étourdissement des animaux avant leur mort, puisque cet étourdissement n'est pas obligatoire lorsqu'il est incompatible avec la pratique de l'abattage rituel. En clair, les moutons qui se font égorger pour répondre à la norme halal ou casher n'ont pas la « chance » d'être étourdis au préalable.

Notons encore que les dispositions sur la mise à mort des animaux ne concernent que « les animaux des espèces bovine, ovine, caprine, porcine, des équidés, des volailles, du lapin et du gibier d'élevage ». Nous sommes donc autorisés à laisser mourir par lente asphyxie les poissons d'élevage, dont la capacité à ressentir la douleur est pourtant reconnue. Parmi les autres exceptions, on citera l'arrêté du 16 janvier 2003 qui autorise à vif le meulage des canines de porcelets de moins d'une semaine, la section de la queue ou la castration des porcs.

Notre législation n'est pas plus logique en ce qui concerne le gibier d'élevage. Ce sont d'abord des animaux sauvages en captivité, que le Code rural protège donc contre les mauvais traitements, mais, dès lors qu'ils sont lâchés, leur statut juridique change (puisqu'ils deviennent des animaux sauvages en liberté) et leur sensibilité ne compte plus ! Enfin, l'expérimentation animale a son propre cadre juridique qui impose de restreindre l'usage des animaux au minimum et à la « nécessité », ce qui veut tout dire et rien dire à la fois.

Comment s'y retrouver dans cet enchevêtrement de textes ? La législation française sur les animaux évolue depuis des années au rythme de l'Europe. Le droit communautaire impose des normes de bien-être animal censées limiter les conséquences sur les bêtes de l'application des critères de compétitivité. Trois traités européens (Maastricht, Amsterdam et Lisbonne) ont reconnu les droits de l'animal. Les directives et les règlements sur le sujet sont nombreux. Beaucoup concernent les animaux domestiques d'élevage destinés à la consommation. Les animaux de compagnie bénéficient pour leur part d'une Convention européenne signée en 1987.

Sans entrer dans les détails, disons que la législation communautaire s'efforce de faire en sorte que les animaux d'élevage bénéficient d'un minimum de confort. Le terme « confort » est d'ailleurs inapproprié, car ces animaux ne connaissent dans leur vie aucun moment confortable. Il serait plus juste d'écrire que la législation tente de limiter leurs souffrances.

Selon l'espèce ou la race, on ne prendra pas les mêmes précautions : les dispositions légales varient en fonction des animaux concernés. Celles-ci se fondent en principe sur le diagnostic d'experts indépendants qui tentent de se mettre dans la tête de ces bêtes pour déterminer ce qui engendre chez elles stress ou angoisse. C'est ainsi que, comme on l'a vu, il fut admis un jour en Europe que pour être heureuse une poule pondeuse en batterie n'avait guère besoin de plus d'espace que l'équivalent d'une feuille A4. Par la suite, vu l'état des poules constaté au bout de quelques mois, des associations remirent sérieusement en doute la validité du premier diagnostic. Après moult discussions, on accorda finalement à chaque gallinacé pondeur un espace de 750 centimètres carrés, dont 600 centimètres carrés de surface utilisable, ce qui représente un gain de place équivalant environ à un post-it. Youpi ! En revanche, il n'est encore venu à l'esprit d'aucun de ces talentueux experts qu'une poule qui a des pattes et des ailes peut aussi avoir envie de marcher et de déployer ses ailes. Sans doute ces organes sont-ils des attributs superflus dont la nature les a dotées par erreur. D'ailleurs, si la logique industrielle se poursuit de la même manière, il ne me semble pas impossible de voir apparaître dans quelques années des poules sans ailes ni pattes, qui seront bien plus adaptées aux réalités de l'élevage en batterie.

Mais c'est ainsi : le bien-être des animaux d'élevage est déterminé par quelques directives européennes et arrêtés ministériels. Ne nous y trompons pas : derrière ces normes imposées ne se cache qu'une motivation économique. C'est ce qu'expliquent dans un ouvrage commun Jean-Marie Coulon, magistrat, et Jean-Claude Nouët, professeur de médecine et membre du CCSPA, le Comité consultatif de la santé et de la protection animales : « Ces normes, dites "standards de bien-être", sont très limitées afin d'être économiquement admissibles en termes de production. Ce sont des normes de zootechnie en deçà desquelles apparaissent des signes d'un mal-être des animaux qui retentit sur la productivité en pesant sur la morbidité et la mortalité[132]. » Par conséquent, la portée pratique de ces mesures reste insuffisante : « Si le bon état nutritionnel, la sécurité et le bon état de santé des animaux peuvent être généralement assurés, la possibilité d'expression de l'ensemble des comportements naturels, le confort des animaux, le respect de leur rythme biologique naturel, l'absence d'émotions négatives ne le sont que rarement[133]. »

Pourquoi la protection animale en France est-elle si déficiente ? Pour Jean-Pierre Marguénaud, professeur de droit privé à la faculté de Limoges, les questions soulevées par les incohérences de notre droit sont très dérangeantes et trouvent leur réponse dans les intérêts financiers des uns et pseudo-culturels des autres : « Ce sont des siècles de tradition culturelle que [ces questions] peuvent ébranler ; ce sont des montagnes de millions d'euros qu'elles peuvent éroder et, aussi, des milliers d'emplois qu'elles peuvent menacer. C'est pourquoi de puissants groupes de pression animés par les chasseurs, les expérimentateurs, les éleveurs, l'industrie agroalimentaire, pharmaceutique, cosmétique, et j'en passe, jettent toutes leurs imposantes forces dans la bataille pour empêcher qu'elles soient posées[134]. »

L'inertie qui caractérise l'évolution des droits de l'animal est aussi à mettre sur le compte du manque de contrôles. On fait des lois et des règlements, mais on ne se donne pas les moyens de vérifier s'ils sont appliqués.

Enfin, il y a le problème de l'éparpillement des responsabilités. La protection animale en France est du ressort de deux ministères : le ministère de l'Agriculture pour les animaux domestiques (animaux d'élevage et de compagnie) et pour les animaux de laboratoire ; le ministère de l'Écologie pour les animaux sauvages (gibier, animaux nuisibles, zoos, etc.). Chacun de ces ministères élabore ses propres textes mais peut être amené à collaborer avec l'autre, ainsi qu'avec d'autres ministères encore en fonction du sujet (le ministère de l'Intérieur pour l'abattage rituel, les services des douanes, sous l'autorité du ministère du Budget, pour les trafics d'animaux sauvages, etc.). Pour ne rien arranger, un même ministère défend des intérêts qui deviennent vite contradictoires : l'Agriculture doit à la fois définir et encadrer des modalités de production (comme l'élevage intensif) et fixer les normes de bien-être pour le bétail. L'Écologie gère la préservation de l'écosystème, mais en même temps les chasseurs. Cette situation schizophrénique pose un vrai problème : comment une autorité peut-elle être efficace si elle représente les deux camps opposés sur une même problématique, ce qui revient à être à la fois juge et partie[135] ?

Il y eut en France un ministère des Droits de la femme, et même un éphémère secrétariat d'État des Droits de l'homme. Il faudrait aujourd'hui un ministère

275

des Droits des animaux qui serait le référent ultime sur cette question. L'idée n'est pas neuve : en 1924, l'écrivain André Géraud réclamait déjà un « ministère des Animaux ». En 2001, le militant écologiste et écrivain Armand Farrachi appelait de ses vœux un secrétariat d'État à la Condition animale.

Trente ans après la Déclaration universelle des droits de l'homme, une Déclaration universelle des droits de l'animal a été adoptée en 1978 à l'Unesco, à Paris. Ce texte a été révisé en 1989 par la LFDA. La déclaration relative aux animaux s'inspire de celle relative aux hommes et, tout comme cette dernière, elle est bien sûr régulièrement bafouée. Mais elle a le mérite de poser les bases d'un débat qui va prendre de plus en plus d'ampleur dans les années et les siècles à venir, et qui va nous amener à revoir totalement nos rapports avec les autres espèces. Ce débat, c'est celui de l'éthique animale.

JBJV, LE SPÉCIALISTE FRANÇAIS DE L'ÉTHIQUE ANIMALE

À l'âge de 6 ans, Jean-Baptiste Jeangène Vilmer adorait se plonger dans les encyclopédies répertoriant les différentes espèces de reptiles et d'oiseaux. Adolescent, il se levait le week-end au milieu de la nuit pour partir « planquer » dans la campagne et pratiquer la photo animalière. Cet attrait pour la faune était à l'époque purement zoologique et non sentimental ou philosophique.

Quelques années plus tard, en 2005, pendant ses études de philosophie, l'université de Montréal lui propose de donner un cours d'éthique appliquée à des étudiants vétérinaires. Il choisit alors de centrer son enseignement sur un domaine méconnu en France (et de lui-même à ce moment précis), mais très développé dans le monde anglophone : l'éthique animale. De quoi s'agit-il exactement ? Même si ses origines sont à chercher dans l'Antiquité, l'expression « éthique animale » n'est apparue qu'au XIXe siècle. À l'époque, l'éthique animale pouvait désigner deux choses : l'éthique des animaux entre eux (les comportements des singes dans un même groupe) ou les relations des humains aux animaux. Aujourd'hui, seule cette dernière acception nous est restée. L'éthique animale étudie donc la responsabilité morale des hommes à l'égard des animaux : les animaux ont-ils des droits ? Avons-nous des devoirs à leur égard ? Comment juger du bien et du mal dans ce que nous leur faisons subir ? Le développement de cette discipline a vraiment eu lieu dans les années 1970, en réaction à l'extension de l'élevage industriel.

JBJV (c'est ainsi que lui-même se nomme sur son site Internet, surpassant ainsi d'une tête et d'une lettre l'acronymique BHL) m'a donné rendez-vous dans un café de Montréal à deux pas de l'université McGill, où il vient de décrocher une bourse de recherche. Nous sommes en septembre 2011, et il vient de revenir au Québec après avoir été maître de conférences en relations internationales au département de War Studies du King's College de Londres. Il est aujourd'hui spécialisé en droit des conflits – l'éthique de la guerre, en quelque sorte, même si la cohabitation des deux termes peut sembler curieuse.

Jean-Baptiste tient d'emblée à me préciser que l'éthique animale n'occupe plus que 20 % de son temps de recherche. Néanmoins, il est aujourd'hui une référence en la matière, car il a été le premier à réellement importer cette discipline en France à travers des essais et des anthologies de textes – *Éthique animale, Textes clés de philosophie animale, L'Éthique animale, Anthologie d'éthique animale*[136] –, mais aussi des articles publiés dans des ouvrages collectifs sur la condition animale dans la philosophie.

Comment expliquer le peu d'intérêt de la France pour l'animal, si l'on compare aux pays anglophones ? Pourquoi les Français donnent-ils le sentiment d'être tellement en retard sur cette question ? JBJV me livre son analyse :

« Il est vrai que l'éthique animale s'est beaucoup plus développée dans les pays anglophones (Grande-Bretagne, États-Unis, Canada, Australie) qu'en France, même si chez nous il y a quelques philosophes qui s'y intéressent de près, comme Florence Burgat, Georges Chapouthier ou l'équipe des *Cahiers antispécistes*. Il y a donc une production française sur le sujet à l'heure actuelle, mais elle est moins intense sur le plan quantitatif que la production anglophone, moins reconnue et très peu présente dans le milieu universitaire. Cela peut paraître d'autant plus surprenant que, lorsqu'on regarde en arrière, nous ne sommes pas en reste. Les premiers à avoir considéré les animaux comme des personnes sur le plan philosophique et juridique, ce sont des Français, au XIXe siècle, et non des Anglais ou des Américains. Mais notre point de vue actuel tient à des raisons philosophiques, culturelles et d'organisation politique.

« Le premier point très important, c'est notre tradition humaniste. Depuis Descartes, l'humanisme symbolise l'esprit français. Pour beaucoup, cet humanisme a l'air extrêmement sympathique, parce qu'il est synonyme de droits de l'homme. Mais en réalité ça ne se limite pas à cette question. L'humanisme consiste à dire que l'humain s'inscrit dans un environnement, et qu'il en est au centre. L'humanisme est donc par définition anthropocentriste et défend la supériorité de l'être humain sur le reste.

Cette tradition de pensée qui s'arc-boute sur la défense des intérêts humains convainc la plupart des philosophes actuels que l'homme et la nature (et donc les animaux) sont des vases communicants et qu'augmenter les intérêts de l'un fait automatiquement baisser les intérêts de l'autre.

« La tradition philosophique des anglophones est différente : il s'agit de l'utilitarisme (ou du conséquentialisme, dont l'utilitarisme est une version). L'utilitarisme s'intéresse aux problèmes moraux en fonction de leurs conséquences, et non selon des principes inflexibles. Avec cette approche, on n'a pas l'impression de commettre un crime de "lèse-humanité" en accordant un statut moral aux animaux.

« Par ailleurs, contrairement aux anglophones, on a en France une fascination pour les problèmes abstraits, comme la métaphysique et l'ontologie, tandis que l'éthique appliquée, qui s'intéresse à des questions très concrètes (le statut des animaux par exemple), ne nous paraît pas assez noble. Aux États-Unis, c'est l'inverse : lorsqu'ils font de la philosophie, ils cherchent des problèmes contemporains, très concrets.

« Il y a aussi des raisons culturelles dans notre manque d'intérêt pour la question animale en France. Ces raisons sont liées à la gastronomie française (le foie gras, le cassoulet...), qui fait partie de notre identité, de la même manière que le luxe ou les droits de l'homme. Pour beaucoup, il serait scandaleux de toucher à notre tradition culinaire.

« Enfin, il y a des raisons liées à notre organisation politique : la France est un pays d'éleveurs et de chasseurs qui pèsent d'un gros poids symbolique. Les élus (les députés des départements ruraux notamment) soignent particulièrement cette population. »

Jean-Baptiste Jeangène Vilmer s'est laissé convaincre par les arguments qu'il a découverts chez certains de ses collègues philosophes. Il a changé de régime alimentaire en préparant son cours d'éthique animale pour l'université de Montréal. Même s'il lui arrive encore de manger un peu de poisson et des fruits de mer, il a abandonné toute autre viande et il privilégie désormais le lait de soja par rapport au lait de vache. Mais son régime alimentaire, il n'aime guère l'évoquer :

« Quand un journaliste me demande si je mange encore de la viande ou pas, j'ai l'impression que je vais effrayer tout le monde si je réponds sincèrement. Les auditeurs ou les lecteurs risquent de penser que je suis trop radical, tandis que les végétariens ou végétaliens purs et durs me reprocheront au contraire mon manque de rigueur. Mais d'ailleurs, pourquoi faudrait-il "être" ou "ne pas être" végétarien ? Je trouve problématique chez les végétariens cette dimension identitaire qui est très présente dans les associations militantes, comme dans tout courant minoritaire – les homosexuels, par exemple. C'est ainsi : lorsqu'on se sent minoritaire, montré du doigt, voire opprimé, la dynamique de groupe développe cette solidarité identitaire. Et plus on s'enferme dans cette logique identitaire, plus on est pointé du doigt et discriminé, plus on adopte un comportement sectaire. C'est un cercle vicieux. En ne mettant pas en avant mon régime alimentaire quasi végétarien, je souhaite justement me différencier de ces végétariens qui s'intéressent seulement aux principes et qui nous disent, en gros : "Si t'es végétarien, t'es quelqu'un de bien, dans le cas contraire t'es une mauvaise personne." Or, pour moi, devenir végétarien lorsqu'on mange peu de viande ou limiter considérablement sa consommation de viande lorsqu'on en mange beaucoup, c'est la même chose. L'effort est identique. Je considère que ce qui compte, ce sont les conséquences de nos actions, donc ici les conséquences de nos choix alimentaires sur le nombre d'animaux abattus. Or on sauvera davantage d'animaux en convainquant 50 % de la population de réduire de moitié leur consommation de viande plutôt qu'en en convainquant 1 % de ne plus manger de viande du tout. Je suis conséquentialiste. »

Quel genre de philosophe êtes-vous ?

Tel M. Jourdain faisant de la prose sans le savoir, nous sommes tous, sans en avoir conscience, porteurs de projets philosophiques qui ont été conceptualisés par d'autres. Vous, par exemple, êtes-vous *conséquentialiste* ou *déontologiste* ? *Welfariste* ou *abolitionniste* ? *Spéciste* ou *antispéciste* ?

Les débats qui agitent l'univers de l'éthique animale manient des concepts qui peuvent paraître à première vue nébuleux. Mais rassurez-vous, dans une quinzaine de minutes vous saurez quel genre de philosophe vous êtes. La réponse se trouve dans les pages qui suivent. Et elle est importante : si vous vous retrouvez un jour coincé dans un train avec un militant des droits des animaux, vous serez heureux d'avoir pris le temps de vous plonger dans le lexique parfois complexe de l'éthique animale.

Pensez-vous qu'il faut juger une action en fonction du résultat qu'elle permet d'atteindre, ou plutôt selon les principes intrinsèques qui la définissent, indépendamment de l'efficacité du résultat ?

Si vous privilégiez le résultat ou les conséquences, vous êtes *conséquentialiste* (comme Jean-Baptiste Jeangène Vilmer). Si vous privilégiez le fondement moral de l'action plus que le résultat, vous êtes *déontologiste* (comme Kant). Le débat entre *conséquentialistes* et *déontologistes* est ancien, et il crée aujourd'hui une fracture parmi ceux qui luttent pour un meilleur respect de la vie animale. Un exemple : si je peux sauver la vie de dix animaux en en tuant un seul, dois-je l'accepter ? Dois-je au contraire refuser au motif que tuer un animal, même un seul, est en soi une mauvaise action ?

Pensez-vous qu'il convient de lutter pour que les élevages garantissent le bien-être des animaux, ou bien qu'il faut plutôt exiger la suppression totale de ces élevages ?

Dans le premier cas, vous êtes *welfariste* (*welfare* en anglais signifiant « bien-être ») et souhaitez simplement supprimer toute souffrance inutile imposée aux animaux. Dans le second cas, vous êtes *abolitionniste* et refusez toute forme d'exploitation animale. L'opposition entre les deux est semblable à celle qui sépare le réformiste du révolutionnaire. Pour les partisans de la révolution abolitionniste, les réformistes welfaristes sont des « mous », voire des « vendus aux exploiteurs ».

Explication détaillée.

Les *abolitionnistes* mettent la morale au premier plan de leurs préoccupations. Ce sont des *déontologistes* : pour eux, une action ne doit être décidée qu'en fonction du fondement moral qui lui est propre. Or tuer un animal pour le manger est une mauvaise action, car elle est moralement répréhensible. Il faut donc s'en abstenir, quelles que soient les circonstances et les conséquences de ce geste. Précision : les *welfaristes* sont *utilitaristes*, c'est-à-dire qu'ils visent le bien-être global des espèces sensibles en tenant compte du plus grand nombre. Selon ce point de vue, il faut adopter des comportements qui apportent un bénéfice à un maximum de sujets.

L'*utilitarisme* est l'une des formes du *conséquentialisme*. La paternité de l'utilitarisme sous sa forme moderne est attribuée au philosophe britannique Jeremy Bentham (1748-1832). Celui-ci, dont la théorie va dépasser le cadre de l'éthique pour toucher également la politique et l'économie, est le premier à énoncer l'idée qu'une action doit être évaluée en fonction du maximum de plaisir (ou de bonheur) et du minimum de désagréments qu'elle procure au plus grand nombre. Bentham se souciait des animaux, et il souhaitait qu'on leur appliquât sa logique utilitariste. Avec lui se dessine une nouvelle approche philosophique du monde animal. S'inspirant de Rousseau, qui a formulé la même idée, il affirme que le critère qui permet de juger de nos devoirs vis-à-vis des autres animaux ne doit plus être la rationalité ou les capacités cognitives, mais la sensibilité :

Le jour viendra peut-être où le reste des animaux de la création reprendront possession de ces droits qui n'ont pu leur être enlevés que par la main de la tyrannie. Les Français ont déjà compris que le fait de posséder une peau foncée n'est pas une raison qu'on vous abandonne sans plus y penser aux mains d'un bourreau. On admettra peut-être un jour que le nombre de pattes, la pilosité de la peau [...] sont également des raisons insuffisantes pour abandonner un être au même destin. [...] La question n'est pas : Peuvent-ils raisonner ? Ou : Peuvent-ils parler ? Mais : Peuvent-ils souffrir[137] ?

Bentham établit un parallèle très clair entre l'abolition de l'esclavage et l'abolition de l'exploitation animale, idée largement reprise aujourd'hui par de nombreux défenseurs des animaux.

Le mouvement de protection animale Peta, célèbre pour ses campagnes de publicité pour lesquelles des personnalités se dénudent en 4 × 3 (« Plutôt à poil qu'en fourrure ! »), est *welfariste* et *utilitariste*. Cette position n'est pas sans soulever quelques débats. En effet, si l'on suit cette logique, pour nourrir le maximum de personnes, mieux vaut tuer le minimum d'animaux. Donc, pour obtenir la même quantité de viande, mieux vaut tuer un porc que 200 poulets, puisque sur 201 vies on en épargne 200, tandis que dans le cas contraire on en épargne une seule. De même, si l'on considère que la viande fournie par 70 000 poulets correspond à celle fournie par une seule baleine, mieux vaut manger une baleine à la place de ces poulets. Ingrid Newkirk, la cofondatrice et présidente de Peta, s'exprime ainsi au sujet de la campagne intitulée « Mangez des baleines », lancée en 2001 par son organisation : « Nous avons lancé [cette campagne] pour attirer l'attention sur le fait que plus l'animal est gros, plus on peut obtenir de repas basés sur sa souffrance et sa mort. Dans le cas des baleines, il y a un bénéfice supplémentaire : elles auront vécu en liberté […]. Donc oui, pour éviter au maximum d'animaux de souffrir, si vous ne pouvez décrocher de l'addiction à la viande […], c'est mieux de manger des bouts du plus gros animal possible[138]. »

Ce que dit Ingrid Newkirk est logique, mais provoque évidemment la controverse : a-t-on le droit moral de manger une baleine étant donné l'état actuel de nos connaissances sur l'intelligence et la sensibilité de cet animal ? On sait depuis longtemps que les baleines communiquent avec un réseau de sons très complet et qu'elles ont une organisation sociale poussée. Mais on sait aussi désormais qu'elles ressentent le même type d'émotions que les grands singes ou… les humains. Les chercheurs ont en effet établi que les baleines possèdent des neurones en fuseau, des cellules cérébrales qu'on ne pensait présentes que chez les grands singes et les humains, qui participent au traitement des émotions comme l'amour et aident à l'interaction sociale. Manger une baleine (ou un dauphin), c'est donc un peu comme manger un orang-outan, même si physiquement les deux espèces n'ont rien à voir. Ce n'est pas pour rien que les campagnes contre les chasses à la baleine se multiplient – dont celles de Peta ! Et même si la viande de baleine est consommée dans certaines régions du monde, la pratique n'en demeure pas moins aussi choquante que la consommation de singe ou de chien. La question est donc la suivante : la vie d'une baleine intelligente et sensible vaut-elle le sacrifice de 70 000 poulets peut-être un peu moins intelligents et sensibles ? Mais si je pose cette question, j'engage le débat sur le *spécisme* et l'*antispécisme*. De quoi s'agit-il ? Nous y arrivons.

Considérez-vous comme normal que l'on émascule à vif un porcelet ou que l'on égorge une vache pleinement consciente, alors que, pratiquées sur des êtres humains, les mêmes actions sont jugées barbares ? Trouvez-vous normal également qu'en Occident on mange des cochons, mais pas des chiens ? Pensez-vous que la vie d'une baleine vaut plus que la vie d'un poulet ?

Si vous avez répondu oui à toutes ces questions, vous êtes *spéciste*. Si vous avez répondu non, vous êtes sans doute *antispéciste*.

Le *spécisme* est un concept qui a vu le jour dans les années 1970. Tout comme le racisme et le sexisme établissent des différences de considération en fonction de la race et du sexe, le *spécisme* est l'idéologie qui justifie de traiter des individus (humains ou non humains) différemment en fonction de l'espèce à laquelle ils appartiennent, sans la moindre raison valable. Le *spécisme* s'appuie sur des différences réelles ou supposées entre humains et non-humains pour légitimer l'exploitation animale. Or on sait que les animaux non humains ont comme nous un intérêt à vivre, qu'ils éprouvent de la douleur et du plaisir, et que les animaux d'élevage ou de laboratoire souffrent à peu près comme souffriraient des humains si on leur faisait subir le même traitement. L'*antispécisme* réclame donc la même considération pour les intérêts de tous les êtres sensibles, qu'ils appartiennent à l'espèce humaine ou non. Il réclame aussi qu'aucune différence ne soit établie par l'homme entre des espèces « bonnes à manger » et d'autres que nous choisissons d'épargner. L'*antispécisme* peut s'appuyer sur des arguments de plus en plus nombreux fournis par l'éthologie ou la neurophysiologie, qui génèrent une remise en cause des « propres de l'homme » (langage, culture, raison…), dont la réalité se révèle au fil du temps de plus en plus fragile.

L'*antispécisme* est une notion fondamentale pour comprendre le végétarisme d'un point de vue moral. Prenons un exemple particulièrement problématique. Imaginons que l'homme de Neandertal n'ait pas disparu il y a 30 000 ans et qu'il ait continué à cohabiter avec l'*Homo sapiens*. Il s'agit *a priori* de deux espèces différentes (même si on a découvert récemment qu'il y a eu des rapprochements très intimes entre elles). Nous aurions donc sur terre deux espèces d'humains aux caractéristiques physiques et mentales distinctes. Cela autoriserait-il l'une des deux à exploiter l'autre ? Et au nom de quel critère ? La force ? L'intelligence ?

Intéressons-nous maintenant de manière plus large à l'éthique environnementale[139].

Considérez-vous que les êtres humains doivent être notre seul motif d'intérêt ?

Si oui, vous êtes *anthropocentriste*.

Vous souciez-vous de tous les êtres qui souffrent ?

Si oui, vous êtes *pathocentriste*.

Vous souciez-vous de tous les êtres vivants ?

Si oui, vous êtes *biocentriste*.

Si vous êtes biocentriste, considérez-vous que tous les êtres vivants se valent ou établissez-vous une hiérarchie entre eux ?

Dans le premier cas, vous êtes *biocentriste égalitariste*, dans le second vous êtes *biocentriste hiérarchique*.

Considérez-vous que nous avons des responsabilités et des devoirs envers tout ce qui existe, y compris l'eau et la terre ?

Si oui, vous êtes *holiste*.

Si à l'issue de ce test vous avez découvert que vous êtes anthropocentriste, déontologiste et spéciste, je dois avouer que je suis étonné que vous lisiez ce livre. Mais cela prouve au moins que vous êtes ouvert d'esprit !

PETER SINGER, TOM REGAN, GARY FRANCIONE

Comme quasiment toutes les familles, celle des défenseurs des droits des animaux se déchire. Bien qu'ils aient en commun le souci d'un meilleur respect de la vie animale, les membres de cette famille se divisent en plusieurs groupes qui s'opposent autant sur la nature des revendications que sur les moyens d'action à privilégier.

Le plus célèbre des *welfaristes* est l'Australien Peter Singer. Aujourd'hui professeur de philosophie à Princeton, il a publié en 1975 un livre référence et fondateur, *Animal Liberation*, qui a été traduit dans une vingtaine de langues. Jean-Baptiste Jeangène Vilmer s'inscrit dans ce courant de pensée, tout comme l'organisation internationale Peta.

Pour Peter Singer, qui a popularisé le concept d'antispécisme, le plaisir qu'un individu retire de la dégustation d'une côte de bœuf bien saignante ou d'une cuisse de poulet croustillante ne justifie en rien la souffrance infligée à l'animal qui a fini dans son assiette. Or nous sommes bien obligés de tenir compte de cette souffrance, dans la mesure où nous savons que l'animal est sensible, et que nous nuisons donc à son intérêt lorsque nous le maltraitons. En revanche, manger un animal tué sans douleur et sans stress, après une vie heureuse à baguenauder dans les champs, n'est pas inenvisageable. Selon Singer, l'exploitation animale pourrait être, dans des conditions très contrôlées, et si l'on était certain que les animaux ne souffrent pas, moralement justifiable.

Conformément à cette vision utilitariste, Singer n'est pas opposé à l'expérimentation animale : selon sa logique, il serait acceptable de tuer dix souris si cela permettait de sauver cent humains. Si l'on poursuit le raisonnement, il serait acceptable de tuer dix humains si cela permettait d'en sauver cent autres. En revanche, la vie de dix souris n'équivaut pas à celle de dix humains, car Singer accorde plus de valeur à la vie d'un humain ayant toutes ses capacités de réflexion et de jugement qu'à celle d'un non-humain.

En effet, pour lui, la vie en tant que telle n'a pas de valeur particulière. Ce qui compte, ce sont les possibilités qu'elle offre, et donc l'*intérêt à vivre*. Chaque espèce et chaque individu a ses spécificités, dont il faut aussi tenir compte. Plus un esprit est développé, plus il a la capacité de se projeter dans le futur, de faire des projets, plus la vie qui le porte est importante. C'est la raison pour laquelle Singer considère que l'intérêt d'un homme à vivre est plus grand que celui d'un poulet, qui ne fait pas grand-chose d'autre de ses journées que dormir et manger.

Ce postulat amène le philosophe australien à se prononcer en faveur de l'euthanasie : quelqu'un qui n'éprouve plus aucun intérêt pour une vie dont il ne peut plus jouir devrait avoir le droit de mettre fin à ses jours. Enfin, Peter Singer considère que, si l'on se livre à des expériences de laboratoire sur des animaux, alors il faudrait aussi envisager la possibilité de telles expériences sur des humains ayant un degré de conscience égal à celui de ces animaux (en d'autres termes, des déficients mentaux). Une position qui fera bondir bon nombre de personnes, mais qui est bien davantage une stratégie argumentatrice qu'une recommandation.

Si les *welfaristes* comme Singer réclament évidemment davantage de droits pour les animaux, les *abolitionnistes* vont plus loin et militent pour une reconnaissance beaucoup plus formelle de ces droits. Pour eux, le statut juridique de l'animal non humain doit être entièrement revu. Ce n'est pas pour rien que le chef de file actuel des abolitionnistes est un juriste : il est américain et s'appelle Gary Francione. Avant lui, le philosophe américain Tom Regan avait ouvert la voie à ces revendications, en publiant en 1975 un article remarqué sur les « Fondements moraux du végétarisme », puis, en 1983, un ouvrage considéré comme l'un des plus grands textes en faveur des droits des animaux : *The Case for Animal Rights*.

Pour les *abolitionnistes* comme Regan et Francione, tuer un animal pour le manger est une mauvaise action, car moralement répréhensible. Il faut donc s'en abstenir, quelles que soient les circonstances et les conséquences de ce geste. Par ailleurs, l'idée selon laquelle un animal pourrait être élevé sans souffrance dans le but d'être mangé est illusoire. Enfin, il est faux d'affirmer que la vie humaine est *a priori* plus précieuse que la vie d'une vache au prétexte que l'esprit humain est plus développé, et offre donc plus de possibilités mentales.

Tom Regan affirme que la sensibilité ne peut être le seul critère retenu pour juger de la considération morale que nous devons avoir pour les êtres vivants. Le critère qu'il retient est celui de savoir si l'être en question est « sujet-d'une-vie ». Les individus sont sujets-d'une-vie « s'ils ont des croyances et des désirs, s'ils sont doués de perception, de mémoire et d'un sens du futur incluant leur propre futur, s'ils ont une vie émotionnelle faite de plaisirs et de peines, des préférences et des intérêts au bien-être, la capacité d'entreprendre une action pour atteindre leurs désirs et leurs buts[140] ».

Regan et Francione sont très critiques vis-à-vis des *welfaristes*. Ils considèrent qu'il est contre-productif de lutter pour une amélioration des conditions d'exploitation des animaux (élevages, expérimentations, etc.), car en agissant ainsi on crée simplement les conditions durables d'une telle exploitation. « Il n'y a aucune donnée empirique, historique, qui suggère qu'on se débarrasse de quelque chose en commençant par le réformer, affirme Tom Regan. Les pratiques qui ont été abolies, comme l'esclavage, n'ont pas d'abord été réformées. En fin de compte, les gens les ont mises à la poubelle. [...] Quand vous réformez l'injustice, mon opinion est que vous la prolongez[141]. »

Gary Francione, quant à lui, exprime très clairement son désaccord avec Peter Singer sur son site Internet :

La position welfariste, qui dit que c'est la souffrance des animaux et non leur meurtre qui soulève un problème moral, esquive une question très importante : elle pose que, parce que l'esprit des animaux diffère de celui des humains, les premiers, à la différence des seconds, n'ont pas la sorte de conscience de soi qui se traduit en un intérêt à continuer d'exister. Elle pose que la vie animale a nécessairement moins de valeur morale que la vie humaine. Et les welfaristes sont explicitement d'accord là-dessus [...]. Un des points centraux de mon travail a été de contester l'hypothèse welfariste et de défendre la thèse selon laquelle la *seule* position non spéciste à embrasser est que *tout* être sentient – tout être qui est perceptuellement conscient et possède des états subjectifs de conscience – a un intérêt dans la poursuite de sa propre vie. Toute autre vision des choses accorde une préférence arbitraire à la cognition humaine. Il est spéciste d'affirmer que la vie animale est de moindre valeur que la vie humaine. Cela ne signifie pas nécessairement que nous devons, dans tous les domaines, traiter les non-humains de la manière dont nous traitons les humains. Mais cela signifie que, au regard du fait d'être traité exclusivement comme une ressource par ou pour autrui, tous les êtres sentients sont égaux, et nous ne pouvons justifier le fait de traiter quelque être sentient que ce soit comme une ressource. Si les animaux ont un intérêt dans la poursuite de leur existence, ainsi que je l'affirme en vertu du simple fait qu'ils sont sentients, et si cet intérêt importe sur le plan moral, ce que je crois effectivement, alors il est seulement une conclusion possible : *toute utilisation des animaux – fût-elle humaine – est injuste*[142].

QUELS DROITS POUR LES ANIMAUX ?

Les chimpanzés, les gorilles, les orangs-outans et les bonobos devraient-ils bénéficier de « droits de l'homme » ? Oui, a répondu en juin 2008 la commission environnement du Parlement espagnol, qui a voté une proposition de loi en ce sens, laquelle n'a malheureusement pas été suivie d'effets. Les élus ibères venaient de se prononcer en faveur du Projet grands singes (Great Ape Project). Cette initiative a vu le jour au début des années 1990 sous l'impulsion de Peter Singer et de la philosophe italienne Paola Cavalieri, soutenus par diverses personnalités, parmi lesquelles la primatologue Jane Goodall. L'idée est la suivante : puisque les grands singes sont si proches des humains en ce qui concerne l'organisation, la communication ou l'intelligence, nous nous devons de leur garantir légalement le droit à la vie, à la liberté, et l'assurance qu'ils ne seront pas torturés (toute expérimentation médicale sur eux serait donc interdite).

Ce projet a de nombreux détracteurs, lesquels ne sont pas tous d'accord entre eux. Certains considèrent qu'il est inconcevable d'accorder de tels droits à des non-humains. D'autres estiment au contraire que limiter ces droits aux seuls grands singes est une erreur, car beaucoup d'autres espèces sont dotées de la sensibilité qui confère à leurs membres le statut de personnes. Cette dernière critique rejoint en réalité le souhait de Peter Singer que, dans un deuxième temps, on puisse reconnaître des droits fondamentaux à tous les êtres qui font preuve d'intelligence et de conscience et qui démontrent des besoins émotionnels et sociaux. Pour lui, le Projet grands singes, facilement compréhensible par le grand public, n'est que la première étape d'un plan beaucoup plus vaste. Il s'agirait du prochain progrès de l'humanité : accorder de vrais droits aux animaux. Pas des droits bricolés par-ci par-là, au gré de nos humeurs et de nos intérêts, pas de vagues règlements de protection aux contours incertains et dont l'application dépend du bon vouloir des souverainetés nationales, mais une charte internationalement reconnue, s'adaptant à tous les représentants du monde vivant conscient et sensible. En portant une telle démarche, Peter Singer se rapproche quelque peu du bien plus radical Gary Francione.

Mais la question est : quels sont les droits qu'il faudrait reconnaître à tous ces êtres ? Pour en savoir plus, j'ai décidé de rencontrer Valéry Giroux. Avocate de formation, cette Québécoise vient de décrocher son doctorat de philosophie avec une spécialité en éthique animale. Elle organise désormais des séminaires universitaires sur ce thème. Disciple de Gary Francione, elle est son principal relais dans le monde francophone. Comme lui, elle dénonce la modération coupable de Peter Singer et des végétariens en général. Et elle est bien entendu végane.

Rendez-vous au restaurant Aux Vivres, sur le boulevard Saint-Laurent à Montréal. On y déguste une cuisine végétalienne simple mais savoureuse, qui plaît particulièrement aux *hispters*. C'est ainsi que l'on désigne en Amérique du Nord la version légèrement *grunge* de nos bobos français. Gagnant souvent bien leur vie, les *hipsters* aiment les idées démocrates, les films indépendants et les formes alternatives de musique. Ils arborent un look où se côtoient les références les plus hétéroclites, avec pour principal message l'idée que le bon goût est réservé à une forme d'élite intellectuelle. Le souci de « manger mieux en pensant à la planète » fait assez naturellement partie de la panoplie, ce qui explique que les *hipsters* fréquentent des restos végétariens ou végétaliens, même si dans leur vie quotidienne ils continuent souvent à manger de la viande.

Valéry Giroux m'a accueilli avec un sourire radieux illuminé par des yeux clairs. Je découvre une blonde pimpante et sexy qui à elle seule met à mal tous les clichés négatifs sur les philosophes, les avocats, les défenseurs des animaux et les végétariens/végétaliens. Attablée devant son bok choy à la vapeur, sauce thaïe aux arachides et tofu grillé, Valéry détaille les droits qu'elle souhaiterait voir reconnaître aux animaux : « Il s'agit des droits les plus fondamentaux dont bénéficient tous les humains sans exception, à savoir le droit à la vie, à l'intégrité physique, à la liberté, ou encore le droit de ne pas être esclave. Ce sont des droits moraux pour tous, mais aussi, depuis la Déclaration des droits de l'homme, des droits légaux. Tous les êtres sensibles, même non humains, devraient pouvoir bénéficier de droits fondamentaux et obtenir le statut de patients moraux. »

« Patients moraux » ? Une petite explication s'impose. En philosophie de la morale, l'*agent* moral est celui qui sait faire la distinction entre le bien et le mal, et qui est donc considéré comme responsable de ses actes. Dès lors, ses actions peuvent être déclarées moralement bonnes ou mauvaises. C'est le cas d'un adulte à l'intelligence normale et qui n'est affecté par aucune pathologie psychologique qui troublerait son jugement. Le *patient* moral, quant à lui, est celui qui *subit* des actions pouvant être déclarées bonnes ou mauvaises. Tous les êtres humains sont des *patients* moraux, car tous les êtres humains bénéficient (en principe du moins) du droit de ne pas être frappés, violés, cambriolés ou tués. La plupart des adultes appartiennent aux deux catégories : ils sont à la fois *agents* et *patients* moraux. En revanche, les bébés, les enfants et les handicapés mentaux ne sont pas des *agents* moraux, car on considère qu'ils ne sont pas moralement responsables de leurs actes. Comme ils n'ont pas conscience de la valeur morale de ce qu'ils font, ils ne peuvent être jugés s'ils commettent une action tenue pour mauvaise par l'ensemble de la communauté des hommes. Ils restent toutefois des *patients* moraux, bénéficiaires à ce titre d'un certain nombre de droits.

« Le critère généralement retenu en éthique animale est celui de la conscience subjective, poursuit Valéry. Il faut avoir une conscience et que les choses nous affectent personnellement pour avoir des intérêts. Qu'est-ce qui réunit tous les êtres humains entre eux, sans en exclure aucun ? C'est uniquement la conscience subjective et la sensibilité, qui vont de pair dans le monde dans lequel on vit. Dès qu'on détermine d'autres caractéristiques (capacités intellectuelles, capacité de se projeter dans le futur, capacité de parler), on constate qu'il y a des êtres humains qui ne les possèdent pas toutes, comme les enfants ou les personnes handicapées mentales. Pourtant, ces derniers bénéficient autant que les autres des droits les plus fondamentaux de la personne. Eh bien, ces droits concernent aussi des êtres non humains. »

J'objecte alors à Valéry que l'être humain a des droits, certes, mais qu'il a aussi en contrepartie des devoirs, ce qui ne saurait être le cas des animaux non humains. Sa réponse est immédiate : « Ce n'est pas toujours vrai. Tous les êtres humains n'ont pas des obligations, loin de là ! Les jeunes enfants ou les personnes lourdement handicapées mentalement n'en ont pas. La famille des *patients* moraux est beaucoup plus large que celle des *agents* moraux. Les enfants en bas âge ne sont pas responsables de leurs actes. Seuls leurs parents peuvent l'être, s'ils font preuve de négligence. Il y a aussi des criminels qui sont jugés irresponsables et qui en conséquence ne sont pas condamnés pour ce qu'ils ont fait. »

Valéry, comme presque tous les végans, pousse le raisonnement très loin, puisqu'elle prône un monde où les animaux seraient totalement débarrassés du joug des hommes. Finis les élevages, les zoos, mais aussi les animaux de compagnie, qui, à l'en croire, subissent une forme de domination. Mais alors, quelle est la société vers laquelle tendent les végans ? Une société où nous devrions apprendre à cohabiter avec des animaux non humains en liberté et totalement livrés à eux-mêmes ? Ce point me trouble énormément. Je suis pour ma part persuadé que les humains peuvent « posséder » des animaux sans les faire souffrir. Il me semble même qu'il existe des millions de chiens et de chats parfaitement heureux de leur sort et de la relation d'affection réciproque qu'ils ont tissée avec un humain.

La juriste Marcela Iacub, végétarienne, soutient une thèse voisine dans son livre-témoignage *Confessions d'une mangeuse de viande*[143]. Elle explique en quoi la cohabitation entre un humain et un animal de compagnie peut être enrichissante, car « aimer un membre d'une autre espèce nous permet de voir notre propre vie avec les yeux de cette espèce. [...] Le chien transforme la perception de nous-mêmes, il nous montre des choses qu'aucun membre de notre espèce ne pourrait nous montrer. Et nous jouons le même rôle pour lui[144] ». Marcela Iacub pose surtout une question fondamentale : si nous devons cesser toute forme d'exploitation sur les animaux, alors comment agir pour les humains ? En effet, note-t-elle, tout humain venant au monde sera susceptible d'être exploité par le travail pour assurer son existence. Une existence qu'il n'a pas réclamée davantage que l'animal exploité pour son lait, ses œufs ou son amour ! « Personne ne nous demande à nous, les humains, si nous avons envie de naître, écrit-elle. Personne n'a tenté de savoir avant de nous mettre au monde si nous serions prêts à travailler pour gagner notre vie. Autrement, si toute exploitation était une objection légitime à ce qu'on mette au monde un être humain, on ne devrait faire naître que des rentiers, que des personnes dont on est sûr qu'elles n'auront pas à travailler pour survivre[145]. »

Valéry Giroux avoue une certaine gêne à ce sujet : « En fait, j'ai toujours eu beaucoup de mal à concevoir un monde humain dans lequel des animaux non humains pourraient continuer à vivre sans qu'il y ait constamment des entraves à leurs intérêts fondamentaux. Bien sûr, nous entravons les intérêts fondamentaux des autres êtres humains très fréquemment. Mais, clairement, eux ont infiniment plus avantage à vivre dans une société humaine. Difficile d'en dire autant d'êtres qui n'existent pas naturellement, qui sont le produit de la sélection artificielle et qui ne semblent adaptés à rien, ni à la vie dans la nature, ni à la vie domestique. Il suffit de les observer un peu pour savoir à quel point ils ne s'épanouissent pas chez nous et s'ennuient souvent. Je ne suis pas convaincue qu'ils puissent avoir intérêt à être maintenus dans les sociétés humaines. Je me trompe peut-être... »

DÉFENDRE LES ANIMAUX OU LES HOMMES ?

« Ceux qui luttent pour améliorer le sort des animaux feraient mieux de se soucier d'abord des hommes ; il y a déjà suffisamment à faire dans ce domaine. » Ce reproche, tous les militants de la cause animale l'ont entendu au moins une fois. Pourtant, il ne tient pas debout. Rien ne prédisposait Valéry Giroux à s'engager en faveur des animaux. Dans son enfance, elle ne manifestait aucun intérêt pour eux. Il n'y avait pas d'animaux à la maison et cela ne lui manquait pas. Elle a commencé par militer au sein d'Amnesty International, qu'elle n'a pas quitté depuis. Les animaux, puis le végétarisme et ensuite le véganisme sont venus plus tard.

Valéry n'a rien d'une mémère à chien-chien agissant par sensiblerie. Son engagement est la conséquence d'un cheminement intellectuel, non une réaction émotionnelle. Beaucoup de défenseurs des animaux ont un parcours similaire. Brigitte

Gothière, la porte-parole de L214 – principale association française à militer pour une amélioration des conditions d'élevage –, s'est engagée dans des associations humanitaires avant de s'intéresser aux animaux. Jean-Luc Daub, qui raconte, dans *Ces bêtes qu'on abat*, ses années passées à visiter des abattoirs pour les associations de défense des animaux, est éducateur spécialisé et travaille tous les jours avec des personnes handicapées mentales. Dans *Les Cahiers antispécistes*, Jean Nakos, spécialiste des animaux dans la religion, rappelle qu'en Angleterre « les pionniers du mouvement chrétien pour la protection des animaux étaient souvent aussi des antiesclavagistes de premier plan et des défenseurs du prolétariat[146] ». L'engagement en faveur des animaux s'inscrit donc souvent dans des préoccupations humanitaires plus vastes. Ainsi, le chanteur canadien Bryan Adams milite pour les droits des animaux, mais il a aussi lancé en 2006 une fondation dont le but est de venir en aide aux plus pauvres dans le monde par de multiples biais – éducation pour les plus jeunes, soutien aux paraplégiques, aux malades du sida ou encore aux alcooliques et aux drogués. Le chanteur donne par ailleurs régulièrement des concerts caritatifs en faveur de différentes causes, qui vont des programmes hospitaliers à des initiatives pour la paix. Bref, c'est un type bien. Un homme qui ne supporte pas la souffrance et l'injustice qui touchent tous les êtres vivants et sensibles.

Ceux qui arguent qu'il vaut mieux aider les hommes que les autres animaux sont généralement ceux qui n'aident personne et qui ne sont réceptifs à aucune autre cause que celle de leur nombril. Car celui qui est vraiment bouleversé qu'un humain soit humilié ou battu sera également scandalisé si un sort identique est réservé à une autre espèce. Et vice versa.

Tom Regan, ce philosophe américain précurseur dans la bataille pour les droits des animaux, considère d'ailleurs que ses principaux alliés ne se trouvent pas dans les rangs des écologistes, pour lesquels l'individu ne compte pas suffisamment, mais dans d'autres mouvements : « Il me semble que nos alliés potentiels sont à chercher du côté des mouvements qui prennent les individus au sérieux. C'est le cas des mouvements des femmes, pour la justice raciale, des mouvements des travailleurs[147]. »

Les droits de l'animal et les droits de l'homme sont donc étroitement liés. C'est ce que nous rappelle aussi le parcours de l'anarchiste Louise Michel, figure de la Commune de Paris, qu'on ne saurait accuser de s'être désintéressée de la condition humaine. L'Histoire a retenu son combat pour les ouvriers, un combat pour les hommes maltraités ou en position de faiblesse. Ce que l'on sait moins, c'est qu'elle expliquait l'origine de son engagement pour les hommes par son amour des animaux :

> Au fond de ma révolte contre les forts, je trouve du plus loin qu'il me souvienne l'horreur des tortures infligées aux bêtes. [...] On m'a souvent accusée de plus de sollicitude pour les bêtes que pour les gens : pourquoi s'attendrir sur les brutes quand les êtres raisonnables sont malheureux ? C'est que tout va ensemble, depuis l'oiseau dont on écrase la couvée jusqu'aux nids humains décimés par la guerre. La bête crève de faim dans son trou, l'homme en meurt au loin des bornes[148].

Louise Michel rêvait d'un monde où les animaux ne seraient plus exploités pour leur chair :

> Peut être l'humanité nouvelle, au lieu des chairs putréfiées auxquelles nous sommes accoutumés, aura des mélanges chimiques contenant plus de fer et de

principes nutritifs que n'en contiennent le sang et la viande que nous absorbons[149].

Louise Michel n'est pas la seule à considérer qu'on ne peut aimer les humains si l'on méprise les autres espèces. L'écrivain Isaac Bashevis Singer, Prix Nobel de littérature en 1978, fut végétarien pendant les trente-cinq dernières années de sa vie. Son œuvre contient de nombreuses condamnations des traitements violents infligés aux animaux. Dans la préface d'un livre consacré au végétarisme, il explique les raisons de son choix :

> Tant que les humains continueront à faire couler le sang des animaux, il n'y aura pas de paix. Il n'y a qu'un petit pas entre le meurtre des animaux et l'élaboration des chambres à gaz à la Hitler et les camps de concentration à la Staline... Ce genre d'actions est mené au nom d'une « justice sociale ». Il n'y aura pas de justice tant que les hommes arboreront des couteaux ou des fusils et qu'ils détruiront ceux qui sont plus faibles qu'eux[150].

Les détracteurs du végétarisme se trouvent pourtant un allié célèbre et peu fréquentable qu'ils convoquent régulièrement : Adolf Hitler. La légende raconte en effet que le dictateur était végétarien. Le régime nazi aurait d'ailleurs tellement aimé les animaux qu'il aurait promulgué en 1933 la première vraie loi de protection animale et qu'il aurait supprimé la vivisection et la chasse à courre. Au début des années 1990, le philosophe Luc Ferry a largement propagé ce mythe des nazis zoophiles. Tout cela démontrerait plusieurs choses : 1° que les végétariens ne sont pas tous des humanistes, 2° que la protection des animaux est un danger pour l'humanité, 3° que la théorie selon laquelle la consommation de viande favorise l'agressivité n'a aucun sens.

Le végétarien Rousseau serait donc à côté de la plaque lorsqu'il affirme dans *Émile* que « les grands scélérats s'endurcissent au meurtre en buvant du sang ».

En ce qui concerne le premier point (tous les végétariens ne sont pas gentils), je ne peux qu'acquiescer. On peut même aller plus loin en affirmant sans trop risquer de se tromper qu'il y a parmi la population végétarienne un certain pourcentage de salauds, de pleutres, de moches et de cons. Le végétarisme n'est pas un brevet de vertu. Malgré tout, il faut reconnaître qu'avoir dans ses rangs un fou furieux démoniaque qui est aussi le plus grand assassin de masse du XXᵉ siècle n'est pas du meilleur effet. Sauf que c'est faux. Hitler n'a jamais été végétarien, et le prétendu intérêt du régime nazi pour la cause animale n'a été qu'un élément de propagande parmi beaucoup d'autres. Chacun de leur côté, les historiens Élisabeth Hardouin-Fugier et Rynn Berry ont définitivement clarifié les choses et tordu le cou à ces rumeurs dans leurs travaux respectifs[151].

MON ÉTHIQUE PERSONNELLE ?

Les puristes jugeront sans doute que, dans ma présentation des principaux courants de l'éthique animale, j'oublie des nuances d'opinion et des noms qui contribuent largement au débat. J'assume par avance la critique, n'ayant absolument pas ici l'ambition de l'exhaustivité ni la prétention d'écrire un essai universitaire avec des petits *a*), des petits *b*) et des tas de sous-parties.

Si l'on sonde les différences parfois subtiles qui opposent les partisans de la cause animale, on court le risque de se perdre, d'autant que les barrières entre partisans du *welfarisme* et de l'*abolitonnisme*, de l'*utilitarisme* et du *déontologisme*, sont en réalité très poreuses, certains esprits se situant entre les différents mondes. Ni tout à fait l'un, ni tout à fait l'autre. Je fais partie de ceux-là : abolitionniste, oui, mais pragmatique. Donc welfariste. Déontologiste, certes, mais en certains cas utilitariste. Vous suivez ?

En clair, cela signifie que je considère comme moralement inacceptable d'élever des animaux pour en consommer la chair. Je ne mange donc ni viande, ni poisson, ni aucun crustacé. Je m'insurge contre les souffrances imposées à la majorité des vaches laitières. Je ne bois donc plus de lait de vache, que j'ai remplacé par du lait de soja ou d'amande. Cependant, dans la mesure où la société française ne permet pas encore facilement de respecter toutes les contraintes du végétalisme, je me permets des écarts. Ainsi, je continue de consommer des produits qui contiennent du lait de vache (gâteaux, beurre, yaourts...). En outre, je consomme du miel, et aussi des œufs provenant de poules élevées en libre parcours, car je n'ai aucune objection au fait de déguster un produit issu d'un animal qui n'a pas été maltraité. Je pourrais d'ailleurs boire du lait de vache si j'avais la certitude que cette boisson a simplement été prélevée sur le « surplus » de la production laitière de l'animal, tandis que le reste reviendrait au veau qui ne serait pas sacrifié. Mais ce système semble illusoire : quel intérêt aurions-nous à faire naître des veaux si ce n'était pour les manger ?

Je refuse d'acheter un blouson, un sac ou un fauteuil en cuir, car je peux facilement trouver des équivalents fabriqués en matière végétale, tout aussi fonctionnels et élégants. En revanche, je porte des chaussures de cuir (ce qui me vaudrait une condamnation des végans !), car je n'ai pas encore trouvé d'alternative convaincante, que ce soit pour les modèles habillés ou les chaussures de sport. J'ajoute que si le cuir des vêtements provenait d'animaux décédés de leur belle mort, et non exploités dans ce but, cela ne me gênerait nullement d'en porter.

Encore un détail : je tue parfois sciemment des animaux. Oh, pas n'importe lesquels. Juste des moustiques. Lorsque je me réveille au milieu de la nuit avec un bras qui démange et qu'aussitôt après j'entends un bourdonnement rapide et aigu à mon oreille, un bzzzzzzzzzzzzzzzzzzzz menaçant qui tournoie et me promet une prochaine sucée imminente, j'allume la lumière à la recherche de mon agresseur et dès que j'ai identifié sur l'un de mes murs blancs sa silhouette noire repue de mon sang, j'agrippe un magazine que je roule en un gourdin et je passe à l'attaque. Cas de légitime défense.

Sans doute, en creusant un peu, trouvera-t-on des contradictions dans mes choix, mais je crois pouvoir affirmer qu'elles ne sont que le résultat d'une information partielle ou mal intégrée, et non le début d'un renoncement à une conviction profonde. Ma réflexion se nourrit chaque jour de nouvelles connaissances. Elle est en mouvement et rien n'est tout à fait figé.

Peter Singer fournit un bon exemple des écarts qu'impose parfois la réalité à la pratique, même si, en ce qui le concerne, cela se traduit par une rigueur supérieure. En effet, puisqu'il accepte moralement la consommation de viande, Singer n'a *a priori* pas de raison particulière d'être végétarien. Or il l'est depuis 1971. Il explique même qu'il est devenu depuis « largement végan ». Cela signifie que lorsqu'il est chez lui, il est végan, mais que dès qu'il est en voyage ou en visite chez des amis, il accepte de manger végétarien. Pourquoi adopter de tels comportements alimentaires si la consommation de viande n'est pas condamnable en elle-même à ses yeux ? Tout simplement parce que le monde de l'élevage idéal qu'il imagine, un monde où le bien-être animal serait privilégié, n'a pas encore vu le jour.

L'ÉMERGENCE DU MOUVEMENT VÉGAN : DE BILL CLINTON À JAMES CAMERON

Bill Clinton aimait les hamburgers, les frites et les pizzas. En 2010, il a choisi d'adopter un régime végétalien : il évite désormais la viande, mais aussi les produits laitiers et les œufs. A-t-il été soudain pris de remords ? A-t-il été convaincu par un documentaire sur les mauvais traitements réservés aux animaux dans les élevages ou les abattoirs ? Que nenni. Il a fait ce choix par pragmatisme. Après avoir subi un quadruple pontage coronarien en 2004, puis s'être fait poser deux stents quelques années plus tard, il a voulu s'assurer qu'il pourrait « voir grandir ses futurs petits-enfants ». Il a expliqué sur plusieurs chaînes américaines combien son état de santé s'en était trouvé amélioré : son taux de cholestérol a baissé de façon spectaculaire, il a retrouvé le poids qu'il avait lorsqu'il était étudiant et il se sent beaucoup plus énergique. Bill Clinton est aujourd'hui le porte-parole convaincu d'une alimentation sans viande ni produits d'origine animale. On mesure ici le fossé qui sépare la France des États-Unis sur cette question. Imaginez un instant Nicolas Sarkozy ou Jacques Chirac promouvoir en interview un régime sans viande ni produit laitier : surréaliste ! Même s'ils ne sont plus aux manettes, ils s'attireraient immédiatement les foudres des syndicats agricoles qui déverseraient leur colère et leurs surplus sur les représentants de l'UMP et sur leurs sièges.

Bill Clinton reconnaît néanmoins qu'il n'est pas aussi assidu à son régime que les végétaliens les plus stricts : il ne se soucie pas de la composition de son pain (le pain peut contenir des additifs d'origine animale), ni de l'origine de son huile (la fabrication de l'huile de palme provoque la destruction de forêts et la mort d'orangs-outans, nous y reviendrons plus loin). Il avoue surtout se laisser tenter occasionnellement par du poisson, voire par une bouchée de dinde à Noël.

Le végétalisme de Clinton, on l'a vu, n'est pas fondé sur des critères moraux, mais essentiellement sur des critères sanitaires : l'ancien président américain a changé de régime pour être en meilleure forme physique. Si ses motivations avaient été morales, je l'aurais qualifié de « végan », et non de « végétalien », puisque la langue française fait une distinction entre ces deux notions, tandis qu'en anglais elles sont confondues sous le terme *vegan*[152].

Rappelons que le véganisme exprime un engagement beaucoup plus politique et philosophique que le végétalisme, qui renvoie à une problématique essentiellement alimentaire. Il en découle des conséquences notables dans la vie sociale de celui qui adopte ce régime. Ainsi, le végan ne peut dîner dans un restaurant non végan, dans la mesure où les œufs et le lait de vache sont utilisés dans beaucoup de recettes « classiques ». Le végan ne peut pas non plus dîner chez des amis qui ne partagent pas ses principes, même s'ils sont végétariens. Les végans ont donc tendance à vivre entre eux, isolés du reste du monde, ce qui a naturellement des répercussions sur leur vie amoureuse, et même sexuelle. Non seulement beaucoup de végans affirment qu'ils ne peuvent vivre qu'avec une personne qui partage leur régime alimentaire, mais certaines femmes véganes se disent incapables de faire l'amour, même pour un soir, avec un homme qui mange de la viande. L'une d'elles m'a expliqué le dégoût « organique » qu'elle éprouverait en sachant qu'à quelques millimètres de sa peau, dans l'estomac de son partenaire, des morceaux de chair sont en train de se décomposer. Ce n'est pas pour rien que les végans sont considérés comme les « ultras de la cause animale ». Être végan, c'est un tout : on mange végan, on s'habille végan, et si possible on baise aussi végan.

Les végétaliens et les végans sont encore très minoritaires dans le monde. On les estimait à 1 % aux États-Unis en 2009 et à 2 % en Grande-Bretagne en 2007. En France, aucun chiffre n'est disponible, mais on peut supposer que le pourcentage est assez faible. Toutefois, preuve qu'un changement de mentalité est en train de s'opérer, un salon consacré au véganisme se tient à Paris chaque année depuis 2009. Le Paris Vegan Day propose des conférences, des dégustations culinaires, des défilés de mode ou encore des concerts. Sont présents des associations et des professionnels qui promeuvent ce mode de pensée et d'alimentation. L'événement est notamment porté par l'équipe du Gentle Gourmet, un bed & breakfast situé dans le XVIe arrondissement et dont l'originalité est de ne proposer que des repas végans.

Si le véganisme commence doucement à faire entendre sa voix en France, il est plus bruyant en Amérique du Nord, où il rallie de plus en plus de personnalités du show-biz : Michelle Pfeiffer, Ben Stiller, Tobey Maguire, Ted Danson, Mike Tyson (qui ne mangerait donc plus d'oreille aujourd'hui !), Alanis Morissette, Woody Harrelson, Alec Baldwin, Alicia Silverstone, Emily Deschanel, Joaquin Phoenix, Casey Affleck, Leona Lewis ou encore Natalie Portman. Celle-ci a d'ailleurs fait de son mariage avec Benjamin Millepied, en août 2012, un événement entièrement végétalien : aucun produit d'origine animale au menu. L'héroïne oscarisée de *Black*

Swan s'est néanmoins autorisé une entorse pendant sa grossesse : elle explique qu'elle a éprouvé l'envie de consommer à nouveau du lait et des œufs, et elle est donc revenue pendant quelques mois à un régime végétarien classique. La craquante reine Amidala de *Star Wars* est une fervente militante des droits des animaux, au point qu'elle a lancé en 2008 sa propre marque de chaussures véganes – qui ne connut cependant pas une grande réussite commerciale, les prix peu attractifs y étant sans doute pour quelque chose.

La diète végétalienne obtient également un succès certain auprès d'actrices qui veulent soigner leur ligne avant un tournage, comme Anne Hathaway a reconnu le faire dans une interview publiée par *USA Today*. Mais dans ce cas, reconnaissons-le, la motivation idéologique est nulle et donc peu appropriée à notre propos.

En revanche, il est beaucoup plus intéressant de se pencher sur la dernière conversion végane hollywoodienne en date : celle du réalisateur canadien James Cameron, champion mondial du box-office à qui l'on doit entre autres les deux premiers *Terminator*, *Aliens*, et bien sûr *Titanic* et la fable écolo *Avatar*. James Cameron a révélé il y a quelques mois qu'il avait tout récemment éliminé de son alimentation tout ce qui n'est pas végétal. Comme Bill Clinton, il loue les effets positifs sur sa santé de son nouveau régime : il explique qu'il se sent bien plus énergique aujourd'hui et qu'il a doublé la durée de ses séances de jogging. Mais, surtout, il tient à mettre en avant les retombées bénéfiques du végétalisme sur l'environnement. Invité en septembre 2012 du Blue Ocean Film Festival de Monterey, en Californie, James Cameron a tenu à lancer un message aux défenseurs de l'environnement : « Si vous voulez sauver les poissons, ne les mangez pas ! [...] On ne peut pas être un défenseur de l'environnement sans être végétalien. » Dans une interview accordée en octobre 2012 au journal *The Telegraph*, le réalisateur va plus loin et résume ainsi les raisons de son nouvel engagement : « Il n'y a aucune nécessité de manger des animaux. Il s'agit simplement d'un choix que nous faisons, cela devient donc un choix moral, et un choix qui a un impact énorme sur la planète puisqu'il épuise nos ressources et détruit la biosphère[153]. »

LES VÉGÉS ÉTAIENT FERMÉS DE L'INTÉRIEUR

Le livre du jeune écrivain américain Jonathan Safran Foer *Faut-il manger les animaux ?*[154], publié en 2009 aux États-Unis, a convaincu beaucoup de lecteurs dans le monde d'arrêter de consommer de la viande. Sous la forme d'une enquête, il décrit par le menu les conditions d'élevage dans les fermes industrielles des États-Unis et la réalité sanitaire de la viande qui atterrit sur nos tables. Depuis sa parution, Safran Foer, qui affirme avoir lui même renoncé à la viande et au poisson, est considéré comme une référence par de nombreux végétariens, végétaliens et défenseurs de la cause animale.

Toutefois, au mois de juin 2012, une polémique ternit son aura. Dans une vidéo postée sur Internet, on découvre en effet le jeune homme dans son sofa en train de vanter les mérites d'une application pour smartphone qui propose d'indiquer aux consommateurs les endroits où ils peuvent acheter les poulets les plus « éthiquement consommables », c'est-à-dire élevés dans les moins mauvaises conditions. Malaise. Stupéfaction. James McWilliams, célèbre éditorialiste végan, écrit sur son blog : « C'est comme si Martin Luther King, après avoir écrit la *Lettre de la prison de Birmingham*, avait renoncé à la non-violence et avait pris les armes. »

Le débat s'engage sur la toile. Beaucoup expriment leur dépit : comment l'auteur de ce manifeste qui a converti tant d'hommes et de femmes au végétarisme et au véganisme peut-il aujourd'hui encourager la consommation de poulet, fût-il élevé en plein air et avec du bon grain ? Parmi tous les commentaires que j'ai lus sur le Net, celui-ci me semble le mieux expliquer l'apparent paradoxe de Jonathan Safran Foer :

> Le problème de Foer, c'est qu'au fond lui-même ne sait pas vraiment où il en est (et ne l'a jamais su...). Le parcours qu'il entreprend et qu'il raconte dans son livre le mène naturellement à des conclusions de consommation végane... et pourtant, jamais il ne le dira ouvertement. Pourquoi ? Je crois que c'est surtout un auteur qui se cherche toujours, qui a écrit un livre qui n'est pas mal fait au demeurant, mais qui n'aurait jamais eu le succès qu'il a eu si Foer n'avait déjà été lui-même connu. Cette publicité pour la « viande éthique » n'est pas si surprenante que cela, car son livre accorde une place très importante à la question de la souffrance animale. Il part donc du point de vue qu'il ne peut rendre l'humanité végétarienne, et qu'il est plus facile de faire accepter l'idée d'une consommation plus « en conscience ». Il y a pas mal de penseurs de l'éthique animale qui partagent cette idée : non à la mort industrielle de masse, oui à la mort « éthique ». Mort « méchante » *vs.* mort « gentille »... mais si ce n'est une manière de donner bonne conscience au consommateur de viande, je ne sais pas ce que c'est... ☺

Le « cas » Safran Foer illustre parfaitement les débats qui agitent aujourd'hui le monde de l'éthique animale. Ce domaine de réflexion philosophique et politique trouve son expression concrète dans des comportements individuels qui révèlent des lignes de conduite très nuancées. Car, au final, quels que soient les concepts dont il se réclame, chacun apporte des réponses personnelles à des questions très complexes qui sont :

– Si l'on refuse de manger des animaux sensibles, y a-t-il des animaux suffisamment insensibles pour justifier qu'ils finissent dans une casserole ?

– Si l'on considère qu'il est juste de manger des animaux qui ont été « élevés dans de bonnes conditions », comment définir le degré de confort à partir duquel on estime que le bien-être de l'animal est vraiment respecté ?

– Si l'on s'érige contre toute forme de nuisance à la vie animale, jusqu'où doit-on aller, sachant que le simple fait de vivre, pour un humain, induit forcément la destruction de formes de vie animale (bâtir une maison, marcher sur l'herbe, conduire une voiture, produire de l'électricité, et même labourer un champ ou cueillir des fruits et légumes...) ?

– À quel moment décide-t-on de s'affranchir de la règle que l'on s'est fixée avec la plus grande détermination au motif que son respect permanent est impossible ? Comment fixer le cadre de cet impossible ?

Face à ces questions et à beaucoup d'autres, l'extrémisme est un fléau qui mène à l'obscurantisme et aux dérives sectaires. Je parle de l'extrémisme et non de la rigueur morale, notion selon moi bien distincte. Le psychologue Hal Herzog a écrit que les militants pour les droits des animaux et les fondamentalistes religieux se ressemblent en ce qu'ils voient les choses en blanc et noir plutôt qu'en nuances de gris[155]. Je conteste cette vision des choses qui met tous les militants dans le même panier et qui, justement, montre les choses en blanc et noir. En revanche, il est vrai que parmi ceux qui se battent pour les droits des animaux, comme parmi tous les mouvements, on rencontre parfois des personnalités dont l'engagement est tel qu'il en oublie toute mesure.

J'en ai fait l'expérience à Montréal lors d'une soirée végane à laquelle j'ai eu la joie d'être convié. Il s'agissait d'un dîner de l'Action de grâce, une fête qui correspond au Thanksgiving des États-Unis, célébrée au Canada le deuxième lundi d'octobre. Traditionnellement, le repas de l'Action de grâce est organisé autour d'une dinde. Mais dans cette contre-soirée végane, évidemment, le but était de prouver qu'un repas de fête peut être très réussi sans viande ni aucun produit d'origine animale. Et je le confirme : la cuisine végane peut être succulente. Ce soir-là, je me suis régalé. Voici le menu qui m'attendait :

Salade de pommes de terre avec véganaise
(une mayonnaise sans œufs)
Salade de lentilles
Salade de chou frisé et de chou rouge avec noix
de Grenoble et vinaigrette citronnée
Pâté aux champignons crus sur pain
Pain de « sans-viande » à base de tofu fumé
Sauce aux champignons et pâte de miso
Sauce aux canneberges
Ketchup maison aux fruits
Tarte à la citrouille
Strudel aux pommes et raisins secs

Au cours de cette soirée, j'ai croisé des gens intéressants, sensibles, attentionnés. Mais aussi une femme très en colère. D'emblée, j'ai senti qu'elle ne se réjouissait pas particulièrement de ma présence. Je me suis d'abord imaginé que c'était dû à ma qualité de journaliste (ce métier provoque de temps en temps une crispation à laquelle je suis habitué). Mais je me trompais : cette femme ne me reprochait pas mon appartenance au monde parfois si critiquable des métiers de l'information, mais... mon végétarisme ! Au moment du café, elle est passée à l'attaque en me lançant un regard noir : « T'es végétarien ? Ça sert à rien ! Autant manger de la viande ! » À ses yeux, mon choix alimentaire était tellement fade, comparé à celui d'un végan, qu'il équivalait à un non-choix et qu'il n'aidait en rien la cause animale. J'étais un petit bras, un petit joueur, un amateur, un type qui n'avait rien compris...

Le plus intéressant, c'est que cette approche est apparemment assez classique chez les végans. Quelques mois après l'épisode montréalais, j'ai dîné avec des amis dans un restaurant situé porte d'Auteuil, à Paris. Un endroit élégant, branché et légèrement prétentieux, où presque tous les plats sont composés à partir de viande ou de poisson. J'avais réussi à négocier avec la serveuse pour qu'on me serve des *noodles* sans poulet. Vers la fin du repas, la jeune femme et moi engageâmes la conversation et je lui expliquai ma demande particulière en évoquant mon végétarisme. Sa réaction fut immédiate : « Végétarien ? Ça sert à rien ! Il faut arrêter le lait pour que ce soit utile ! » Alerté par ma précédente expérience, je devinai aussitôt à qui j'avais affaire : « Vous êtes végane ? – Absolument ! » me répondit fermement la gracile demoiselle. Je lui fis alors remarquer la contradiction flagrante entre ses convictions affirmées et son choix de travailler dans un restaurant non végétalien, faisant la promotion des produits carnés. Sa réponse embarrassée fut surprenante : « J'ai besoin de gagner ma vie, et les pourboires sont bien plus intéressants dans ce restaurant bourgeois qu'ils ne pourraient l'être dans un resto végan. » J'avais affaire à une végane pragmatiquement calculatrice. Encore une autre espèce.

Ces exemples illustrent en tout cas les critiques radicales qu'adressent certains abolitionnistes aux welfaristes. Les premiers, opposés à toute forme d'exploitation animale, reprochent aux seconds, qui militent « seulement » pour que les animaux exploités bénéficient de meilleures conditions de vie, d'être des traîtres à la cause. En n'allant pas assez loin, ils cautionneraient le système pourtant répréhensible en lui-même. Personnellement, cette analyse me paraît fausse. Toute prise de conscience me semble bonne, quel que soit le degré d'action auquel elle mène. Il est absolument contre-productif de mettre dans le même sac un carnivore et un végétarien. C'est une démonstration de totalitarisme intellectuel qui préfigure un monde où chacun serait toujours et fatalement coupable.

Par ailleurs, mes détractrices véganes sont-elles certaines d'être, dans leurs choix quotidiens, aussi moralement parfaites qu'elles le prétendent ? Le cas de ma serveuse française prouve déjà que non. Mais laissons de côté cet exemple trop facile. Intéressons-nous plutôt à l'huile de palme. Celle-ci est très largement utilisée dans l'alimentation. Mais, en plus d'être néfaste pour la santé, sa production entraîne la déforestation et la destruction de certaines espèces menacées, comme les orangs-outans à Bornéo, qui sont abattus tandis que les plantations progressent et empiètent sur leur habitat[156]. Le végan se doit donc d'éliminer totalement ce produit de sa consommation pour le remplacer par de l'huile de colza, d'olive ou de tournesol. Adrien Gontier, un jeune chimiste de 26 ans, a ouvert un blog sur le sujet. Il y explique que l'huile de palme (issue des fruits) et l'huile palmiste (issue des noyaux) peuvent se décliner en de nombreux dérivés (le jeune chimiste en a identifié cent quarante, qui peuvent se cacher par exemple dans les mono- et diglycérides d'acides gras). On les retrouve dans de multiples produits alimentaires (biscottes, biscuits, pâtes à tartiner, pizzas, purée…), mais aussi dans des produits ménagers tels que savons, shampoings, etc. Presque toutes les marques utilisent ces huiles ou leurs dérivés sous plus de soixante nominations différentes. Le seul moyen de s'assurer de leur absence dans un produit est de contacter la firme productrice. Qui peut réellement, au quotidien, se livrer à de telles vérifications ? Sans oublier que tout végan, végétalien ou végétarien ingurgite malgré lui des bouts d'insectes, présents dans la farine de blé, les confitures, les jus de fruits, les soupes, les légumes, le chocolat ou encore les pâtes. Pour l'éviter, il faudrait tout simplement cesser de se nourrir !

La philosophie végane est proche de la mienne et j'adhère à beaucoup de ses fondements. Je me méfie néanmoins des ayatollahs en tout genre, de quelque bord qu'ils se réclament. Ils desservent toujours la cause qu'ils prétendent défendre. Je préfère pourtant le chaud ou le froid à la tiédeur, j'aime les gens de conviction, et j'éprouve le plus profond respect pour celui qui ne sacrifie pas ses idéaux sur l'autel de l'opportunisme. Mais je rejette le mépris des donneurs de leçons qui assènent leurs vérités avec agressivité, surtout s'ils se prétendent les porte-voix d'un projet altruiste. L'idéalisme ne justifie pas l'extrémisme. Celui qui demande à l'autre de changer doit d'abord être capable d'écouter et de comprendre. Et ne pas s'enfermer dans la condamnation.

Au-delà de ces dérives parfois constatées, l'espace existe pour un débat ouvert sur la base d'un objectif clair que ne contestent même plus les non-végétariens : redéfinir en profondeur la façon dont nous considérons les autres animaux, qu'ils soient familiers ou d'élevage.

Raison n° 8

Parce que le végétarisme
est moderne depuis des millénaires

> *Mais pourquoi, si l'illégitimité, c'est-à-dire*
> *l'immoralité d'une nourriture animale, est*
> *connue depuis si longtemps de l'homme,*
> *n'est-on pas arrivé encore jusqu'ici à la*
> *conscience de cette loi ? [...] La réponse en*
> *est dans ce fait que le mouvement moralisa-*
> *teur, qui constitue la base de tout progrès,*
> *s'accomplit toujours lentement, et que l'indice*
> *de tout véritable mouvement est dans son*
> *caractère de perpétuité et dans sa constante*
> *accélération. Tel est le mouvement végétarien.*
> *[...] L'humanité [...] tend de plus en plus,*
> *sans qu'elle en ait conscience, à passer de la*
> *nourriture animale au régime végétal.*

Léon Tolstoï

Les Indiens Jaïns et Bishnoïs, peuples végétariens

Peut-on vraiment croire qu'il existera un jour une société où toute violence à l'encontre des animaux non humains sera un crime puni par la loi ? Une société où il sera interdit de tuer un animal et où chacun aura même une obligation de protection à l'égard de tout être vivant ? Ne s'agit-il pas d'une douce utopie dont se bercent quelques babas ou bobos lorsqu'ils ont un peu trop bubu ?

Non. Cette société existe depuis cinq siècles en Inde. Principalement dans la partie désertique de l'État du Rajasthan, dans le nord-ouest du pays. C'est la société de la communauté *bishnoï*. Et elle compte entre 600 000 et 800 000 membres.

Au XVe siècle, un homme installé à l'ombre d'un khejri – une espèce locale célèbre de mimosa – y prônait le respect de la vie sous toutes ses formes. Cet homme s'appelait Jambeshwar Bhagavan (connu aussi sous le nom de Jambaji). Il a donné son nom à l'une des plus grandes universités du pays. En 1486, alors âgé de 34 ans (il en vivra 85, ce qui pour l'époque représente une performance notable), ce sage hindou fonda une communauté qui repose sur vingt neuf principes – d'où le nom de *bishnoï*, qui signifie « vingt-neuf » en langue hindi. Parmi ces règles, la nécessité de la propreté quotidienne du corps, la méditation, le pardon, mais aussi le respect des animaux et des arbres. La loi bishnoï impose en effet d'être compatissant envers tous les êtres vivants, qu'ils soient animaux ou végétaux. Les Bishnoïs respectent autant les arbres (qu'il leur est interdit de couper) que les chèvres et les moutons (auxquels ils se doivent de fournir un abri) ou les animaux les plus minuscules – lors du festival annuel organisé pour célébrer le gourou Jambeshwar, les feux sacrés sont allumés uniquement dans la journée afin d'éviter que les insectes, attirés par les flammes, ne s'y brûlent.

L'histoire des Bishnoïs est marquée par un sacrifice célèbre, au début du XVIIIe siècle. Le maharadjah de Jodhpur, Ajit Singh, prit un jour la décision d'abattre des arbres situés sur les terres bishnoïs, aux alentours de Jodhpur. Lorsqu'ils virent arriver les hommes du maharadjah prêts à couper les khejris, les villageois décidèrent de s'interposer. À leur tête, une femme, Amrita Devi. Elle entoura un arbre pour le protéger. Elle fut exécutée. En réaction, les Bishnoïs qui l'accompagnaient enlacèrent eux aussi les arbres. Les ouvriers n'abandonnèrent pas leur mission pour autant : ils se mirent à trancher sans distinction les arbres et les corps qui tentaient de les protéger. Le massacre fit trois cent soixante-trois morts. A-t-il existé, en un autre lieu, en un autre temps, un sacrifice humain équivalent dans le but de sauver des arbres ? Aucun qui soit répertorié, en tout cas. Ce sens du sacrifice n'a pas disparu au fil des siècles. Le 12 août 2000, un agent de police nommé Shri Ganga Ram Bishnoï a été tué par des braconniers qu'il poursuivait alors qu'ils venaient d'abattre une gazelle. Il a reçu une distinction à titre posthume et une statue a été édifiée en son hommage, le représentant accompagné de la gazelle assassinée.

Aujourd'hui, les Bishnoïs vivent toujours sur les terres les plus pauvres du Rajasthan, loin des villes. Même au milieu du désert, ils parviennent à faire pousser de l'orge, du millet ou des khejris. Et dans ce décor se promènent des gazelles et des antilopes qui n'ont rien à craindre pour leur sécurité. Les villageois les protègent, les nourrissent, les abritent. Un dixième des récoltes céréalières est ainsi automatiquement réservé à l'alimentation animale. Les femmes donnent même parfois le sein à des animaux orphelins. Les Bishnoïs sont particulièrement attentifs aux antilopes noires, espèce en laquelle est censé se réincarner le gourou. Et on ne plaisante pas avec ça : en 2007, l'acteur de Bollywood Salman Khan a été condamné à cinq ans de prison pour avoir abattu, quelques années plus tôt, une antilope au cours d'une chasse dans la région de Jodhpur. Il fut finalement libéré très rapidement, mais l'affaire aurait pu être beaucoup plus dramatique pour lui s'il n'avait pas eu de bons avocats.

Les Bishnoïs sont évidemment végétariens. Ils sont considérés comme les plus grands écologistes de la planète. Mais, en Inde, une autre religion prône depuis bien plus longtemps encore le végétarisme et la non-violence absolue envers les animaux : le jaïnisme.

Ce mouvement, qui présente des points communs avec l'hindouisme et le bouddhisme, en est pourtant distinct. Apparu entre le IXe et le VIe siècle avant J.-C., il est considéré comme la plus ancienne religion de l'Inde. La doctrine telle qu'elle subsiste aujourd'hui daterait de 2 500 ans. Elle peut se résumer à travers ce texte jaïn rédigé trois ou quatre siècles avant notre ère :

> Tous les saints et les vénérables du passé, du présent et de l'avenir, tous disent, annoncent, proclament et déclarent : on ne doit tuer, ni maltraiter, ni injurier, ni tourmenter, ni pourchasser aucune sorte d'être vivant, aucune espèce d'animal, ni aucun être d'aucune sorte. Voilà le pur, éternel et constant précepte de la religion proclamé par les sages qui comprennent le monde[157].

Comme l'explique Jean Nakos dans *Les Cahiers antispécistes*, le jaïnisme est actuellement la seule religion importante où le végétarisme est obligatoire tout le temps et pour tous les membres.

La clé de voûte du jaïnisme est l'*ahimsa*, ce vœu de non-violence cher à Gandhi et qui implique l'interdiction de tuer ou de blesser intentionnellement un être vivant, qu'il s'agisse d'un animal ou d'une plante. Les Jaïns ne mangent évidemment pas de viande, s'opposent aux combats d'animaux et font également attention à ne pas écraser des insectes rampants. Comme il faut bien manger pour vivre, ils s'autorisent la consommation des végétaux, car ces derniers possèdent moins de sens que les animaux ou les insectes (lesquels sont dotés de la vue, de l'ouïe ou encore de l'odorat). Cependant, les Jaïns prennent garde à ne pas gâcher cette nourriture, et ils organisent des jeûnes réguliers.

Il convient de préciser que les Jaïns (contrairement aux Bishnoïs) ne sont pas uniquement motivés par la compassion. Leur démarche repose aussi sur la volonté de ne pas être souillés par un monde extérieur qu'ils jugent impur. Reste que les Jaïns, qui représentent environ 1 % de la population indienne, soit 10 millions de personnes, sont le plus grand groupe organisé de protection animale. Ils établissent des refuges pour les vaches, organisent des opérations de sauvetage des animaux et sont très attentifs à leurs conditions d'exploitation. Ils ont aussi ouvert un grand hôpital pour oiseaux à Delhi, le Jain Bird Hospital, qui peut accueillir jusqu'à trois mille volatiles. Fondé en 1929, il est toujours très actif aujourd'hui.

Les Jaïns et les Bishnoïs ne sont pas les seules communautés sur terre à prôner, pour des raisons variables, une approche du monde animal radicalement différente de la nôtre. Mais alors, quel chemin avons-nous suivi en Occident ? Et pourquoi ce chemin conduit-il les animaux à la chaîne d'abattage ?

LE CHEVAL DE NIETZSCHE, LE CHIEN DE KUNDERA ET CELUI DE SCHOPENHAUER

Pendant mon année d'hypokhâgne, j'ai hérité d'un professeur de philosophie très sympathique. Son nom m'échappe, mais je me souviens de sa moustache, de ses petites lunettes, de son front dégarni et du sourire bonhomme qui ponctuait certains de ses traits d'humour – car il aimait plaisanter sur la vie des philosophes ou sur les limites d'un concept, même si ces petites blagues ne provoquaient pas toujours l'hilarité générale. Je me souviens aussi de sa voix basse et monotone dont le redoutable effet anesthésiant était accentué par la lecture d'extraits de *L'Éthique* de Spinoza. Il n'était donc pas rare pendant ses cours que mon attention soit consacrée à la conception de projets graphiques éphémères : caricatures de copains, mini-bandes dessinées ou projets d'illustrations pour le journal de la classe... Un jour, cependant, une phrase lâchée par mon prof au détour d'une longue explication avait allumé une petite lumière dans mon esprit vagabond : « Nietzsche est devenu fou en embrassant un cheval. » Enfin, de la philosophie incarnée ! Du glamour et des sentiments ! Friedrich Nietzsche en train de rouler une pelle à un canasson : un *teaser* qui donne envie d'en savoir plus. Comment le brave homme en était-il arrivé là ? Tout de suite, les précisions.

Le matin du 3 janvier 1889 – il avait alors 44 ans et n'allait déjà plus très bien –, Nietzsche aperçoit sur la piazza de Turin un cocher en train de frapper violemment son cheval. Il se jette alors au cou de l'animal, affligé de douleur. Immédiatement après, il sombre définitivement dans la folie. Nietzsche aimait les animaux. Peut-être même ne s'entendait-il vraiment qu'avec eux. Nietzsche n'était pas végétarien, mais il se méfiait de la viande et en mangeait peu. Surtout, il considérait que le contenu de notre estomac est étroitement lié à notre évolution : « Il est une question [...] dont le "salut de l'humanité" dépend beaucoup plus que celle de n'importe quelle ancienne subtilité de théologien : c'est la question du régime alimentaire[158] », écrit-il quelques mois avant l'épisode du cheval.

Pendant cette même année d'hypokhâgne, en cours de français cette fois, j'ai découvert un écrivain qui fait depuis partie de mon panthéon littéraire : Milan Kundera. Ma passion pour cet auteur commença avec *L'Insoutenable Légèreté de l'être*.

Ce livre écrit en 1982 suit le destin amoureux de Tomas, un jeune chirurgien libertin dans la Tchécoslovaquie des années 1970. Une ex-femme, un enfant, une collection de maîtresses avec lesquelles il refuse de passer une nuit complète, une amante favorite, Sabina, et un parcours compliqué et douloureux avec celle qu'il se décidera finalement à aimer, Tereza, jusqu'à leur fin tragique dans un accident de voiture. Mais *L'Insoutenable Légèreté de l'être* est bien plus qu'un roman d'amour. C'est une œuvre aux multiples facettes – philosophique, historique, sociologique, psychologique – dont l'une est très rarement évoquée par les commentateurs : son engagement en faveur des animaux.

J'ai toujours dans ma bibliothèque l'exemplaire que j'ai dévoré il y a plus de vingt ans avec passion. Les pages ont jauni, mais j'y retrouve les passages que j'avais soulignés au crayon à l'époque. Notamment celui-ci : « La vraie bonté de l'homme ne peut se manifester qu'à l'égard de ceux qui ne représentent aucune force. Le véritable test moral de l'humanité (le plus radical, qui se situe à un niveau si profond qu'il échappe à notre regard), ce sont les relations avec ceux qui sont à notre merci : les animaux. Et c'est ici que s'est produite la faillite fondamentale de l'homme, si fondamentale que toutes les autres en découlent[159]. »

Kundera sait de quoi il parle lorsqu'il évoque la faillite de l'humanité. Il l'a expérimentée en partie dans la Tchécoslovaquie communiste, puis soviétique, qu'il a choisi de fuir en 1975, après avoir été privé de son poste d'enseignant à l'Institut cinématographique de

Prague et avoir vu ses livres retirés des librairies. Il sait ce que c'est que l'oppression, la violence, l'entrave, l'humiliation, la lâcheté, et il est l'un des écrivains, avec Kafka ou Dostoïevski, à avoir le mieux décrit la tragique ironie de la condition humaine.

Dans la dernière partie du roman, Tereza s'est installée à la campagne avec Tomas. Leur chien, Karénine, est atteint d'un cancer qui le fait boiter. Au cours d'une promenade, Tereza croise une voisine qui l'interroge sur la claudication de l'animal. En lui expliquant ce qu'il en est, Tereza a les larmes qui lui montent aux yeux. « Bon Dieu, s'exclame la voisine, vous n'allez tout de même pas pleurer pour un chien ! » Alors Tereza, écrit Kundera, « se sent seule avec son amour pour son chien. Elle songe avec un sourire mélancolique qu'elle doit le cacher plus jalousement que s'il fallait dissimuler une infidélité. L'amour qu'on porte à un chien scandalise ».

L'écrivain revendique donc le droit d'éprouver de l'affection pour un animal sans s'exposer à la moquerie de ceux qui refusent de comprendre la force du lien créé. Il insiste sur notre responsabilité à traiter avec respect des êtres sur lesquels il nous est facile d'exercer une domination, sous quelque forme que ce soit. Et il reprend l'idée selon laquelle l'humain n'est vraiment humain que s'il sait se montrer bon à l'égard des autres espèces. Bien d'autres avant lui ont fait la même analyse. C'est le cas par exemple de l'écrivain et dramaturge Georges Courteline, soixante ans plus tôt. Cet auteur de pièces à succès qui faisaient se tordre de rire le Tout-Paris était un défenseur de la cause animale. Il détestait tout ce qui touche à la corrida. En 1922, il écrivait : « La douceur de l'homme pour la bête est la première manifestation de sa supériorité sur elle[160]. »

Milan Kundera va plus loin que Courteline, puisqu'il désigne les responsables de cette « faillite fondamentale » à l'égard des autres animaux : Descartes et la Bible. Il reprend là l'analyse effectuée par Arthur Schopenhauer un siècle et demi plus tôt. Le philosophe allemand, qui fit de son caniche son seul héritier, aimait profondément les animaux. Il avait pris très fermement position pour que cessent leurs souffrances dans les abattoirs et les laboratoires. Il pensait d'ailleurs que, dans son histoire, l'homme avait initialement été végétarien, avant d'être obligé de manger de la viande pour survivre en migrant vers des régions froides. Schopenhauer avait été très marqué par sa découverte du bouddhisme et de l'hindouisme, et il reprochait fortement aux religions monothéistes (chrétienne, juive et musulmane) d'avoir causé le malheur des animaux en refusant, contrairement aux religions indienne et chinoise, de reconnaître nos liens étroits avec la nature et nos affinités avec les autres espèces : « Une autre tare fondamentale du christianisme [...] est la suivante : il a, contredisant la nature, arraché l'homme au "monde animal" auquel il appartient pourtant essentiellement et veut à présent le faire valoir totalement seul, considérant les animaux très exactement comme des "choses"[161]. »

Une absurdité qui, selon Schopenhauer, trouve son origine dans la Genèse, où Dieu confie les animaux aux hommes comme s'il s'agissait de simples objets.

ADAM ET ÈVE ÉTAIENT POURTANT VÉGÉTARIENS

Le décor est celui d'un restaurant italien bon marché d'Issy-les-Moulineaux, qui sert de cantine aux employés des sociétés environnantes. Les pizzas n'ont pas vraiment de goût, les pâtes sont insipides. Peu importe, les clients ne viennent pas ici pour se régaler, mais pour remplir leur estomac de carburant énergétique. Aujourd'hui, je déjeune avec un ami que j'ai connu à Europe 1, où il a fait un bref passage. David est animateur radio, mais il est également passionné de gastronomie. Il a toujours cuisiné, il a rédigé des critiques de restaurant pendant deux ans, a collaboré à un programme culinaire sur France 3 et rêve de développer sa propre émission, dans laquelle il pourrait mettre en avant ses talents aux fourneaux.

Au moment où nous passons la commande, notre conversation dérive sur le thème de la cuisine. Mon régime végétarien l'intrigue, même s'il peut en comprendre les motivations : « Je reconnais que pour manger de la viande il vaut mieux ne pas imaginer l'animal qui a été tué, m'explique-t-il. Je pense que beaucoup de gens ne font pas la connexion entre les deux, sinon ce serait beaucoup plus compliqué. D'ailleurs, moi qui aime les animaux, je suis favorable à ce qu'on améliore les conditions de vie de ceux qu'on élève pour la nourriture. Mais il est vrai qu'en tant que gastronome, amoureux de la cuisine, la bouffe passe avant tout. Et il n'est pas question d'éliminer quoi que ce soit de mon alimentation. »

Et cela concerne aussi les préceptes de sa religion : David est juif, mais il refuse de suivre l'ensemble des règles de la cacherout, c'est-à-dire des interdits de l'alimentation juive. « Pour moi, ce serait un enfer ! Il y a d'abord l'interdiction du porc, interdiction que je ne respecte pas. Mais ça, c'est le plus simple. Dans notre religion, impossible par exemple de boire du lait en même temps que l'on mange de la viande. On peut le faire juste avant, mais pas pendant ou juste après. Il faut respecter un certain délai[162]. D'ailleurs les deux aliments n'ont même pas le droit de se trouver dans le même frigo. Parce qu'il est écrit dans la Bible qu'"il ne faut pas cuire le chevreau dans le lait de sa mère". Du coup, interdiction de manger une escalope à la crème ! Et les vrais pratiquants ont deux frigos, deux éviers, deux types de vaisselle différents pour ne surtout pas mélanger les deux types d'aliments. Ils n'ont pas le droit non plus de manger certains poissons, ni la plupart des crustacés et coquillages. Le bar, la daurade, la carpe, pas de problème. En revanche, l'anguille est interdite[163]. Et ce n'est pas tout. Un vrai pratiquant ne peut pas venir manger chez toi à moins d'apporter ses propres couverts, puisque tes couverts, tes assiettes ou ton plan de travail, même s'ils ont été lavés depuis, ont pu être souillés par des aliments impurs. Bien sûr, si tu manges des aliments souillés à ton insu, tu es pardonné. Mais tout de même... Tu ne peux être exempté de ces règles qu'à certaines conditions : si tu es malade, trop vieux, ou si tu es une femme enceinte. Non, franchement, quand on aime bien manger comme moi, tous ces principes, tous ces interdits, ce n'est pas possible ! »

En quelques minutes, David vient de résumer toute la complexité de la morale alimentaire juive. Celle-ci trouve son origine dans différents passages de la Torah. Dans le Lévitique, Dieu désigne à Moïse et à Aaron les animaux qu'il convient de manger ou pas. Est autorisé au menu « tout animal qui a la corne fendue, le pied fourchu, et qui rumine ». En revanche, interdiction de manger les animaux « qui ruminent seulement, ou qui ont la corne fendue seulement ». Sont alors cités comme impurs le chameau, le daman et le lièvre, qui ruminent mais n'ont pas « la corne fendue », et le porc, « qui a la corne fendue et le pied fourchu, mais qui ne rumine pas[164] ». Dieu donne aussi ses recommandations en ce qui concerne les oiseaux, les poissons et les reptiles, dont tous ne sont pas officiellement comestibles. Le même genre de règles prévaut pour les fruits et les légumes et pour les boissons. Par ailleurs, comme nous l'avons vu précédemment, la tradition juive impose pour les animaux des conditions d'abattage particulières, la plus marquante étant le fait que l'animal doit être conscient lorsqu'il est tué. La viande ainsi préparée est qualifiée de *casher*. La religion musulmane a posé le même interdit sur le porc, et une règle similaire concerne l'abattage. La viande conforme à ces exigences est dite *halal*.

Sur quoi se fondent exactement ces différents interdits religieux ? Est-ce sur l'observation de règles de diététique et de santé qui auraient été comprises depuis des millénaires ? Est-il réellement mauvais, par exemple, de manger de la viande et du lait en même temps ? Ou alors toutes ces règles ne reposent-elles que sur des superstitions, ou sur des interprétations abusives des textes sacrés ? Difficile de répondre. Les religions monothéistes entretiennent des relations complexes et souvent incompréhensibles avec l'animal non humain, qu'elles n'ont jamais considéré avec une grande bienveillance.

« L'homme dans son arrogance se croit une grande œuvre digne de l'intervention d'un dieu. Il est plus humble et je pense plus vrai de le considérer comme créé à partir des animaux », écrit Darwin en 1838, soit vingt et un ans avant la parution de son ouvrage majeur, *De l'origine des espèces par voie de sélection naturelle*[165]. Depuis Darwin (et le codécouvreur de la théorie de la sélection naturelle Alfred Russel Wallace, injustement effacé de la mémoire collective), l'homme n'est officiellement plus séparé du monde animal. Mais comment rayer d'un trait de plume une vision du monde qui s'est ancrée dans les cerveaux pendant près de deux millénaires ? Les trois religions monothéistes ont en effet causé un grand tort à l'animal non humain en le mettant radicalement à distance, et en l'affublant d'emblée du statut d'être inférieur dont la vocation est de servir l'homme, notamment pour sa nourriture.

Pourtant, si l'on en croit la Bible, les premiers êtres humains apparus sur terre étaient bien végétariens. Dans le jardin d'Éden, Adam et Ève étaient d'abord censés se nourrir de fruits et de légumes, tout en cohabitant avec des animaux pratiquant le même régime alimentaire. Dans la Genèse, on lit ceci :

> Et Dieu dit : Voici, je vous donne toute herbe portant de la semence et qui est à la surface de toute la terre, et tout arbre ayant en lui du fruit d'arbre et portant de la semence : ce sera votre nourriture. Et à tout animal de la terre, à tout oiseau du ciel, et à tout ce qui se meut sur la terre, ayant en soi un souffle de vie, je donne toute herbe verte pour nourriture. Et cela fut ainsi[166].

Des salades, des céréales, des poires, des cerises... mais pas d'animaux. Voilà en gros de quoi se composait le menu d'Adam et Ève. Jusqu'à ce qu'un serpent tentateur s'immisce et pousse Ève à croquer la pomme interdite, ce dont Dieu fit tout un plat, et pour le couple originel ce ne fut pas de la tarte.

Après la chute, le Déluge. Après l'épisode de l'arche de Noé, Dieu semble avoir changé son fusil d'épaule. Ce fusil devient celui d'un chasseur. Les recommandations alimentaires se précisent, et il est écrit sans ambiguïté dans la Bible que l'homme peut manger tout ce qui bouge :

> Dieu bénit Noé et ses fils, et leur dit : Soyez féconds, multipliez, et remplissez la terre. Vous serez un sujet de crainte et d'effroi pour tout animal de la terre, pour tout oiseau du ciel, pour tout ce qui se meut sur la terre, et pour tous les poissons de la mer : ils sont livrés

entre vos mains. Tout ce qui se meut et qui a vie vous servira de nourriture : je vous donne tout cela comme l'herbe verte[167].

L'homme « sujet de crainte et d'effroi pour tout animal de la terre » : la formule ne laisse guère de place au doute ! D'ailleurs, même si notre régime carné n'était pas au programme à l'origine, l'idée que nous occupons une position dominante par rapport aux autres espèces apparaît dès les premières lignes de la Genèse. Y est affirmée une vision de la nature comme self-service, vision que Descartes poussera à l'extrême :

> Dieu créa l'homme à son image, il le créa à l'image de Dieu, il créa l'homme et la femme. Dieu les bénit, et Dieu leur dit : Soyez féconds, multipliez, remplissez la terre, et l'assujettissez ; et dominez sur les poissons de la mer, sur les oiseaux du ciel, et sur tout animal qui se meut sur la terre[168].

Le système judéo-chrétien est né, inaugurant des siècles de maltraitance animale. Ce système repose sur une logique simple : l'homme est le représentant officiel de Dieu sur terre. La preuve en est que c'est le seul être à son image. Il est donc la créature suprême, par là même un être supérieur. La Bible a ainsi scellé le destin des espèces animales non humaines : elles seront au service de l'homme, domestiquées et cuisinées. Le judaïsme et le christianisme ont entériné la vision d'un monde anthropocentriste dans lequel l'homme, « à l'image de Dieu », soumet les autres créatures. L'autre grande religion monothéiste, l'islam, a repris cette vision dans le Coran.

À cette conception qui place l'homme au-dessus des autres espèces et justifie ainsi l'exploitation animale s'oppose pourtant un argument imparable, développé par Milan Kundera : imaginons que des extraterrestres débarquent sur terre et que le Dieu de ces extraterrestres ait décrété que les humains sont une espèce inférieure. Cela justifierait-il que nous soyons embrochés pour être dévorés, ou découpés dans des laboratoires[169] ? L'hypothèse, qui peut faire sourire et qui a d'ailleurs déjà donné lieu à de nombreux scénarios (*La Guerre des mondes*, par exemple), n'a pourtant rien d'absurde. Il est en effet probable que nous ne soyons pas seuls dans l'univers. Si une autre forme de vie existe en dehors de la Terre, il est aussi tout à fait possible qu'elle soit plus intelligente que la forme humaine. Notre stupidité relative justifierait-elle, d'un point de vue moral, que nous soyons réduits à l'esclavage ou même bouffés ?

Évidemment, la Bible est un texte complexe bourré de nuances, voire de contradictions. On y trouve donc aussi des passages qui appellent à éviter les mauvais traitements sur les animaux. Il est recommandé par exemple de ne pas les manger vivants, de leur laisser un jour de repos par semaine, d'aider ceux qui croulent sous le poids d'une charge trop lourde... Mais ces petites recommandations n'ont que faiblement atténué le mauvais sort jeté aux créatures non humaines. Ainsi, pour saint Augustin, le sixième commandement (« Tu ne tueras point ») ne pouvait s'appliquer qu'aux humains. Quant à Thomas d'Aquin, il affirmait qu'on avait le droit de tuer les animaux, dont la vie n'était préservée que pour les hommes et non pour eux-mêmes. Et il niait qu'il y ait une vie après la mort pour les animaux non humains[170].

Mais il ne faut pas oublier les voix dissidentes qui ont essayé de se faire entendre. Chez les catholiques, la plus célèbre reste celle de saint François d'Assise, qui peut être considéré comme un précurseur dans la défense de la cause animale. François d'Assise, qui est né à la fin du XIIe siècle, aimait toutes les créatures de la Terre, quelles qu'elles soient. Oiseaux, poissons, animaux sauvages ou domestiques : selon lui, tous étaient précieux et méritaient la même attention. Il appelait ces animaux ses « frères » et ses « sœurs ». Preuve de son engagement unique dans l'Église, il est devenu en 1979, sous le pontificat de Jean-Paul II, le patron des écologistes. Enfin, le 4 octobre, jour de la Saint-François, a été déclaré « Journée mondiale des animaux ».

Un groupe de végétariens chrétiens est également resté célèbre : les cathares, entre le XIe et le XIIIe siècle. Particulièrement nombreux dans le midi de la France, ils refusaient de tuer et de consommer le moindre animal, au nom d'une interprétation du christianisme proche du bouddhisme tibétain. Déclarés hérétiques, pourchassés par l'Église catholique, réprimés, emprisonnés, certains ont été confondus et condamnés à mort après avoir refusé de tuer un poulet.

Du côté des protestants, un nom reste étroitement associé à la cause animale : celui du pasteur luthérien Albert Schweitzer, un homme hors du commun dont les talents multiples forcent l'admiration. Théologien, philosophe, médecin, organiste, Prix Nobel de la paix en 1952, Schweitzer a dédié sa vie à une idée : le respect de la vie. Figure marquante de l'humanitaire, il était très proche des penseurs de l'Inde. Il avait également fondé au Gabon, à côté de son hôpital pour les humains, un refuge pour les animaux.

Dans la lignée d'Albert Schweitzer, un autre protestant contemporain a proposé une lecture nouvelle de la place des animaux et de nos devoirs à leur égard : Théodore Monod, mort en 2000 à 98 ans. La cruelle loi médiatique a fait que son nom ne s'est jamais hissé au rang des personnalités les plus connues des Français. Pourtant, il présentait plusieurs points communs avec l'abbé Pierre, né dix ans après lui et qui fut longtemps l'un des hommes les plus populaires de France. Sur la fin de leur vie, on pouvait même noter une vraie ressemblance physique, les deux hommes affichant un visage émacié entouré d'une fine barbe blanche. Tous deux se sont battus pour les plus démunis, les mal-logés et les sans-papiers. Mais, chez Monod, ce combat n'était que l'un des aspects d'un engagement beaucoup plus large qui s'exprimait sur de nombreux fronts. Lui-même se considérait comme un « humaniste attristé », et sa philosophie n'est pas sans rappeler celle de Gandhi.

Naturaliste, explorateur, spécialiste des déserts et de l'Afrique, botaniste, géologue, ethnologue, archéologue, créateur et directeur de l'Institut français d'Afrique noire, membre de l'Académie des sciences, auteur d'une quinzaine d'ouvrages, Théodore Monod était un éminent défenseur des droits de l'homme et des animaux. Il était issu d'une famille de pasteurs. Ses engagements s'appuyaient sur une conception moderne du christianisme, fondée, comme chez Schweitzer, sur le respect de la vie propre au jaïnisme, à l'hindouisme et au bouddhisme. Végétarien (bien que s'autorisant parfois du poisson, des crustacés et… des sauterelles), opposé à la chasse, à la corrida, à la vivisection, antimilitariste, non violent, antinucléaire : telles étaient ses grandes convictions. « On pourrait se demander, disait-il, pourquoi une civilisation qui se prétend fondée sur les préceptes évangéliques, sur certains textes du Nouveau Testament, en est arrivée à un tel mépris de l'animal. Je n'aime pas les animaux. Je demande qu'on les respecte[171]. » Théodore Monod a longtemps été le président du ROC, le Rassemblement des opposants à la chasse, et il a également été le parrain de l'association One Voice, qui se bat « pour une éthique animale et planétaire ». Il est aujourd'hui encore une référence pour les végétariens et les défenseurs des animaux.

Le judaïsme, quant à lui, ne se résume pas à la cacherout ni au rite casher qui interdit l'étourdissement avant l'abattage. J'en veux pour preuve l'analyse de la journaliste israélienne Peggy Cidor. Je connais Peggy depuis plusieurs années : nous avons travaillé ensemble à différentes occasions lorsque je me suis rendu à Jérusalem en reportage. Cette spécialiste des affaires politiques étudie aussi depuis plusieurs années l'histoire de la religion juive. Elle m'a ainsi expliqué qu'au XIIIᵉ siècle le rabbin Moïse Nahmanide considérait le végétarisme comme le niveau supérieur de l'humanité. Au XXᵉ siècle, le rabbin Abraham Isaac Kook, dont les connaissances talmudiques inspiraient le plus grand respect, affirmait pour sa part que le végétarisme était synonyme de paix universelle. Selon lui, il était impensable qu'une création divine en mange une autre. Pour comprendre ses convictions, il faut revenir aux sources de la Création. D'après son interprétation, les humains qui étaient végétariens à l'origine n'auraient commencé à manger de la viande qu'au cours d'une phase de dépravation. Lorsque Dieu provoqua le Déluge pour punir les hommes de leur déchéance morale, ces derniers étaient même tombés si bas qu'ils étaient devenus cannibales. Après le Déluge, à la manière d'un compromis, Dieu aurait autorisé Noé et ses descendants à manger à nouveau d'autres animaux, mais il aurait fait de la consommation de viande humaine un tabou.

Aujourd'hui en Israël, les végétariens sont nombreux (on les estime à plus de 10 %), surtout parmi les jeunes et les religieux ultra-orthodoxes. Il faut reconnaître que, chez ces derniers, la motivation est parfois d'ordre purement pratique : ne pas consommer d'animaux évite de se compliquer la vie avec des règles casher très contraignantes.

Le rabbin Kook, saint François d'Assise ou Albert Schweitzer sont cependant des exceptions qui ne doivent pas faire oublier que le judéo-christianisme a fait entrer les « bêtes » dans une période d'obscurantisme dont elles ne sont toujours pas sorties. Car une majorité de philosophes et de théologiens se sont appuyés sur la Bible pour postuler l'infériorité du monde animal.

« Cela crie mais cela ne sent pas ! » : l'héritage de Descartes

René Descartes, les animaux ne te disent pas merci. Avec toi s'est ouvert un chemin particulièrement noir pour le genre non humain. Tu as poussé à son paroxysme le subterfuge originel, celui qui justifie aujourd'hui encore tous nos comportements à l'égard de notre écosystème : l'humain est séparé de la bête, il est extérieur au monde animal, et il se promène dans la nature comme dans un grand supermarché où il n'a même pas à passer à la caisse – pour l'instant. Tu as beau avoir compris que « je pense donc je suis », tu as également parfois laissé tes neurones au vestiaire, en proposant une lecture du monde affligeante, où Dieu et la raison sont parfois difficiles à concilier.

L'anecdote est restée célèbre : Nicolas Malebranche, philosophe et théologien du XVIIe siècle, reçoit chez lui l'écrivain Bernard Le Bovier de Fontenelle. Entre dans la pièce l'une des chiennes de Malebranche, qui attend des petits. Elle tourne autour des deux hommes, se frotte à son maître. Celui-ci essaie de la chasser, mais elle revient. Il lui flanque alors un coup de pied. La bête pousse un hurlement de douleur. Indignation de Fontenelle. Réponse de Malebranche : « Eh quoi ! Ne savez-vous pas bien que cela crie, mais cela ne sent pas ? »

Malebranche était un disciple très (trop) appliqué de Descartes. René Descartes (1596-1650) est le pire ennemi de l'écologie. Il a théorisé l'idée d'une nature au service de l'homme, une nature dont nous devons nous rendre « maîtres et possesseurs », la science étant destinée à nous permettre de l'exploiter au mieux. Mais il a aussi affirmé l'absence de sensibilité de l'animal non humain. C'est la fameuse théorie de l'animal-machine. Pour lui, les bêtes ne pensent pas, ne souffrent pas, n'éprouvent ni joie ni peine, et leurs mouvements ne sont que mécaniques. Si elles poussent des cris lorsqu'on les frappe, ce n'est en aucune façon une preuve de sensibilité : c'est une réaction nerveuse, une réponse à un stimulus, comme la roue d'un chariot qui grince. Car, affirme Descartes, pour éprouver de la douleur, de la joie ou de la peine, il faut avoir une âme. Non pas un cerveau, mais une âme, ce truc purement spirituel qui survit au corps après la mort physique et qui seul permet de ressentir. Or les animaux n'ont pas d'âme. CQFD.

L'honnêteté oblige à reconnaître que Descartes lui-même a parfois atténué, voire contredit, la position exprimée dans son *Discours de la méthode*. Cela lui est notamment arrivé dans sa correspondance. Il évoque ainsi dans une lettre l'animalité de l'homme, parle des « ruses » des animaux (ce qui n'est donc pas inné), et il accepte même la possibilité que certains organes chez les bêtes soient sensibles, en l'occurrence ceux qui ressemblent aux organes des hommes.

Mais l'opinion n'a pas retenu ces nuances. Descartes reste le point de départ officiel d'une pensée qui ne reconnaît à l'animal non humain aucun droit, si ce n'est celui d'exister, si tel est notre bon vouloir. Pourtant, l'histoire littéraire et philosophique de l'Occident a fait entendre d'autres voix qui auraient pu depuis longtemps nous conduire à reconsidérer notre relation à l'animal.

Michel Onfray, intellectuellement végétarien

Lorsque j'ai lu *Le Ventre des philosophes*, le premier livre du philosophe Michel Onfray, j'ai été, je dois l'avouer, assez choqué par sa vision plutôt rétrograde des végétariens. Cet essai paru en 1989 a pour ambition de mieux faire comprendre les penseurs à partir de leurs choix culinaires. Or, après avoir longuement décrit le régime sans viande de Rousseau (qu'il semble ne pas porter dans son cœur, rappelant par exemple qu'il a abandonné ses enfants), Michel Onfray explique qu'un tel choix alimentaire est, en gros, le symptôme d'une frustration malsaine et condamnable : « La théorie rousseauiste de l'aliment est spartiate, c'est celle du renoncement, de l'ascèse, celle des règles monastiques. Elle n'est pas sans signifier un dégoût de soi, un mépris du corps – prêt à être étendu à l'humanité entière – que partagent tous les diététiciens du défaut et du manque, plus suspects de gérer leur anorexie que soucieux d'une gastronomie entendue comme gai savoir préoccupé de légèreté et de jouissance. Faut-il s'étonner de trouver dans la galerie des végétariens illustres des amateurs célèbres de sang et de chair fraîche ? Deux exemples d'herbivores célèbres : Saint-Just qui, lui aussi, était obsédé par la référence lacédémonienne [...]. Second végétarien célèbre : Adolf Hitler. Est-il utile de s'étendre[172] ? »

337

Outre le fait que la référence à Hitler n'est pas pertinente dans la mesure où, rappelons-le, ce dernier n'a jamais été végétarien, je me suis senti insulté par ces propos. Serais-je, en tant que végétarien, un violent qui s'ignore ? Un être incapable de légèreté et de jouissance ? L'histoire est remplie d'exemples qui mettent à mal cette vision caricaturale du végétarien, aussi ne m'attarderai-je pas plus longtemps sur ce point. Quelle mouche avait donc piqué Michel Onfray à l'époque ? Une mauvaise expérience avec un grincheux mangeur de légumes ? Ses considérations m'avaient d'autant plus étonné que j'apprécie généralement la démarche originale et les prises de position de ce penseur, qui a créé en 2006 à Argentan l'Université populaire du goût. Aussi fus-je heureux de découvrir un peu plus tard qu'il s'était lui-même chargé d'apporter un démenti à cette surprenante erreur de jeunesse.

Il le fit dans une chronique publiée dans le journal *Siné Hebdo*. Vingt ans avaient passé depuis la publication du *Ventre des philosophes*, et Onfray avait évolué. Beaucoup. Dans ces lignes où il invite les humains « à prendre des leçons auprès des animaux », le philosophe explique combien les violences imposées aux animaux d'élevage l'attristent, mais souligne surtout le bien-fondé du végétarisme et de l'antispécisme :

> Le combat antispéciste est légitime quand il nous invite à réfléchir sur la souffrance animale, la légitimité de l'expérimentation scientifique avec les bêtes, le bien-fondé du végétarisme (auquel toute conscience qui s'exerce un tant soit peu à la réflexion ne peut que consentir intellectuellement...), les conditions indignes de l'élevage industriel, la tragédie que représente philosophiquement l'abattage programmé d'êtres vivants, la sauvagerie de toute spectacularisation de la mort

comme dans le cas de la corrida ou des combats de coqs, la honte associée à toute entreprise carcérale de type zoo, et la nécessité de penser autrement notre rapport aux animaux. Sur ce terrain, notre humanité patine, elle retarde, elle périclite[173].

Michel Onfray serait-il lui-même devenu végétarien, comme pourraient le laisser penser ces propos ? Pas exactement, mais il n'en est pas si loin. Au moment où j'écris ces lignes, il vient d'accorder un entretien à *Philosophie Magazine*, dans lequel il reconnaît qu'il devrait renoncer à la viande s'il était logique avec lui-même : « C'est l'une de mes contradictions : sur le papier, j'adhère totalement au discours qui conclut à la nécessité du végétarisme. Dans la vie, je ne peux me passer dans ma cuisine des poissons, des crustacés, de la viande... Je ne cuisine jamais de viande pour moi, je n'en mange jamais quand je suis seul, mais je la prépare pour mes amis et j'en mange avec eux. En revanche, je suis un passionné de poissons et de fruits de mer. Mais j'ai une fois ouvert mes homards vivants avant de les griller à la cheminée, je ne recommencerai plus[174]... »

Alors, éthique en toc ? Je pourrais reprocher à Michel Onfray d'être de ceux qui ne mettent pas leurs actes en concordance avec leurs paroles, un défaut d'autant plus impardonnable chez un éclaireur de pensée. Mais ce serait malvenu de ma part, et ce pour deux raisons.

D'abord parce que Michel Onfray a le mérite de l'honnêteté. Il avoue lui-même sa difficulté à mettre en application un raisonnement auquel il adhère. Beaucoup de gens sont dans son cas aujourd'hui : persuadés que notre manière de traiter les animaux doit changer, et même qu'il faut sans doute complètement cesser de les manger, ils ne parviennent cependant pas encore à éradiquer totalement la viande de leur alimentation. La jouissance gustative qui y est liée est une tentation trop puissante, qui l'emporte encore sur la raison : le cerveau est prêt, mais pas la bouche. Ceux-là sont des végétariens en devenir, et avec le temps viendra le moment où le changement pourra s'opérer.

Ensuite parce que Onfray est devenu en France, sans le vouloir sans doute, l'un des principaux porte-parole de l'éthique animale. Il enseigne depuis plusieurs années à l'université populaire de Caen des philosophes écartés ou oubliés qui défendent une thèse radicalement différente de celle développée par la pensée judéo-chrétienne. Des philosophes qui soutiennent, comme les antispécistes, qu'il n'y a entre les hommes et les autres animaux qu'une différence de degré, et non de nature. Dans un texte publié en 2011 dans l'ouvrage collectif de Jean-Baptiste Jean-gène Vilmer consacré à l'éthique animale, Michel Onfray fait remarquer que la pensée chrétienne sur le statut de l'animal est celle qui est largement diffusée dans la tradition philosophique enseignée au lycée ou à l'université : Heidegger, Augustin, Descartes, Kant... Cette pensée-là nous présente un homme qui domine la pyramide de la création, et qui est libre de « faire ce qu'il veut de tout ce qui n'est pas lui ». C'est une philosophie spéciste.

Cette tradition laisse de côté un pan entier de la philosophie, qui est « persécuté par l'idéologie dominante ». Il s'agit, explique Onfray, « des philosophes monistes, matérialistes, atomistes, abdéritains, épicuriens pour lesquels il n'y a pas, comme pour les chrétiens, une différence de nature entre l'homme et l'animal, mais une différence de degré. Ce qui change tout... ».

Michel Onfray ne se contente pas d'un constat. Il prend position en faveur de ces philosophes injuste-

340

ment écartés de notre tradition de pensée et affiche clairement ses positions antispécistes :

> On ne regarde plus de la même manière les animaux si [...] l'on adopte un autre point de vue, égalitaire. Si l'animal est notre prochain, *une partie mémorielle de nous-mêmes*, ce que je crois, alors il y a en eux ce qui se trouve aussi en nous, mais que des millénaires d'acculturation ont recouvert, contraint, écrasé, affecté, amoindri, méprisé, négligé, détruit, massacré, maltraité. Autrement dit : une nature brute et directe, une horloge impeccable, un sismographe hypersensible, une sensitivité exacerbée, une vérité simple à être, une matérialité cosmique, une pure présence immanente, une force tranquille, une affectivité immédiate, une vitalité préhistorique. La culture a longtemps été un art de comprendre la nature afin d'y trouver sa place : l'animisme, le totémisme, le polythéisme, le paganisme témoignent en ce sens, et pendant des millénaires[175].

Je partage bien évidemment cette analyse, et je regrette moi aussi que la tradition occidentale ait diffusé pendant si longtemps une vision tellement fausse de l'animalité en privilégiant l'approche anthropocentriste prônée par une majorité. Mais je m'étonne également du peu de résonance, au fil de l'histoire, de certains textes d'écrivains, de penseurs ou de théologiens révoltés par le traitement réservé aux animaux. Des esprits qui font encore référence aujourd'hui, qui sont encore lus et écoutés, sauf lorsqu'ils parlent de la question animale. Comme aurait dit Monsieur Cyclopède : « Étonnant, non ? »

LE THÉORÈME SANS VIANDE DE PYTHAGORE

« Dans un triangle rectangle, le carré de la longueur de l'hypoténuse est égal à la somme des carrés des longueurs des côtés de l'angle droit » : ces mots sont ceux du plus célèbre théorème de l'histoire des mathématiques. Des millions d'enfants l'apprennent par cœur chaque année, pour l'oublier, le plus souvent, sitôt les études terminées. Le nom de son auteur, lui, reste gravé dans toutes les mémoires : Pythagore. C'est lui qui porte aujourd'hui la paternité de la découverte, et tant pis si avant lui les relations métriques dans le triangle rectangle avaient déjà étaient exposées par les Babyloniens. Les règles de l'éternité sont injustes.

Pythagore était mathématicien, astronome, musicien, philosophe. Il est le premier à avoir entrepris de lire et d'expliquer le monde à travers les nombres : nombres pairs, impairs, entiers, irrationnels, remarquables, nombre parfait, nombre d'or (établissant les proportions du beau), gamme pythagoricienne (classification des notes de musique, proche de la nôtre)... Il fut aussi le premier végétarien de la pensée occidentale. Beaucoup a été dit ou écrit sur sa vie. Difficile de démêler la vérité de la légende. Certains récits lui prêtent une cuisse en or et une origine divine. A-t-il réellement, dans sa jeunesse, remporté toutes les épreuves de pugilat aux Jeux olympiques ? Cela fait partie du mythe en tout cas. Même ses dates de naissance et de mort prêtent à débat, mais il est admis qu'il a vécu au VIe siècle avant J.-C.

Pythagore s'était installé à Crotone, en Italie, où il avait fondé une institution philosophique et religieuse. Plusieurs auteurs affirment que ses disciples sont les premiers à avoir imaginé la rotondité de la Terre et son mouvement circulaire autour du Soleil. C'était bien avant qu'Eudoxe, Aristote, puis au IIe siècle Ptolémée ne viennent ruiner cette théorie en affirmant que la Terre était immobile au centre de l'univers et que le Soleil tournait autour d'elle. Cette vision perdura pendant près de deux millénaires, jusqu'à ce que Copernic puis Galilée la remettent en question.

Bref, on l'aura compris, Pythagore avait de l'intuition. On pourrait même dire qu'il était visionnaire. Est-ce pour cela qu'il fut aussi le premier végétarien affirmé de la pensée occidentale ? À ses disciples, il interdisait de manger de la viande, comme le relate Ovide[176]. Sa position reposait en grande partie sur sa croyance en la métempsycose, c'est-à-dire la réincarnation. Puisque les âmes survivent, qu'elles peuvent passer d'un corps d'humain à un corps d'animal, on risque, en mangeant un lapin ou un porc, de dévorer son père ou sa grand-tante ! Cette théorie se retrouve dans la pensée hindoue et a guidé plusieurs peuples à des moments de leur histoire, des Égyptiens aux Indiens.

Par ailleurs, selon Pythagore, le « carnage » des animaux, comme il l'appelle, conduirait à d'autres violences, envers les humains cette fois. Les crimes et les guerres sont possibles parce que nous tolérons et encourageons les violences faites aux animaux.

DE PLUTARQUE À HUBERT REEVES :
VINGT SIÈCLES DE VÉGÉTARISME

« Je viens de tuer un cochon et une chèvre », annonce Mark Zuckerberg en mai 2011 sur sa page Facebook personnelle, selon l'AFP, qui précise que le jeune milliardaire a fourni des explications à *Fortune Magazine*. Il aurait affirmé qu'il est pratiquement devenu végétarien, et que la seule viande qu'il consent désormais à manger est celle provenant d'animaux qu'il a tués lui-même : « Je crois que beaucoup de gens oublient qu'un être vivant doit mourir pour que l'on mange, donc mon but est de ne pas me laisser l'oublier, et d'être reconnaissant de ce que j'ai. » Zuckerberg raconte qu'il a commencé son expérience avec un homard plongé vivant dans un court-bouillon, l'a poursuivie avec un poulet, et qu'il envisage de se mettre à la chasse. Il précise aussi qu'il a reçu des conseils d'abattage.

Le très malin et très riche fondateur de Facebook aurait-il pété un plomb ? Faut-il le condamner pour cet éveil à la cruauté ? Non, ce serait injuste. Précisons d'abord que, depuis, Zuckerberg semble avoir abandonné ce nouveau mode de vie, comme le raconte en août 2012 le *Huffington Post*. Trop contraignant, sans doute. Dommage, serais-je tenté d'écrire, car Mark Zuckerberg faisait au moins preuve de cohérence en appliquant, près de deux millénaires plus tard, le précepte de Plutarque : « Si tu veux manger un animal, tue-le toi-même. »

Plutarque est né en Grèce au Ier siècle. Son œuvre a été redécouverte au XVIe siècle grâce aux traductions en français d'Amyot, qui fit découvrir *Manger la chair – Traité sur les animaux*. Cet ensemble de textes a ensuite été regroupé sous le titre *Trois Traités pour les animaux* et commenté, dans les années 1990, par la philosophe Élisabeth de Fontenay.

Plutarque est l'un des plus anciens défenseurs du végétarisme, mais ses arguments diffèrent de ceux de Pythagore. Pour lui, pas de référence à la métempsycose. Son végétarisme n'est pas lié à la crainte de faire rôtir un parent réincarné. Sa conviction n'est pas religieuse, mais morale. Et ses arguments sont si modernes qu'ils sont encore valides aujourd'hui. Plutarque considère en premier lieu que la norme n'est pas où l'on croit : ce sont les mangeurs de viande qui devraient se justifier, et non ceux qui ont fait le choix de la bannir de leur alimentation. Car il n'y a absolument rien de naturel à manger des animaux, bien au contraire. La preuve ? Selon lui, si nous étions vraiment faits pour consommer de la viande, nous serions tous capables de tuer l'animal que nous souhaitons manger, de procéder nous-mêmes à cette mise à mort, à mains nues :

> Si tu veux t'obstiner à soutenir que la nature t'a fait pour manger telle viande, tue-la donc toi-même le premier, je dis toi-même, sans user de couperet ni de couteau ni de cognée, mais comme font les loups, les ours et les lions qui, à mesure qu'ils mangent, tuent la bête aussi toi, tue-moi un bœuf à force de le mordre à belles dents, ou de la bouche un sanglier, déchire-moi un agneau ou un lièvre à belles griffes, et mange-le encore tout vif, ainsi que font ces bêtes-là[177].

L'allégation de Plutarque est en fait assez logique. Si l'on considère qu'une action est moralement juste, alors on doit être capable de la mener soi-même. Et pourtant, quel consommateur pourrait se rendre dans un élevage un couteau à la main, choisir son porc ou son veau et lui trancher la gorge pour le saigner, avant de le regarder agoniser, puis de le ramener à la maison pour le dépecer ? Certes, il existe bien quelques personnes que cela ne dérangerait pas trop – les bouchers de profession, par exemple, ou les équarisseurs, qui sont habitués à certaines pratiques. Mais cela n'infirme en rien l'argument de Plutarque : l'existence de quelques bourreaux n'a jamais suffi à justifier la pertinence de la peine de mort. Plutarque s'interroge par ailleurs sur le fait que l'on fasse cuire la viande au lieu de la manger crue, comme ferait n'importe quel carnivore. Cela n'est pas un hasard selon lui : la cuisson est un moyen d'effacer notre crime, d'oublier la cruauté de notre action.

Nombreux furent les philosophes grecs qui, comme Plutarque, dénoncèrent les meurtres d'animaux et prônèrent le végétarisme : Empédocle, Théophraste ou encore Porphyre, qui écrivit son *Traité de l'abstinence*. Pour sa part, Platon, sans être lui-même végétarien, imagine dans *La République* que la société saine est celle où l'on ne mange pas de viande. D'une manière générale – et si l'on exclut les stoïciens (comme Cicéron) –, les philosophes de l'Antiquité, même lorsqu'ils n'ont pas renoncé à la viande, ne séparent pas l'humain des autres animaux. Ils admettent que tous partagent un principe de vie que les Grecs nomment « psyché » – ce que nous appelons l'« âme » – et qui se traduit en latin par *anima* (d'où est tiré le mot « animal »). Il y a continuité entre l'âme humaine et l'âme animale. Ce qui varie d'un être à l'autre, une fois de plus, c'est le *degré* d'âme. Aristote, par exemple, établit une hiérarchie entre les espèces animales. Il distingue les animaux qui ont de l'imagination et de la mémoire (animaux supérieurs) et ceux qui, d'après lui, n'en ont pas plus que les plantes (les vers, les fourmis ou les abeilles). Il reconnaît des « traces d'humanité » dans de nombreuses espèces, et il décèle des traits de voisinage ou d'analogie entre les hommes et les animaux.

Lorsqu'il publie ses *Essais* au XVIe siècle, Michel de Montaigne a lu Plutarque et la vie de Pythagore, puisqu'il y fait référence à ces deux penseurs. Il est lui aussi persuadé que la violence envers les animaux non humains entraîne la violence entre les hommes. Révolté par la cruauté de la chasse, Montaigne défend la notion d'« obligation mutuelle » entre les hommes et les autres créatures, et il apparaît comme un précurseur des droits des animaux en France. On ne peut que s'étonner de la modernité de son point de vue d'éthologue : ses intuitions seront confirmées quatre siècles plus tard par les spécialistes. Farouche opposant à l'anthropocentrisme, cette idée qui fait de l'homme la créature supérieure sur terre, Montaigne considère que les humains et les autres animaux sont égaux, et il répertorie dans l'*Apologie de Raimond Sebond* les preuves de l'intelligence des animaux non humains[178]. Pour lui, il est tout d'abord évident que les bêtes ont bien un langage qui peut être sonore ou gestuel. Si nous ne percevons pas ce que disent les animaux, ce n'est pas leur faute, mais la nôtre. Montaigne ajoute que les hommes les plus stupides (les handicapés mentaux) ont un langage guère plus évolué que celui des animaux. Il relève ensuite la complexité de l'organisation sociale des abeilles, la minutie et l'ingéniosité de la fabrication d'un nid chez les hirondelles ou de celle d'une toile chez les araignées : autant de preuves d'une intelligence qui surpasse parfois la nôtre[179].

Au cours du siècle des Lumières, le philosophe et écrivain genevois Jean-Jacques Rousseau milite pour que l'homme cesse de maltraiter les animaux. Il est le premier philosophe occidental à exprimer l'idée selon laquelle nous avons des devoirs à l'égard des animaux sensibles. Rousseau est lui-même végétarien et conseille de délaisser la viande au profit des fruits, des légumes et des laitages, qui correspondent selon lui à l'alimentation originelle de l'homme :

> Une des preuves que le goût de la viande n'est pas naturel à l'homme est l'indifférence que les enfants ont pour ce mets-là et la préférence qu'ils donnent tous à des nourritures végétales, telles que le laitage, la pâtisserie, les fruits, etc. Il importe surtout de ne pas dénaturer ce goût primitif, et de ne point rendre les enfants carnassiers : si ce n'est pour leur santé, c'est pour leur caractère ; car, de quelque manière qu'on explique l'expérience, il est certain que les grands mangeurs de viande sont en général cruels et plus féroces que les

autres hommes : cette observation est de tous les lieux et de tous les temps[180].

Autre militant du végétarisme, le poète Alphonse de Lamartine, au XIXe siècle. Sa mère était végétarienne et l'éleva selon ses principes. Il ne mangea jamais de viande jusqu'à son arrivée au collège, où il fut obligé, selon son propre aveu, de se conformer aux « conditions de la société ». Dans ses *Confidences*, Lamartine se souvient :

> Ma mère était convaincue, et j'ai comme elle cette conviction, que tuer les animaux pour se nourrir de leur chair et de leur sang est une des infirmités de la condition humaine ; que c'est une de ces malédictions jetées sur l'homme soit par sa chute, soit par l'endurcissement de sa propre perversité. Elle croyait, et je le crois comme elle, que ces habitudes d'endurcissement de cœur à l'égard des animaux les plus doux, nos compagnons, nos auxiliaires, nos frères en travail et même en affection ici-bas ; que ces immolations, ces appétits de sang, cette vue des chairs palpitantes sont faits pour brutaliser et pour endurcir les instincts du cœur. Elle croyait, et je le crois aussi, que cette nourriture, bien plus succulente et bien plus énergique en apparence, contient en soi des principes irritants et putrides qui aigrissent le sang et abrègent les jours de l'homme. Elle citait, à l'appui de ces idées d'abstinence, les populations innombrables, douces, pieuses de l'Inde, qui s'interdisent tout ce qui a eu vie, et les races fortes et saines des peuples pasteurs, et même des populations laborieuses de nos campagnes qui travaillent le plus, qui vivent le plus innocemment et les plus longs jours, et qui ne mangent pas de viande dix fois dans leur vie[181].

Victor Hugo fut président d'honneur de la Société française contre la vivisection et permit le vote de la première loi de protection animale en France ;

Émile Zola surprit tous ses lecteurs en clamant son amour des bêtes dans une tribune publiée dans *Le Figaro* ; Colette s'insurgea contre les zoos... La liste des intellectuels qui se sont engagés en faveur de la protection animale depuis plusieurs siècles, en France et ailleurs, est plus longue qu'on ne le croit. Tous ne furent pas végétariens comme Marguerite Yourcenar (« à 95 % »), mais ils eurent au moins le mérite de demander que cesse la barbarie récurrente à l'égard des bêtes. Curieusement, leur discours n'a quasiment jamais porté. De Hugo le visionnaire on rappelle fréquemment l'appel à des « États-Unis d'Europe », qui préfiguraient l'Union européenne, ou la croisade contre la peine de mort plus d'un siècle avant son abolition, mais jamais son engagement contre la chasse.

Combien sont-ils ainsi à nous alerter depuis long-temps et à voir leur parole systématiquement étouf-fée ? La défense des animaux se résume aujourd'hui pour l'opinion française à un seul nom, celui d'une actrice mythique devenue misanthrope et dont le combat courageux est désormais masqué par des positionnements politiques provocateurs. En France, la protection animale et tout ce qui s'y rattache est caricaturé, voire méprisé. Pourtant, à deux pas, aux Pays-Bas, le Parti en faveur des animaux (Partij voor de Dieren), dont le nom affiche clairement les objec-tifs, a des élus au Parlement.

En France, les représentants d'Europe Écologie-Les Verts, dont on pourrait attendre qu'ils portent les valeurs antispécistes, n'abordent quasiment jamais la question animale, et encore plus rarement celle du végétarisme. À Paris, un maire d'arrondis-sement écologiste a bien lancé l'opération « Mardis végétariens » dans les établissements scolaires. L'ancien ministre de l'Environnement Yves Cochet soutient aussi ce genre d'initiative, qui se multiplie ailleurs (la ville de Gand en Belgique a ainsi lancé ses « Jeudis sans viande »). Mais, là encore, ce sont des personnalités minoritaires dans leur parti. La campagne présidentielle de 2012 a d'ailleurs bien montré que l'écologie politique française se moque du bien-être animal, puisque la candidate verte, Eva Joly, a affirmé qu'elle n'était pas opposée aux « traditions » que sont la corrida et la chasse. Cela la distingue sensiblement d'un autre militant écologiste très actif, président de la ligue ROC (dont l'objectif premier était l'opposition à la chasse), l'astrophysicien Hubert Reeves.

Celui-ci me ramène là où ce livre a commencé : à Montréal. C'est là que ce scientifique est né, qu'il a étudié et enseigné, et c'est là qu'il passe toujours une partie de l'année. Vulgarisateur hors pair, il étudie le monde et son avenir depuis plus de cinquante ans. En février 2004, sur France Culture, il envisageait clairement un avenir où la viande disparaîtrait progressivement :

> Il y a plusieurs raisons de penser qu'à l'échelle mondiale [les hommes] deviendront de plus en plus végétariens. C'est-à-dire que la quantité de viande absorbée par personne va progressivement décroître, au profit de la quantité de végétaux. [...] C'est en associant [les] aspects de sensibilité morale par rapport aux traitements et aux meurtres des animaux, d'une part, et du faible rendement protéinique de la viande par rapport aux plantes, d'autre part, qu'il semble raisonnable de conclure que l'humanité deviendra de plus en plus à dominante végétarienne, ce qu'elle était probablement à son origine, comme semble le montrer le comportement de nos cousins primates. Dans une optique optimiste sur l'avenir de l'espèce humaine, il semble vraisemblable qu'on assistera, du moins pouvons-nous l'espérer, à une diminution notable, à l'échelle mondiale, des élevages au

profit des cultures céréalières et de légumineuses. En d'autres mots, on assignera de plus en plus de surfaces arables aux plantes, et de moins en moins aux pâturages. Mais qui vivra verra[182]...

Conclusion

« Sans les élevages destinés à l'alimentation, il n'y aurait plus de poules ni de vaches sur terre ! » Cet argument est un grand classique parmi les preuves censées convaincre les végétariens de leur erreur : suggérer que les poulets, cochons et autres bœufs devraient nous remercier de les manger parce qu'ils existent grâce à nous, que nous les créons pour notre consommation et que, par voie de conséquence, si tout le monde devenait végétarien, ils disparaîtraient – ce qui serait évidemment extrêmement regrettable. Voilà bien l'un des arguments les plus tordus, et surtout les plus stupides, qu'il m'ait été donné d'entendre de la part des défenseurs du lobby pro-viande.

Quelle formidable hypocrisie, tout d'abord, que de prétendre se soucier de la préservation d'une espèce pour en justifier la consommation ! De surcroît, l'affirmation est tout simplement inexacte. Même si les animaux domestiques résultent de sélections génétiques effectuées par l'homme, ils ont tous un ancêtre qui ne nous a pas attendus pour apparaître sur terre. Qui plus est, aucun d'entre eux n'est définitivement domestiqué. Les chiens sauvages en meutes que l'on croise dans différents pays, qui se nourrissent par eux-mêmes et qu'il vaut mieux ne pas tenter de caresser l'attestent.

Un seul animal domestique ne peut survivre sans l'être humain : le bombyx du mûrier, ce lépidoptère originaire du nord de la Chine, dont la chenille est le ver à soie. Les œufs ne peuvent éclore qu'à une certaine température, les larves se nourrissent de feuilles de mûrier fournies par l'homme, les papillons sont incapables de voler et ne se nourrissent pas car leur tube digestif est atrophié. Ils ne vivent que le temps nécessaire pour se reproduire. Si les humains cessaient de les élever, ils disparaîtraient. Pour toutes les autres espèces d'animaux domestiques, en revanche, l'arrêt de leur exploitation par l'homme entraînerait certes une diminution de leur population, mais pas leur extinction.

Enfin, cet argument est moralement indéfendable. Imaginez qu'un couple décide de faire des enfants pour, disons, vendre leurs organes ou les prostituer. Pourraient-ils dire devant un tribunal : « On ne peut pas nous reprocher nos actes, car c'est grâce à eux que nos enfants sont nés » ? L'idée de créer des êtres vivants sensibles dans un but purement utilitaire, en leur réservant une vie qui ne sera qu'un lot de souffrances, est tout simplement inacceptable.

Ce n'est que très récemment que nous avons commencé à comprendre qui sont réellement les autres animaux. Nous n'ignorons plus les horreurs dont nous nous rendons coupables depuis si longtemps par ignorance ou par commodité. « Nul ne peut aujourd'hui croiser dans un zoo le regard d'un grand singe sans éprouver une émotion particulière, écrit le biologiste Yves Christen, sans ressentir aussi une forme de culpabilité vis-à-vis de ce prisonnier. Sans avoir l'impression d'être un voyeur. Et pourtant : pour les hommes de ma génération qui ont connu les zoos à l'ancienne et les visiteurs de jadis, comment ne pas se souvenir qu'il n'y a guère longtemps la relation avec les primates était d'une tout autre nature ? [...] Nous avons changé parce que [...] nous avons croisé le regard de l'autre[183]. » Tout comme notre regard a croisé un jour celui des primates, mais aussi celui des autres animaux sauvages que nous savons admirer et respecter, il croisera bientôt celui des vaches, des cochons, des lapins, des poulets, des homards... Alors il sera possible de dire sans susciter de sarcasmes : « Je ne mange pas cet animal car je suis révolté de ce qu'on lui a fait subir. » Les végétariens ou végétaliens éthiques ne seront plus moqués, puisqu'ils seront la norme.

Évidemment, les changements de régime, que celui-ci soit politique ou alimentaire, font peur. Un régime que l'on a toujours connu, fût-il autoritaire ou dictatorial, a quelque chose de rassurant. Et ses premiers opposants se sentent souvent bien seuls. Les autres décrivent leur combat comme inutile, perdu d'avance, voire infondé. Jusqu'au jour où l'injustice et l'arbitraire deviennent réellement insupportables à une majorité. Alors le peuple se soulève pour qu'enfin le changement intervienne.

Une grande partie des êtres humains qui peuplent la Terre aujourd'hui ont toujours connu la viande comme aliment de référence. À leurs yeux, elle est synonyme de santé et de richesse. Mais depuis peu le régime carné commence à vaciller : on sait désormais que ne plus manger de viande est un bienfait pour l'environnement. Un bienfait pour la santé individuelle. Un bienfait pour les animaux. Malgré ces arguments irréfutables, beaucoup hésitent encore à renoncer à des habitudes alimentaires bien ancrées dans leur vie, mais aussi dans celle de leurs parents et de leurs grands-parents. Cette réticence s'appuie sur une question simple : on a toujours mangé de la viande, alors pourquoi changer ? En filigrane se dessine une angoisse ontologique et métaphysique :

et si, en renonçant à manger les autres espèces, nous n'étions plus tout à fait nous-mêmes ?

Mais en réalité, c'est tout le contraire qu'il faut comprendre. L'être humain est justement celui des animaux qui se définit par sa capacité particulière à s'interroger sur les normes éthiques qui doivent le guider. C'est précisément pour cette raison qu'il va, un jour prochain, cesser de manger des représentants des autres espèces. Car la conscience et la raison dont il est doté lui font porter une responsabilité. La responsabilité liée à tout choix moral. Contrairement aux animaux non humains, nous avons le choix de ce que nous mangeons.

Et voici la bonne nouvelle : notre intelligence nous a permis au fil des millénaires d'évoluer jusqu'au point où la viande nous est devenue inutile. Nous ne sommes plus dans l'état de nécessité absolue où notre survie dépend de l'animal tué à la chasse et de la peau de bête portée sur nos épaules pour nous protéger du froid. Notre conscience nous impose donc aujourd'hui de mettre nos comportements en accord avec les conclusions morales auxquelles notre raison nous amène. C'est bien ce que fait remarquer l'éthologue américain Marc Bekoff[184] :

> Contrairement à nous, les prédateurs sauvages ne peuvent choisir ce ou ceux qu'ils mangent. Ils ne pourraient pas survivre s'ils ne mangeaient pas d'autres animaux. Et en fait, beaucoup d'animaux sont végétariens, y compris parmi les primates non humains, et ne mangent d'autres animaux qu'à de très rares occasions. [...] [Les] loups, les lions et les cougars, par exemple, ne sont pas des agents moraux et ne peuvent pas être tenus pour responsables de leurs actions. Ils ne peuvent distinguer le bien du mal. En revanche, la plupart des humains savent ce qu'ils font et sont responsables de leurs choix. Quand il s'agit de déterminer quelle chair va finir dans nos bouches, nous savons faire des choix,

et, selon moi, manger des animaux est mal et inutile, même quand ces animaux sont élevés et tués « humainement ». [...] Je sais [que dans le monde] il y a beaucoup de gens qui n'ont pas le luxe de choisir leurs repas et doivent se contenter de ce qui leur est disponible. Malgré cela, ceux qui ont ce luxe peuvent facilement se passer de viande. Et nous pouvons faire en sorte de montrer aux autres qu'un régime végétarien ou végan peut être économique et bon pour la santé[185].

Il n'y a aucun sens à nous réfugier dans des habitudes passées pour imaginer notre futur. Il n'y a pas si longtemps encore, l'anthropophagie était courante, l'esclavage était normal, les femmes étaient considérées comme largement inférieures aux hommes, la peine de mort était une sentence infligée dans le monde entier, les régimes démocratiques étaient inexistants. D'une manière générale, et même si le chemin est encore très long, nous avons su au fil des siècles faire progresser les droits de l'individu sur la planète. Si nous nous figions tout à coup dans des certitudes rassurantes mais injustes, qui auraient pour seul mérite de conforter la position dominatrice d'un certain nombre, nous nous éloignerions de notre humanité. Mais le changement est déjà en marche : aux États-Unis, pays des plus gros mangeurs de viande et qui influence les habitudes alimentaires de toute la planète, 20 % des étudiants sont aujourd'hui végétariens. Dans quelques années, ce sont eux qui occuperont des postes clés dans la société : ils commenceront alors à définir sérieusement les contours d'un monde sans viande.

Vous l'avez bien compris en tournant les pages de ce livre : le végétarisme n'est pas un regard vers le passé, c'est un choix résolument moderne de progrès moral. Un pas de plus vers une société moins violente et respectueuse du vivant, sous toutes ses formes. Si tel est bien le chemin que nous nous efforçons de suivre, alors il est temps d'assumer pleinement les responsabilités liées à notre statut d'*Homo sapiens*. D'homme qui sait. Un statut qui nous oblige à mettre notre intelligence au service de la vie et à veiller sur les autres. C'est le seul moyen pour que l'espèce humaine poursuive son évolution.

Remerciements

J'adresse toute ma reconnaissance à Jacques Attali, avec qui j'ai eu le plaisir de dialoguer sur l'antenne d'Europe1 pendant deux ans, et qui a été le premier à m'encourager à mettre en pages mes convictions.

Je remercie ma première lectrice, Catherine, pour m'avoir accompagné quotidiennement dans cette expérience végé-littéraire qui a occupé plusieurs mois de ma vie, et pour avoir accepté de bousculer certaines de ses certitudes alimentaires.

Je remercie Jean-Baptiste Jeangène Vilmer pour nos passionnantes discussions, ainsi que toutes les personnes qui m'ont offert de leur temps pour répondre à mes questions.

Je remercie Sophie de Closets, qui, avec Élise Roy, a bien voulu relire les épreuves de ce livre. Son regard et ses suggestions m'ont beaucoup apporté.

Enfin, je remercie tous ceux qui me répètent depuis vingt ans que les végétariens sont des gens étranges.

Notes

1. Claude Lévi-Strauss, « La leçon de sagesse des vaches folles », *Études rurales. Jeux, conflits, représentations*, 1996 :
   http://etudesrurales.revues.org/document27.html.
2. Cf. « Fabrication de la gélatine entrant dans la composition de produits alimentaires », réponse du ministère de l'Agriculture, publiée dans le JO du Sénat, 12 juillet 2001.
3. Dans les savons, les graisses animales sont présentes dans la composition sous l'appellation « tallowate de sodium » ou « lardate de sodium ». Il faut souvent avoir un dictionnaire pour repérer sur les étiquettes les produits issus d'animaux !
4. Les chiffres sont fournis par l'Association végétarienne de France (octobre 2011), hormis ceux dont une autre origine est précisée.
5. Source : FAO, http://www.fao.org/docrep/004/y1669f/y1669f09.htm.
6. Source : The Hindu-CNN-IBN State of Nation Survey, 2006.
7. Ce chiffre est obtenu en excluant les enfants et les vieillards. Ainsi, en 2010, pour une population totale de 7,8 millions de personnes, 537 722 permis de chasse, 7 570 permis de piégeage et 768 642 permis de pêche ont été délivrés.
8. Lester R. Brown, cité par le site GoodPlanet.info.

9. Source : The Animal Kill Counter, qui se fonde sur les chiffres de la FAO.

10. Source : Association végétarienne de France.

11. Tous ces chiffres sont en « équivalent carcasse ». Un poids de carcasse est le poids de l'animal avant qu'on ait enlevé les os, les tendons, le gras, etc. La quantité de viande réellement consommée est donc inférieure de 30 à 40 %. Les données « carcasse » sont plus simples à obtenir.

12. Étude FranceAgriMer, 24 septembre 2010.

13. La consommation de volaille a explosé en quarante ans, passant de 16 % à 28 % de la consommation totale de viande, selon FranceAgriMer.

14. Selon le Centre d'information des viandes (CIV), la consommation de viande rouge en France a diminué de 1 % par an au cours des vingt dernières années. Voir l'interview de Louis Orenga, directeur du CIV, sur le site Internet de *L'Express*, 2 mai 2010.

15. Source : Hal Herzog, *Some We Love, Some We Hate, Some We Eat*, Harper Perennial, 2011, p. 192.

16. Source : FAO, *La Situation mondiale de l'alimentation et de l'agriculture*, 2009.

17. Source : Daryll E. Ray, « Tendances de la Chine en matière de production et de consommation de viande », sur le site Internet de la Gestion agricole du Canada.

18. Chiffres de l'ONU et de l'Institut national des études démographiques (INED).

19. Rapport publié le 26 octobre 2011.

20. Fabrice Nicolino, *Bidoche. L'industrie de la viande menace le monde*, LLL, 2009.

21. Interview parue dans *Télérama*, n° 3118, 17 octobre 2009.

22. Source : Action contre la faim. Selon la FAO, le nombre de personnes sous-alimentées dans le monde en 2010 a atteint 925 millions, soit une augmentation de quasiment 9 % par rapport à la moyenne 2006-2008. Le Programme alimentaire mondial (PAM) donne le même chiffre.

23. Rapport « Agrimonde » publié par l'INRA et le CIRAD, janvier 2011.

24. À ce sujet, voir l'enquête de Marie-Pierre Raimbault « Le scandale du gaspillage alimentaire », Tony Comiti Productions, diffusée sur France 5 en juin 2012.

25. Surpoids et obésité se définissent par l'indice de masse corporelle (poids divisé par le carré de la taille, exprimé en kilos/m²). L'OMS définit le surpoids à partir d'un IMC supérieur ou égal à 25, l'obésité à partir d'un IMC supérieur ou égal à 30. Ainsi, pour un adulte de 1,75 m, le surpoids est compris entre 77 et 92 kilos environ ; l'obésité modérée commence à 92 kilos, l'obésité sévère à 107 kilos, l'obésité dite morbide à plus de 123 kilos.

26. Source : Organisation mondiale de la santé (OMS).

27. Source : Fédération internationale de la Croix-Rouge (IFRC), octobre 2011.

28. Jocelyne Porcher, http://www.agrobiosciences.org/article. php3?id_article=1096, septembre 2004.

29. Daniel Cohen, *La Prospérité du vice*, Albin Michel, 2009, p. 226.

30. Bruno Parmentier, *Nourrir l'humanité*, La Découverte, 2009, p. 38.

31. http://www.srfood.org/images/stories/pdf/officialrepor ts/201 01021_access-to-land-report_fr.pdf.

32. Daniel Cohen, *La Prospérité du vice*, *op. cit.*, p. 227.

33. *Ibid.*, p. 231-232.

34. Pierre-Alain Roche (IFRI), « L'eau au XXIᵉ siècle : enjeux, conflits, marché », in *Rapport annuel mondial sur le système économique et les stratégies* (*RAMSES*), 2001.

35. Source : waterfootprint.org.

36. Source : CNRS http://www.cnrs.fr/cw/dossiers/doseau/ decouv/usages/consoDom.html.

37. Selon une récente étude suédoise, si on taxait la viande et le lait à hauteur de 60 euros la tonne équivalent carbone, on réduirait de 7 % les émissions de gaz à effet de serre liées à l'agriculture européenne.

Source : http://phys.org/news/2011-01-climate tax-meat-results-greenhouse.html.

38. Chiffre de la FAO, rapport publié en 2006.

39. Cf. l'étude suédoise citée à la note 37.

40. Cf. Lorraine Millot, « L'effet bœuf du "Lundi sans viande" », *Libération*, 29 juillet 2012.

41. One Voice, « Le commerce de la viande de chien en Chine : une vérité choquante qui n'honore pas les hôtes des prochains Jeux olympiques », janvier 2008.

42. Bruno Comby, *Délicieux insectes*, Jouvence, 1990.

43. Cf. « Et si on mangeait des insectes ? », *Le Parisien*, 10 juin 2011.

44. Cf. Hal Herzog, *Some We Love, Some We Hate, Some We Eat*, *op. cit.*, p. 187.

45. Source : Éric Baratay, *Bêtes de somme*, Seuil, coll. « Points », 2008.

46. L'animal de rente est celui qui est élevé pour sa production bouchère.

47. Source : Centre d'information des viandes (CIV).

48. Pour tout savoir sur l'histoire du cochon à travers les âges, voir Michel Pastoureau, « Symbolique médiévale et moderne », *Annuaire de l'École pratique des hautes études (EPHE). Section des sciences historiques et philologiques*, 142, 2011, http://ashp.revues.org/index1170.html ; et, du même auteur, *Le Cochon. Histoire d'un cousin mal aimé*, Gallimard, 2009.

49. http://www.laprovence.com/article/a-la-une 1126.

50. « AGNEAU DE SISTERON. […] Caractéristiques : Agneau né, élevé et abattu dans la région de Sisteron au sens de l'IGP, à moins de 150 jours. Les agneaux sont alimentés à base de lait maternel pendant 60 jours minimum. Ils se nourrissent ensuite d'herbe ou de foin, et peuvent aussi recevoir un aliment complémentaire à base de céréales. La qualité des carcasses est observée à froid. 7 heures après l'abattage, un salarié du groupement qualité évalue ainsi au mieux la qualité finale du produit. » Source : http://www.label-viande.com.

51. Site Internet de France 3 Provence-Alpes, 26 juillet 2011.

52. « Sont considérés comme des animaux domestiques les animaux appartenant à des populations animales sélectionnées ou dont les deux parents appartiennent à des populations animales sélectionnées. On appelle population animale sélectionnée une population d'animaux qui se différencie des populations génétiquement les plus proches par un ensemble de caractéristiques identifiables et héréditaires qui sont la conséquence d'une politique de gestion spécifique et raisonnée des accouplements. »

53. Cf. Boris Cyrulnik, Jean-Pierre Digard, Pascal Picq et Karine Lou Matignon (dir.), *La Plus Belle Histoire des animaux*, Seuil, coll. « Points », 2004.

54. Hubert Reeves, chronique « Animaux nuisibles et mauvaises herbes », France Culture, 3 janvier 2004, http://www.hubertreeves.info/chroniques/20040103.html.

55. Chiffres fournis en septembre 2010 par l'Ordre des vétérinaires.

56. Jean-Pierre Digard, *in* Boris Cyrulnik, Jean-Pierre Digard, Pascal Picq et Karine Lou Matignon (dir.), *La Plus Belle Histoire des animaux*, op. cit., p. 146-147.

57. Hal Herzog, *Some We Love, Some We Hate, Some We Eat*, op. cit. Traduction du titre : « Il y en a que nous aimons, il y en a que nous détestons, il y en a que nous mangeons ».

58. Ces expériences sont rapportées par Hal Herzog, *ibid.*

59. Jean-Pierre Digard, *in* Boris Cyrulnik, Jean-Pierre Digard, Pascal Picq et Karine Lou Matignon (dir.), *La Plus Belle Histoire des animaux*, op. cit., p. 141.

60. Cf. Boris Cyrulnik, *La Fabuleuse Aventure des hommes et des animaux*, Fayard, coll. « Pluriel », 2003, p. 143.

61. Marguerite Yourcenar, « Qui sait si l'âme des bêtes va en bas » (1981), in *Le Temps, ce grand sculpteur*, Gallimard, 1983.

62. Cité par Jocelyne Porcher dans « L'animal d'élevage n'est pas si bête », http://ruralia.revues.org/971, 1ᵉʳ janvier 2008.

63. Citation tirée de sa nouvelle « The Letter Writer ».

64. Charles Patterson, *Un éternel Treblinka*, Calmann-Lévy, 2008.

65. Jocelyne Porcher, *Vivre avec les animaux : une utopie pour le XXIᵉ siècle*, La Découverte, 2011, p. 90.

66. Cf. Fabrice Nicolino, *Bidoche, op. cit.*, p. 171.

67. Isabelle Saporta, *Le Livre noir de l'agriculture*, Fayard, 2011.

68. Source : Protection mondiale des animaux de ferme (PMAF).

69. Jean Luc Daub, *Ces bêtes qu'on abat*, L'Harmattan, 2009, p. 11.

70. *Ibid.*, p. 63.

71. David Servan-Schreiber, *On peut se dire au revoir plusieurs fois*, Robert Laffont, 2011, p. 71.

72. *Le Parisien*, 22 février 2012.

73. Léon Tolstoï, *Plaisirs cruels*, G. Charpentier et E. Fasquelle éditeurs, 1895, pp. 112-116.

74. http://www.one voice.fr/?s=vache+laiti%C3%A8res.

75. Voir notamment le rapport publié en 2003 par le Farm Animal Welfare Council (FAWC), organisme consultatif britannique indépendant constitué de vétérinaires, de zoologues, de chercheurs et de spécialistes de la protection des animaux.

76. Source : association L214, qui se réfère au centre de certification halal AVS (A Votre Service).

77. Claude Fischler, *L'Homnivore*, Odile Jacob, coll. « Poches », 2001, p. 125.

78. *VegNews*, juillet-août 2011.

79. Claude Fischler, *L'Homnivore, op. cit.*, p. 69.

80. Cité par Hal Herzog dans *Some We Love, Some We Hate, Some We Eat, op. cit.*, p. 182.

81. Gilles Fumey, *Géopolitique de l'alimentation*, Sciences humaines, 2008, p. 18-21.

82. À ce sujet, voir l'article sur le site suisse Gène ABC, du Fonds national suisse de la recherche scientifique : http://gene-abc.ch/fr/nos-genes/chromosom-1-la-lactase.html.

83. Gilles Fumey, *Géopolitique de l'alimentation*, *op. cit.*, p. 18.

84. Brillat-Savarin, *Physiologie du goût ou méditations de gastronomie transcendante* (1825), Charpentier, 1865, p. 1.

85. Gilles Fumey, *Géopolitique de l'alimentation*, *op. cit.*, p. 15.

86. *Runner's World*, novembre-décembre 2011.

87. Cité par T. Colin Campbell dans *Le Rapport Campbell*, Ariane Éditions, 2008, p. 35.

88. Source : Éric Baratay, *Bêtes de somme*, *op. cit.*

89. JORF n° 0229, 2 octobre 2011, p. 16575, texte n° 34.

90. Cf. Fabrice Nicolino, *Bidoche*, *op. cit.*

91. Cf. « Le foie gras français interdit en Californie », lemonde.fr, 1er juillet 2012.

92. Chiffre cité par l'Association de professionnels de santé pour une alimentation responsable (APSARes), http://www.alimentation-responsable.com/un-constat-inquietant.

93. Interview avec Arnaud Guillou pour la revue *L'Œil électrique*, n° 6, 1999.

94. *France-Soir*, avec AFP, 22 juin 2009.

95. Cité *in* « Le village des cannibales », larecherche.fr, 12 janvier 2008.

96. Cité dans un article paru dans *Le Temps*, 12 août 2003.

97. Cf. T. Colin Campbell, *Le Rapport Campbell*, *op. cit.*, p. 37.

98. *Libération*, 13 janvier 2011.

99. Le chiffre exact est de 1 067,35 tonnes, selon l'Agence nationale du médicament vétérinaire.

100. Madeleine Ferrières, *Histoire des peurs alimentaires*, Seuil, 2002, p. 55.

101. http://videos.doctissimo.fr/sante/cancers/David-Servan-Schreiber-l-alimentation-qui-protege-du-cancer.html.

102. T. Colin Campbell, *Le Rapport Campbell*, *op. cit.*, p. 28.

103. Laurent Chevallier, *Je maigris sain, je mange bien*, Fayard, 2011.

104. Le ministère prend simplement la précaution d'alerter les végétaliens sur la nécessité d'intégrer à leur régime des suppléments, notamment pour les apports en vitamine B12, et éventuellement en calcium et en vitamine D (dans le cas des femmes enceintes).

105. Le soja et le quinoa ont la particularité de posséder les huit acides aminés essentiels de manière équilibrée.

106. Cf. David Olivier, « Les animaux-emballages », *Les Cahiers antispécistes*, n° 34, janvier 2012.

107. Ce documentaire signé Shaun Monson est sorti en 2005. Considéré comme une référence incontournable par les végétariens et les végétaliens, il montre les souffrances imposées aux animaux, notamment dans l'industrie alimentaire. La musique est signée Moby. Le narrateur pour la version anglaise est l'acteur Joaquin Phoenix. Georges Laraque assure la voix de la version québécoise.

108. http://www.agrobiosciences.org/article.php3?id_article=2759.

109. *Télérama*, n° 3073, décembre 2008.

110. Entretien sur RFI en 2001.

111. Cf. Pascal Picq, *in* Boris Cyrulnik, Jean-Pierre Digard, Pascal Picq et Karine Lou Matignon (dir.), *La Plus Belle histoire des animaux*, *op. cit.*, p. 24.

112. Cf. *Libération*, 28 juillet 2012.

113. Interview parue dans *Paris-Match*, 16 février 2012.

114. Milton Leitenberg, « Un monde qui préfère la guerre », *Le Monde diplomatique*, novembre 1983, http://www.monde-diplomatique.fr/1983/11/LEITENBERG/37637.

115. http://www.youtube.com/watch?v=rsOa0SqWcqc.

116. http://www.youtube.com/watch?v=DXXfX23HK5Q.

117. L'article et les photos ont été publiés dans *Life*, 4 juin 1971.
118. À ce sujet, voir l'article d'Estiva Reus dans *Les Cahiers antispécistes*, n° 26, novembre 2005.
119. Cf. l'article sur le site de *Sciences et Avenir*, 12 janvier 2012, http://www.sciencesetavenir.fr/fondamental /20120112.OBS8650/si-les-singes savaient-parler.html.
120. Yves Christen, *L'animal est-il une personne ?*, Flammarion, 2009.
121. Jacques Julliard, « On ne torture jamais son semblable », *Marianne*, n° 779, mars 2012.
122. Pascal Picq, *Nouvelle Histoire de l'homme*, Perrin, coll. « Tempus », 2007, p. 82-83.
123. Voltaire, *Traité de métaphysique* (1736), in *Œuvres complètes de M. de Voltaire*, tome 44ᵉ, Lyon, J.-B. Delamollière, 1792, p. 46.
124. Jules Ferry, discours devant l'Assemblée nationale, 28 juillet 1885.
125. Pascal Picq, *Nouvelle Histoire de l'homme*, *op. cit.*, p. 57.
126. Jocelyne Porcher et Vinciane Despret, *Être bête*, Actes Sud, 2007.
127. Cité *ibid.*
128. *Ibid.*, p. 55.
129. http://www.lesinrocks.com/2011/07/28/musique/morrissey -pete-t-il-les-plombs-1111580/.
130. Article L214-1 : « Tout animal étant un être sensible doit être placé par son propriétaire dans des conditions compatibles avec les impératifs biologiques de son espèce. » Article L214-3 : « Il est interdit d'exercer des mauvais traitements envers les animaux domestiques ainsi qu'envers les animaux sauvages apprivoisés ou tenus en captivité. Des décrets en Conseil d'État déterminent les mesures propres à assurer la protection de ces animaux contre les mauvais traitements ou les utilisations abusives et à leur éviter des souffrances lors des manipulations inhérentes aux diverses techniques d'élevage, de parcage, de transport

et d'abattage des animaux. Il en est de même pour ce qui concerne les expériences biologiques médicales et scientifiques qui doivent être limitées aux cas de stricte nécessité. »

131. Les articles R-654-1 et 521-1 sont consacrés à la protection animale. Le premier est l'héritier de la vieille loi Grammont et prévoit 750 euros d'amende en cas de mauvais traitement envers un animal domestique, apprivoisé ou tenu en captivité. Le second réprime les sévices graves ou les actes de cruauté sur les mêmes animaux : la peine encourue est de 2 ans d'emprisonnement et 30 000 euros d'amende. L'atteinte à la vie ou à l'intégrité de l'animal est à plus forte raison sanctionnée : 450 euros en cas de mort ou de blessure de l'animal si celle-ci est involontaire et résulte d'une négligence ou d'une imprudence du propriétaire, 1 500 euros si l'acte est volontaire

132. Jean-Marie Coulon et Jean-Claude Nouët, *Les Droits de l'animal*, Dalloz-Sirey, 2009, p. 32.

133. *Ibid.*, p. 31.

134. Jean-Pierre Marguénaud, « Déverrouiller le débat juridique », *in* Jean Birnbaum (dir.), *Qui sont les animaux ?*, Gallimard, coll. « Folio Essais », 2010, p. 156.

135. Voir à ce sujet Jean-Marie Coulon et Jean-Claude Nouët, *Les Droits de l'animal*, *op. cit.*

136. Jean-Baptiste Jeangène Vilmer, *Éthique animale*, PUF, 2008 (préface de Peter Singer) ; *Textes clés de philosophie animale*, Vrin, 2010 ; *L'Éthique animale*, PUF, coll. « Que sais-je ? », 2011 ; *Anthologie d'éthique animale*, PUF, 2011.

137. Jeremy Bentham, *Introduction aux principes de morale et de législation*, Vrin, 2011, p. 325.

138. Citée par Hal Herzog, *Some We Love, Some We Hate, Some We Eat*, *op. cit.*, p. 194.

139. La classification suivante se fonde sur celle du philosophe américain William Frankena (1908-1994), qui distingue quatre manières différentes d'envisager nos

devoirs et nos responsabilités d'humains à l'égard de notre environnement.

140. Tom Regan, *The Case for Animal Rights*, University of California Press, 1983, p. 243.

141. Interview accordée à Karin Karcher, David Olivier et Léo Vidal, *Les Cahiers antispécistes*, n° 2, janvier 1992.

142. Gary Francione, http://fr.abolitionistapproach.com/.

143. Marcela Iacub, *Confessions d'une mangeuse de viande*, Fayard, 2011.

144. *Ibid.*, p. 79-80.

145. *Ibid.*, p. 121.

146. Jean Nakos, « Théodore Monod et les protestants français défenseurs des animaux », *Les Cahiers antispécistes*, n° 30-31, décembre 2008.

147. Interview accordée à Karin Karcher, David Olivier et Léo Vidal, *Les Cahiers antispécistes*, n° 2, janvier 1992.

148. Louise Michel, *Mémoires*, Paris, Maspero, 1979, p. 91-92 et 97-98, citée par Jean-Baptiste Jeangène Vilmer, *Anthologie d'éthique animale*, *op. cit.*

149. *Ibid.*

150. Préface au livre de Dudley Giehl, *Vegetarianism: A Way of Life*, HarperCollins, 1979.

151. Rynn Berry, *Hitler: Neither Vegetarian Nor Animal Lover* (« Hitler : ni végétarien, ni ami des bêtes »), Pythagorean Books, 2004 ; Élisabeth Hardouin-Fugier, « La protection de l'animal sous le nazisme », *in* Élisabeth Hardouin-Fugier, Estiva Reus et David Olivier, *Luc Ferry ou le rétablissement de l'ordre*, Tahin Party, 2002.

152. Voir notre petit lexique introductif, p. 15.

153. « James Cameron: "I once nail-gunned 20 mobiles to a wall" », interview par Judith Woods, *The Telegraph*, 1er octobre 2012.

154. Jonathan Safran Foer, *Faut-il manger les animaux ?*, Éditions de l'Olivier, 2011.

155. Hal Herzog, *Some We Love, Some We Hate, Some We Eat*, *op. cit.*, p. 243.

156. Selon les experts, il ne reste qu'entre 50 000 et 60 000 orangs-outans vivant à l'état sauvage, dont 80 % en Indonésie et en Malaisie.

157. Albert Schweitzer, *Les Grands Penseurs de l'Inde*, Payot, coll. « Petite Bibliothèque Payot », 1962, p. 65, cité par Jean Nakos, « Le jaïnisme et les animaux », *Les Cahiers antispécistes*, n° 32, mars 2010.

158. Friedrich Nietzsche, *Ecce Homo* (1888), 10/18, 1997, p. 57.

159. Milan Kundera, *L'Insoutenable Légèreté de l'être*, Gallimard, coll. « Folio », 1989, p. 421.

160. Georges Courteline, *La Philosophie de Georges Courteline*(1922), Lausanne, L'Âge d'homme, 2000, p. 24-25, cité par Jean-Baptiste Jeangène Vilmer, *Anthologie d'éthique animale*, *op. cit.*

161. Arthur Schopenhauer, *Sur la religion*, GF Flammarion, 1996, p. 113, cité par Jean Nakos, « Arthur Schopenhauer et l'évidente affinité de l'homme avec les animaux », *Les Cahiers antispécistes*, n° 34, janvier 2012.

162. Après avoir consommé des laitages, il convient d'attendre une demi-heure à une heure avant de pouvoir consommer de la viande – c'est six heures dans le cas de certains fromages. Après avoir consommé de la viande, il faut attendre six heures pour consommer du lait, le temps de digestion étant estimé plus long. Il faut noter que ces durées « réglementaires » varient en fonction des pays.

163. Les animaux aquatiques purs sont ceux qui ont des écailles et des nageoires.

164. Lévitique 11, 1-8.

165. Cité par James Rachels, « Darwin, espèce et éthique », *Les Cahiers antispécistes*, n° 15-16, avril 1998, se référant à Ronald W. Clark, *The Survival of Charles Darwin: A Biography of a Man and an Idea*, Random House, 1984, p. 178, à partir du carnet de notes « C »

des manuscrits de Darwin conservés à la Cambridge University Library.

166. Genèse 1, 29-30.

167. Genèse 9, 1-3.

168. Genèse 1, 27-28.

169. « Ce droit nous semble aller de soi parce que c'est nous qui nous trouvons au sommet de la hiérarchie. Mais il suffirait qu'un tiers s'immisce dans le jeu, par exemple un visiteur venu d'une autre planète dont le dieu aurait dit : "Tu régneras sur les créatures de toutes les autres étoiles" et toute l'évidence de la Genèse serait aussitôt remise en question. L'homme attelé à un chariot par un Martien, éventuellement grillé à la broche par un habitant de la Voie lactée, se rappellera peut-être alors la côtelette de veau qu'il avait coutume de découper sur son assiette et présentera (trop tard) ses excuses à la vache. » Milan Kundera, *L'Insoutenable Légèreté de l'être, op. cit.*

170. Pour saint Augustin et Thomas d'Aquin, voir Charles Patterson, *Un éternel Treblinka, op. cit.*, p. 43.

171. Théodore Monod, *Dictionnaire humaniste et pacifiste*, Le Cherche-Midi, 2004, p. 10.

172. Michel Onfray, *Le Ventre des philosophes* (1989), Le Livre de Poche, coll. « Biblio Essais », 1990, p. 58-59.

173. *Siné Hebdo*, n° 50, 19 août 2009.

174. *Philosophie Magazine*, n° 50, juin 2011.

175. Michel Onfray, « Une partie mémorielle de nous-mêmes », *in* Jean-Baptiste Jeangène Vilmer, *Anthologie d'éthique animale, op. cit.*, p. 381.

176. « [Pythagore] fut le premier qui condamna l'usage de manger de la chair des animaux ; doctrine sublime, et si peu goûtée, dont il doit être regardé comme le père. "Cessez, mortels, disait-il, cessez de vous servir de mets si abominables : les campagnes vous présentent d'abondantes moissons : les arbres sont chargés des plus beaux fruits, et les vignes portent des raisins pour votre usage. Vous avez des légumes d'un goût agréable, parmi lesquels il s'en trouve d'excellents

quand ils sont cuits. Le lait et le miel ne vous sont point interdits. Enfin la terre vous prodigue les richesses, et vous fournit des aliments de toute espèce, sans qu'il soit besoin, pour vous nourrir, d'avoir recours au meurtre et au carnage. Il n'appartient qu'aux animaux de manger de la chair ; encore ne s'en nourrissent ils pas tous. Les chevaux, les bœufs, les brebis ne vivent que d'herbe [...]. Quel crime horrible de faire entrer dans nos entrailles celles des autres animaux. [...] Faut-il qu'au milieu de tant de biens que la terre, la meilleure de toutes les mères, prodigue aux hommes avec tant de profusion, ils aient encore recours au meurtre pour se nourrir, à la manière des Cyclopes, et qu'ils ne puissent assouvir leur faim qu'en égorgeant des animaux ? Ce n'était pas ainsi qu'on en usait dans cet heureux temps que nous appelons le Siècle d'or. Content des plantes et des fruits que produit la terre, l'homme ne souillait pas sa bouche du sang des animaux. [...] Celui, quel qu'il soit, qui, pour dégoûter les hommes des aliments innocents dont ils se nourrissaient, introduisit l'usage de manger la chair des animaux, ouvrit en même temps la porte à toutes sortes de crimes ; car ce fut, sans doute, par le carnage qu'on fit de ces animaux, que le fer commença à être ensanglanté. » Ovide, *Métamorphoses*, livre 15.

177. Plutarque, « S'il est loisible de manger chair », in *Trois Traités pour les animaux*, préfacé par Élisabeth de Fontenay, texte établi et adapté par M.-N. Baudoin-Matuszek, POL, 1992.

178. À ce sujet, on peut lire Thierry Gontier, *De l'homme à l'animal. Montaigne et Descartes ou les paradoxes de la philosophie moderne sur la nature des animaux*, Vrin, coll. « Philologie et Mercure », 1998.

179. « Nous recognoissons assez, en la plupart de leurs ouvrages, combien les animaux ont d'excellence au dessus de nous, et combien nostre art est foible à les imiter : nous veoyons toutesfois aux nostres, plus gros-

siers, les facultez que nous y employons, et que nostre ame s'y sert de toutes ses forces ; pourquoy n'en estimons nous autant d'eulx ? pourquoi attribuons nous à ie ne sçais quelle inclination naturelle et servile les ouvrages qui surpassent tout ce que nous pouvons par nature et par art ? » *Essais de Michel de Montaigne* (1572-1580), vol. 2, Garnier Frères, 1865, p. 182.

180. Jean-Jacques Rousseau, *Émile ou De l'éducation* (1762), Charpentier, 1848, p. 201.

181. Alphonse de Lamartine, *Les Confidences*, Perrotin, 1850, p. 91-92.

182. « Un avenir de plus en plus végétarien ? », chronique sur France Culture : http://www.hubertreeves.info/chroniques/20040207.html, http://www.hubertreeves.info/chroniques/20040214.html.

183. Yves Christen, *L'animal est-il une personne ?*, *op. cit.*, p. 14.

184. Marc Bekoff est un spécialiste du comportement animal, professeur de biologie à l'université du Colorado. Il a cofondé avec Jane Goodall le comité Ethologists for the Ethical Treatment of Animals: Citizens for Responsible Animal Behavior Studies (Éthologues pour un traitement éthique des animaux : citoyens pour des études responsables du comportement animal).

185. Marc Bekoff, www.theatlantic.com, 27 décembre 2011.

Table des matières

10559

Composition
NORD COMPO

Achevé d'imprimer en Slovaquie
par NOVOPRINT SLK
le 9 décembre 2013.

Dépôt légal décembre 2013.
EAN 9782290076958
L21EPLN001491N001

ÉDITIONS J'AI LU
87, quai Panhard-et-Levassor, 75013 Paris

Diffusion France et étranger : Flammarion